WYKORZYSTAJ POTĘGĘ PODŚWIADOMOŚCI W PRACY

Joseph Murphy

Wykorzystaj potęgę podświadomości w pracy

POD REDAKCJĄ
Arthura R. Pella

Przełożył
Piotr Turski

DOM WYDAWNICZY REBIS
POZNAŃ

Tytuł oryginału
*Putting The Power of Your Subconscious Mind to Work:
Reach New Levels of Career Success Using The Power
of Your Subconscious Mind*

Copyright © 2009 by Jean L. Murphy Trust
All rights reserved

Copyright © for the Polish edition by REBIS Publishing
House Ltd., Poznań 2010, 2014

Redaktor
Agnieszka Horzowska

Opracowanie graficzne i projekt okładki
Piotr Majewski

Fotografia na okładce
Matthieu Spohn/PhotoAlto/Getty Images/Flash Press Media

prawolubni ♥

Książka, którą nabyłeś, jest dziełem twórcy i wydawcy. Prosimy, abyś przestrzegał praw, jakie im przysługują. Jej zawartość możesz udostępnić nieodpłatnie osobom bliskim lub osobiście znanym. Ale nie publikuj jej w internecie. Jeśli cytujesz jej fragmenty, nie zmieniaj ich treści i koniecznie zaznacz, czyje to dzieło. A kopiując jej część, rób to jedynie na użytek osobisty.

Szanujmy cudzą własność i prawo!
Polska Izba Książki
Więcej o prawie autorskim na www.legalnakultura.pl

Wydanie I (dodruk)
Poznań 2015

ISBN 978-83-7510-432-5

Dom Wydawniczy REBIS Sp. z o.o.
ul. Żmigrodzka 41/49, 60-171 Poznań
tel. 61-867-47-08, 61-867-81-40; fax 61-867-37-74
e-mail: rebis@rebis.com.pl
www.rebis.com.pl

Spis treści

Poznaj moc podświadomego umysłu

Wszystko, co świadomy umysł uzna za prawdę i w co uwierzy, zostanie zaakceptowane i urzeczywistnione przez umysł podświadomy. Uwierz w dobrą passę, Boże przewodnictwo, właściwe działanie i wszelkie błogosławieństwa życia. Jesteś kapitanem swojej duszy (podświadomego umysłu) i panem swego losu. Pamiętaj, że masz możność wyboru. Wybierz życie! Wybierz miłość! Wybierz zdrowie! Wybierz szczęście!

Jesteś niezadowolony ze swojej drogi zawodowej? Twoje postępy blokuje rzekomy brak możliwości? Pragniesz osiągnąć swoje cele? Nie musisz pozwalać, by ograniczał cię dogmatyczny szef czy biurokratyczne przepisy, ani zdawać się na dobry lub zły los. Masz w sobie moc przejęcia kontroli nad swoją karierą.

Wszystko, co osiągamy lub czego nie osiągamy, jest bezpośrednim skutkiem naszego sposobu myślenia. Nasze wady i zalety, czystość i nieczystość myśli zależą tylko od nas. Tylko my możemy je zmienić, nikt inny. Całe nasze szczęście i niedola rodzą się w naszym wnętrzu. *Jak myślimy, tacy jesteśmy; jeśli będziemy dalej tak myśleć, tacy pozostaniemy.*

Oczywiście pewnych rzeczy nie zmienisz: trajektorii planet, następstwa pór roku, przypływów i odpływów oceanów, pozornego ruchu słońca na niebie. *Możesz jednak zmienić siebie.* Możesz się przeobrazić, odnawiając swój umysł. Oto klucz do doskonałej kariery. Twój umysł przypomina magnetofon. Wszystkie przekonania, wrażenia, opinie i koncepcje, które świadomie akceptujesz, zostają zapisane w głębszym, podświadomym umyśle. Ucząc się sztuki uruchamiania podświadomego umysłu, przejmujesz kontrolę nad swoją karierą.

Zawartość podświadomego umysłu można zmienić. Wymaga to podjęcia świadomego działania, polegającego na przyswojeniu sobie szlachetnych wzorców myślenia. Myśl o pięknie, miłości, pokoju, mądrości i twórczych ideach. Twój podświadomy umysł odpowiednio zareaguje i przekształci twoją mentalność, ciało i okoliczności zewnętrzne.

Odnosi się to w szczególności do postępów kariery. Zbyt wielu ludzi blokuje się strachem, na przykład przed szefem, rywalami wspinającymi się po szczeblach zawodowej kariery lub przeszkodami biurokratycznymi. Owszem, twoją karierę może utrudniać każda z tych obaw lub nawet wszystkie, ale tylko wtedy, gdy im na to pozwolisz.

Jeżeli będziesz pewien swoich zdolności i będziesz efektywnie pracować nad osiągnięciem celów swojej firmy, zaprzęgniesz moc podświadomego umysłu do pokonania tych przeszkód.

Kiedy Jules H., błyskotliwy młody adwokat, zatrudnił się w dużej kancelarii prawnej, zauważył, że o awans konkuruje z nim kilkunastu innych młodych adwokatów. Wszyscy mieli świetne kwalifikacje i równie wielkie ambicje. Jules spostrzegł również, że większość z nich stale skarży się na to, że zamiast zgodnie ze swoimi upodobaniami zajmować się sprawami prawnymi, muszą godzinami wykonywać rutynowe i drobiazgowe prace. Choć Jules był tym tak samo poirytowany, odwołał się do mocy swojego podświadomego umysłu i powiedział sobie: „Jasne, że ta robota jest nudna i ogłupiająca, jeśli jednak chcę zrobić krok naprzód, muszę najpierw wykonać swoje obowiązki. Wykonam tę pracę nie tylko mózgiem, ale i sercem. Podejdę do niej jak do najbardziej wymagających zadań, które otrzymywałem na uczelni". Już wkrótce jego przełożeni przekonali się o jego wyższości i zaczęli przydzielać mu ważniejsze sprawy i go faworyzować.

Psycholodzy i psychiatrzy twierdzą, że myśli przesyłane do podświadomego umysłu odciskają swoje piętno w komórkach mózgowych. Gdy taka lub inna koncepcja zostaje zaakceptowana, podświadomość bezzwłocznie przystępuje do jej urzeczywistnienia. Działa na zasadzie skojarzeń i używa wszelkich informacji zgromadzonych w ciągu życia do spełnienia swojego celu, wykorzystując nieskończoną moc, energię i mądrość, które masz w sobie. Aby dopiąć swego, werbuje wszystkie prawa natury. Zdarza się, że natychmiast przedstawia rozwiązanie problemu, choć innym razem może to trwać dni lub tygodnie.

Podświadomy umysł przypomina glebę, która przyjmuje każdą myśl – dobrą i złą. Myśli mają aktywny charakter i można je przyrównać do nasion. Negatywne i destrukcyjne myśli kontynuują swoje działanie w podświadomym umyśle, a z czasem owocują odpowiednimi działaniami. Pamiętaj, że podświadomy umysł nie próbuje sprawdzać, czy dana myśl jest dobra czy zła, prawdziwa czy fałszywa, tylko reaguje stosownie do istoty tej myśli lub sugestii.

Jeśli na przykład świadomie założysz, że coś jest prawdziwe, to choćby było to fałszem, twój podświadomy umysł uzna to za prawdę i zacznie wywoływać skutki będące logicznym następstwem prawdziwości danej koncepcji. Umysł podświadomy nie potrafi się spierać. Jeśli więc przedstawisz mu błędną sugestię, uzna ją za słuszną i zajmie się jej urzeczywistnianiem w postaci warunków, doświadczeń i zdarzeń. Często nazywany jest umysłem subiektywnym. Umysł ten rozpatruje otoczenie niezależnie od pięciu zmysłów.

Środkiem percepcji umysłu subiektywnego jest intuicja. Umysł ten jest też siedliskiem emocji i magazynem pamięci. Najważniejsze ze swoich funkcji spełnia, kiedy umysł obiektywny zapada w sen i zawiesza swoje działanie. Aby widzieć, umysł subiektywny nie potrzebuje naturalnego narządu wzroku. Posiada zdolność „jasnowidzenia" i „jasnosłyszenia".

Następstwem harmonijnego i spokojnego funkcjonowania umysłu świadomego i podświadomego jest harmonia, zdrowie, pokój, radość i szczęście. Wszelkie zło, ból, cierpienia, niedole, wojny, zbrodnie i choroby są spowodowane nieharmonijną relacją świadomego i podświadomego umysłu. Pamiętaj, że podświadomość jest bezosobowa i niewybiórcza.

Nawykowy sposób myślenia świadomego umysłu żłobi głębokie bruzdy w umyśle podświadomym. Będzie więc bardzo korzystne dla ciebie i twojej kariery, jeśli twoje nawykowe myśli będą harmonijne, pokojowe i konstruktywne.

Z drugiej strony, jeśli pozwalasz sobie jeszcze na strach, zmartwienia i inne destrukcyjne formy myślenia, możesz temu zaradzić, uznając wszechmoc swojego podświadomego umysłu i ogłaszając wolność, szczęście, idealne zdrowie i pomyślność. Twój podświadomy umysł, jako byt twórczy i stanowiący jedność z Bożym źródłem, zacznie zaprowadzać wolność i szczęście, które szczerze ogłosiłeś.

Przypadek i sposobność nie są odpowiedzialne za drogę, którą toczy się twoja kariera, ani też przeznaczenie nie jest przyczyną twojego szczęścia lub niedoli. Twój podświadomy umysł nie zajmuje się prawdą ani fałszem tego, o czym twój umysł świadomy jest święcie przekonany lub co wydaje mu się prawdziwe. Wybieraj tylko to, co „prawdziwe, miłe, godne i boskie", a twoja podświadomość odpowiednio zareaguje.

Choć wiedzieli o tym filozofowie, teolodzy i myśliciele wszystkich epok, trzeba o tym przypominać każdemu pokoleniu i umożliwiać ludziom korzystanie z dziejstwa tej prawdy.

Koncepcję tę opracował dr Joseph Murphy w swoim bestsellerze *Potęga podświadomości* i kolejnych działach. Tysiące mężczyzn i kobiet przychodziły na kazania i wykłady, które dr Murphy wygłaszał w wielu krajach, a miliony słuchały jego audycji radiowych.

Dr Murphy przekłada te teorie na praktyczne podejście do życia. Przedstawia rzeczowy program, dzięki któremu nauczysz się, jak skończyć z samopotępieniem. Zobaczysz, że możesz już teraz rościć sobie prawo do tego, aby być tym, kim chcesz się stać. Możesz teraz posiąść to, co pragniesz posiadać. Możesz teraz zrobić to, co pragniesz robić. Możesz żyć w takiej psychicznej atmosferze, która drogą osmozy stopniowo przesiąknie ze świadomego do podświadomego umysłu, z wolna stając się twoim przekonaniem, jeśli będziesz ją karmił i podtrzymywał. Twoje ograniczenia wtedy znikną i powstaniesz jak feniks z popiołów tego, co było dawniej, i staniesz się nowym człowiekiem.

Otrzymasz nową wizję, nowy obraz siebie, nową świadomość. Twoim panem i władcą są twoje głęboko zakorzenione przekonania i to wszystko, czemu udzielasz emocjonalnego poparcia. Każda idea lub przekonanie, która zdominuje twój podświadomy umysł, przejmuje kontrolę nad twoimi myślami, czynami i reakcjami. Nie możesz wygrać, jeśli wierzysz w porażkę. Możesz harować jak wół, pracować osiemnaście godzin na dobę, a jednak przegrasz, bo taka idea panuje w twoim umyśle. Stanie ci się stosownie do twojej wiary – tak stanowi nauka o umyśle.

Nauczysz się, jak się spodziewać najlepszego, jak patrzeć przed siebie z oczekiwaniem najwspanialszej przyszłości, jak wierzyć w to, że jest to możliwe. Z takim nowym obrazem siebie przeżyjesz radość i dreszcz spełnienia swojego snu. Nauczysz się, jak stosować te zasady, aby udoskonalić i popchnąć naprzód swoją karierę.

Choć zasadnicza treść książki pochodzi z prac dr. Murphy'ego, została uzupełniona o dodatkowe informacje i przykłady pokazujące, jak cenne może być jego przesłanie dla czytelników XXI stulecia.

Ponieważ dr Murphy był osobą duchowną, podstawą wielu wskazówek, których udzielał, była jego silna wiara w Boga. Możesz jednak doświadczyć działania tej Nieskończonej Inteligencji w swoim wnętrzu niezależnie od tego, czy jesteś człowiekiem religijnym, agnostykiem czy ateistą. Nie potrzeba do tego wyznania wiary. Jeśli Ją wezwiesz, Ona cię wysłucha. Jest bezosobowa, „nie zważa na osoby". Dla osób religijnych Nieskończona Inteligencja jest Bogiem. Inni mogą Ją uznać za coś, co znajduje się głęboko w ich wnętrzu. Jeśli chcesz, możesz Ją nazwać Nadludzką Inteligencją lub umysłem podprogowym.

Jeżeli powstrzymuje cię problem – intelektualny, cielesny lub emocjonalny – zadaj sobie pytanie: Od czego się odwracam? Z czym nie chcę się zmierzyć? Czy skrywam urazę lub wrogość do kogoś? Staw czoło problemowi. Rozwiąż go, uciekając się do wiedzy własnego głębokiego umysłu, wiedząc, że Prawo Życia zawsze dąży do uzdrawiania i odnawiania. Prawo Życia jest poruszającą nas siłą, która nigdy nie potępia, nie karze ani nie osądza, gdyż nie jest do tego zdolna. My sami wydajemy wyrok o sobie własnymi myślami, rozstrzygnięciami i werdyktami, które zapadają w naszym umyśle. Pamiętaj, że Prawo Życia nie może cię karać ani sądzić. Osądzasz się sam. Podobnie kształtujesz i modelujesz własny los, albowiem jak myślisz w swoim sercu (podświadomości), taki jesteś.

Zdaj więc sobie sprawę, że myśli są rzeczami, przyciągasz to, co odczuwasz, i stajesz się tym, co sobie wyobrażasz. Jeśli to zrobisz, w twoim życiu zaczną się dziać cuda. Jest bowiem tylko jedna Moc i jest Ona w tobie. Ty jesteś kapitanem na mostku, wydajesz rozkazy, a twój podświadomy umysł przejmuje twoje wrażenia i urzeczywistnia je niezależnie od tego – jak to powiedzieliśmy wcześniej – czy są prawdziwe czy nie. Akceptuj zatem tylko to, co prawdziwe.

Nasz umysł zaśmiecają fałszywe przekonania, koncepcje i opinie. Stał się on niedostępny dla wiecznych prawd. Sugerowanie strachu człowiekowi wierzącemu i pewnemu siebie jest nie tylko bezskuteczne, lecz wręcz potęguje jego wiarę i ufność w prawo sukcesu. Umacnia go w przeświadczeniu, że Nieskończoność nie może zawieść, a wzmianki o przegranej sprawiają, że ten człowiek nabiera większego zaufania do swoich wewnętrznych mocy.

Niezliczone eksperymenty nad ludźmi znajdującymi się w stanie hipnozy, prowadzone przez psychologów, psychiatrów i innych profesjonalistów, wykazały, że umysł podświadomy nie potrafi dokonywać wyborów ani podejmować decyzji – jest niezdolny do czynności będących nieodzownymi elementami procesu rozumowania.

13

Musisz zdać sobie sprawę, że świadomy umysł jest strażnikiem bramy. Jego główna funkcja to ochrona umysłu podświadomego przed fałszywymi wrażeniami. Jesteś teraz świadomy jednego z podstawowych praw umysłu: umysł podświadomy jest podatny na sugestie. Jak wiesz, nie umie porównywać ani też sam nie umie niczego wymyślić lub wydedukować. Ta funkcja należy do umysłu świadomego. Podświadomość po prostu reaguje na wrażenia przedstawiane przez świadomość. Nie przedkłada jednego sposobu postępowania nad inny.

Pamiętaj, że sugestia nie może niczego narzucić umysłowi podświadomemu wbrew woli umysłu świadomego, który ma moc odrzucania wszelkich fałszywych lub negatywnych koncepcji.

Musisz dopilnować, by przedstawiać swej podświadomości tylko sugestie, które uzdrawiają, błogosławią, uwznioślają i inspirują cię we wszystkim, co robisz. Pamiętaj, że podświadomy umysł trzyma cię za słowo. Przyjmuje dosłownie to, co mówisz. Jeśli powtarzasz: „Nie dostanę awansu, nie mogę związać końca z końcem", twój umysł podświadomy dopilnuje, by tak właśnie się stało.

Kolejnym czynnikiem wpływającym na podświadomość są sugestie innych ludzi. Siła sugestii odgrywała istotną rolę w myśleniu i życiu człowieka w każdej epoce i każdym państwie na świecie. W wielu regionach jest narzędziem, dzięki któremu religia sprawuje kontrolę nad ludźmi poprzez ciągłe powtarzanie budzących paniczny lęk komentarzy: „Jesteś grzesznikiem", „Diabeł dobierze ci się do skóry", „Po śmierci pójdziesz do piekła" itp.

Od najmłodszych lat większość z nas wysłuchała wielu negatywnych sugestii. Sugestie konstruktywne, rzecz jasna, są cudowne i wspaniałe, natomiast negatywne stanowią jeden z najbardziej destrukcyjnych wzorców reakcji umysłu, wywołującym wojny, nieszczęścia, cierpienia, uprzedzenia rasowe i religijne oraz katastrofy. Siłę sugestii dobrze znają dyktatorzy, despoci i tyrani. Korzystali z niej Stalin, Hitler i Osama bin Laden, którzy odwoływali się do religijnych i rasowych przesądów, a następnie w stanie emocjonalnego wzburzenia zaszczepiali kolejne negatywne sugestie, wpajając wciąż na nowo pewne koncepcje milionom ludzi.

Jesteśmy narażeni na negatywne sugestie we wszystkich dziedzinach życia. Oto te z nich, które często się słyszy w związku z karierą: „Nie potrafisz", „Nigdy do niczego nie dojdziesz", „Nie wolno ci", „Nie uda ci się", „Nie masz szans", „Nie masz racji", „To na nic", „Nie liczy się wiedza, ale znajomości", „I po co się trudzić?", „Nikomu na tym nie zależy", „Nie ma sensu się wysilać", „Jesteś już za stary", „Świat schodzi na psy", „Życie to nieustanna harówka", „Z życiem nie wygrasz", „Niedługo cię wyleją" i „Nikomu nie można ufać".

Są to polecenia dla podświadomego umysłu, które zamienią twoje życie w piekło. Sprawią, że będziesz sfrustrowany, znerwicowany i wycofany. Będziesz przesiadywać u psychiatry, ponieważ te właśnie destrukcyjne sugestie przedstawiasz samemu sobie.

Możesz odrzucić je wszystkie, karmiąc swój podświadomy umysł modlitwą lub sięgając przed snem po inspirującą lekturę. W ten sposób będziesz przeciwdziałać destrukcyjnym myślom.

Nie musisz się poddawać wpływowi negatywnych sugestii. Jeśli spojrzysz wstecz, łatwo sobie przypomnisz, jaki udział w kampanii destrukcyjnych sugestii mieli twoi rodzice, znajomi, krewni, nauczyciele, przełożeni i duchowni. Celem większości tych sugestii było narzucenie ci kontroli lub wpojenie strachu. Przekonasz się, że wiele z nich przedstawiano ci po to, abyś myślał, czuł i postępował zgodnie z życzeniami innych ludzi i obrał drogę, która służyłaby ich korzyściom.

Nie jesteś marionetką w rękach innych ludzi. Musisz wybrać własną drogę prowadzącą ku integralności i wolności. Drogę tę znajdziesz w sobie. Wszystko, co uznasz za prawdę w swym świadomym umyśle, stanie się twoim udziałem dzięki umysłowi podświadomemu. Uwierz więc, że prowadzi cię Bóg, czyli Nieskończona Inteligencja. Właściwe działanie, Boże prawo i porządek panują w twoim życiu. Boży pokój ogarnia twoją duszę. Zacznij w to wierzyć. Nie stwarzasz tego, lecz uruchamiasz i sprawiasz, że nabiera mocy w twoim życiu.

Myśl samodzielnie. Masz moc panowania nad swoimi emocjami. W pracy to ty, a nie twoi przełożeni i współpracownicy, kierujesz swoim losem.

Natchnienie czerp z wysoka. Gdy zaakceptujesz te prawdy świadomym umysłem, twoja podświadomość urzeczywistni je i odkryjesz, że nic cię nie powstrzymuje przed osiągnięciem twoich celów, że zmierzasz w kierunku, który wybrałeś dla swojej kariery i swojego życia.

Musimy wierzyć, że potrafimy poprawić swoje życie. Jeśli będziemy przez jakiś czas żywić określone przekonanie – niezależnie od tego, czy jest prawdziwe czy fałszywe – zasymiluje się ono i włączy w naszą mentalność. Jeśli nie zostanie obalone przez koncepcję przeciwstawną, prędzej lub później nabierze określonych kształtów i zostanie wyrażone lub doświadczone w postaci faktu, formy, okoliczności, warunków i zdarzeń życia. Mamy w sobie moc przemiany przekonań negatywnych w pozytywne, a tym samym możemy zmienić na lepsze swoje życie.

Arthur R. Pell

CZĘŚĆ I

Jak rozwinąć cechy osobowości umożliwiające sukces w życiu zawodowym

Niektórzy rodzą się wielkimi, inni wielkość osiągają,
jeszcze innym wielkość sama się narzuca*.

SHAKESPEARE, *Wieczór Trzech Króli*

Choć niektórym sukces sam się narzuca, najczęściej jednak, aby go osiągnąć, trzeba poczynić konkretne kroki. Niestety wielu ludzi nie zdaje sobie sprawy z drzemiącej w nich siły, dzięki której mogliby wybrnąć z niepomyślnej sytuacji i zacząć się wspinać po drabinie sukcesu.

Każdy z nas ma w sobie niewykorzystane moce, które czekają na uaktywnienie. Może nam brakować pewności siebie lub poczucia godności. Trapi nas lęk lub zmartwienia. W pracy i na innych płaszczyznach życia napotykamy nieoczekiwanie przeszkody, pozornie nie do pokonania. Wielu z nas wykonuje pracę bez perspektyw. Wielu z nas po prostu nie cierpi wstawać rano, aby iść do pracy, która nie daje żadnej satysfakcji ani

---

* William Shakespeare, *Wieczór Trzech Króli*, przeł. St. Barańczak, Wydawnictwo Znak, Kraków 2001.

17

przyjemności. Chcielibyśmy się zmienić, lecz nie czujemy się do tego zdolni.

Możesz odmienić swoje życie. Narzędzia, które ci w tym pomogą, zostały zdeponowane w twoim wnętrzu. Wystarczy je naostrzyć, zrobić z nich użytek i patrzeć, co wyniknie z ich stosowania.

W kolejnych rozdziałach przyjrzymy się cechom charakteru, które sprzyjają sukcesom, i określimy, jak szybciej kroczyć drogą kariery zawodowej, ukierunkowując moce swojego podświadomego umysłu.

Rozdział 1

Wyznaczaj i osiągaj cele

*Aby otrzymywać, trzeba dawać. Jeżeli obdarzysz uwagą swo-
je cele, ideały i przedsięwzięcia, zyskasz w zamian wsparcie
swojego głębokiego umysłu.*

Wszyscy ludzie sukcesu zaczynają od wyznaczenia celu.
Określanie celów i praca nad ich osiągnięciem jest pierwszym krokiem na długiej drodze do sukcesu. Wiedząc,
dokąd zmierzasz i jak planujesz się tam znaleźć, zdołasz skoncentrować energię, emocje i czas i stanąć na
właściwym torze wiodącym cię ku twoim celom.

Statek ze złamanym sterem może płynąć pełną parą,
lecz będzie kręcić się w kółko i donikąd nie dopłynie.
Nigdy nie dotrze do żadnego portu, chyba że przypadkowo, a jeśli nawet się tam zabłąka, jego ładunek nie
będzie dostosowany do potrzeb tamtejszych mieszkań-
ców, klimatu lub warunków. Statek powinien się kierować do konkretnego portu, który odpowiada jego ła-
dunkowi i gdzie jest na niego zapotrzebowanie. Musi
wytrwale płynąć do tego portu, w słońce i niepogodę,
poprzez burzę i mgły. Zatem człowiek, który zamierza
osiągnąć sukces, nie może dryfować bez steru po oceanie życia. Musi kierować się prosto do portu przeznaczenia – i to nie tylko wtedy, gdy płynie po gładkim mo-
rzu, gnany przez sprzyjające prądy i wiatry, lecz musi

trzymać kurs również pośród wichrów i burz, nawet wtedy, gdy spowijają go mgły rozczarowania i opary przeciwności losu.

Wszystko zaczyna się od marzenia

Czy masz marzenie, wizję przyszłości? Czy jest to sen o bogactwie, sławie lub szczęściu? Większość ludzi śni o takiej przyszłości, najczęściej jednak ich wizje pozostaną tylko snem.

Ludzie sukcesu również mieli takie marzenia. Przekształcili je jednak w cele, a te z kolei uczynili rzeczywistością. Ich marzenia nie były mglistymi nadziejami na sukces, lecz dotyczyły konkretnych zamierzeń, ku którym się kierowali. Marzeniem Edisona był świat, w którym elektryczność rozświetla mroki nocy. Stevenson marzył o lokomotywie, która mogłaby ciągnąć wagony i uczyniłaby zbędną mozolną pracę ludzi i zwierząt. Beethoven śnił o muzyce uwznioślającej ludzkie dusze. Wielcy aktorzy, artyści, muzycy i pisarze marzyli nie tyle o sławie, ile o tym, jak w drodze do sukcesu spożytkować swoje talenty.

Marzenia nie są domeną geniuszy. Wszyscy ludzie sukcesu twierdzą, że ich powodzenie zaczęło się od nadziei, od marzenia. Historia uczy, że dokonania setek mężczyzn i kobiet zrodziły się z marzenia, które zapoczątkowało wytyczenie celu, co z kolei doprowadziło do ustalenia planu działania, czego nieuchronną konsekwencją było spełnienie celu. Marzyć mogą nie tylko młodzi. Nigdy nie jest zbyt późno na nowe marzenie, które prowadzi do wyznaczenia nowych celów owocujących nowymi osiągnięciami. Zadziwiające, jak wiele osiągnęli ci, którzy zaczęli marzyć w późnym okresie życia. Benjamin Franklin był po pięćdziesiątce, kiedy zaczął zgłębiać naukę i filozofię. Niewidomy Milton przekroczył pięćdziesiąty rok życia, kiedy zasiadł do pracy nad poematem *Raj utracony*.

Marzeń nie ograniczają przesądy i uprzedzenia. Przez niezliczone lata kobietom narzucano ograniczenia odnośnie do tego, do czego mogą dążyć. Ich cele zawodowe ograniczały się niegdyś do tzw. „kobiecych zawodów". Sama myśl o innych drogach kariery wymagała od kobiet determinacji i odwagi. Doskonałym przykładem jest Elaine Pagels, profesor Uniwersytetu w Princeton, autorka poczytnych książek o gnostycyzmie i wczesnym chrześcijaństwie. Zdobywała wykształcenie w czasach, kiedy dziewczętom wbijano do głowy, że nie powinny nawet brać pod uwagę kariery naukowej. Pagels poczuła jednak, że może bez przeszkód podążać za głosem serca. Później odkryła, że pasja może też być źródłem utrzymania. Jej marzenie stało się celem.

Dzisiaj w większości branż nie ma już takich barier. Kobiety stanowią połowę lub większość studentów na wydziałach prawa, medycyny i uczelniach wyższych w Stanach Zjednoczonych.

W latach dziewięćdziesiątych XX i na początku XXI w. wiele amerykańskich firm zaczęło zlecać usługi w krajach o znacznie niższych kosztach pracy. W wyniku tego tysiące Amerykanów straciły posady. Niektórzy przeszli na emeryturę, a inni się poddali, zaczęli korzystać z opieki społecznej i przez całe lata użalali się nad swoją niedolą. Większość jednak sięgnęła do swoich wewnętrznych zasobów i przekwalifikowała się, by móc pracować w innych branżach. Musieli z początku zadowolić się mniejszymi zarobkami niż w poprzednim miejscu pracy, jednak z zastrzykiem nowej energii i entuzjazmu zaczęli raz jeszcze wspinać się po drabinie sukcesu.

Determinacja jest ważniejsza nawet od inteligencji.

Tylko ludzie, którzy postanowią, że nic im nie przeszkodzi, mogą być pewni sukcesu dzięki swej wytrwałości i sile charakteru. Marzenia stają się celami, a cele – osiągnięciami dla tych, którzy wystarczająco długo i mocno do czegoś dążą.

Większość rzeczy, które nadają życiu wartość, które pozwalają oderwać się od codziennej harówki i wznieść ponad pospolitość i brzydotę – wielkie udogodnienia codziennego życia – zawdzięczamy właśnie marzycielom.

Jak przekształcić marzenia w cele

Niestety zbyt wielu marzycieli pozostaje tylko marzycielami, a ich marzenia – jedynie marzeniami. Aby urzeczywistnić marzenia, trzeba przekształcić je w cele. Przestają wtedy być fantazjami i stają się punktami docelowymi, które można nakreślić jak mapę ukazującą drogę do sukcesu. Musisz wyposażyć swoje marzenia w cel i determinację, że zrobisz wszystko, co możliwe, aby je urzeczywistnić.

Rachel Roy, projektantka, miała marzenie i przekształciła je w cel, jakim był sukces. Zamiłowanie do mody zaczęło się w jej przypadku od filmów, które oglądała w dzieciństwie. Ubrania noszone przez aktorki spowijały je aurą pewności siebie i sukcesu. Rachel marzyła o roztoczeniu takiej samej aury wokół siebie i innych kobiet, o nadaniu im wytwornego wyglądu, który wpływałby pozytywnie na ich poczucie własnej wartości.

Raz w roku Rachel szła z rodziną do sklepu po rzeczy potrzebne do szkoły. Martwił ją niewielki wybór interesujących ubrań w miejscowym sklepie. Była przekonana, że gdyby miała sposobność, umiałaby zaprojektować stroje w lepszym stylu. Matka powiedziała jej, że ta rola należy do „nabywcy". Wtedy Rachel nadała swojemu marzeniu imię: „nabywca". Z tą chwilą marzenie stało się celem: stać się nabywcą w dziedzinie mody.

Rozpoczęła pracę od stanowiska pomocnika sprzedawcy. Szybko stała się zastępcą kierownika sklepu, osobistym doradcą klienta i stylistką w różnych sklepach. Po krótkim czasie projektowała stroje i była bliska awansu na wyższe stanowisko kierownicze w swojej firmie.

Kiedy jej mąż, Damon Dash, postanowił wypuścić na rynek niezależną linię ubiorów, Rachel musiała zdecydować, czy porzucić własną dobrze rozwijającą się karierę i zacząć wszystko od nowa z Damonem. Postawiła na to drugie i rzuciła się w wir pracy. Pracowała na każdym stanowisku, analizowała swój wkład i angażowała się w jak najwięcej aspektów przedsięwzięcia. Chciała być niezastąpiona. Jednak mniej więcej po sześciu latach, kiedy Rachel była bliska wprowadzenia na rynek nowej linii strojów, Damon sprzedał firmę. Wtedy jednak Rachel była już pewna, że sama potrafi prowadzić firmę, i założyła własne przedsiębiorstwo. Jej projekty zyskały uznanie w branży, a dzisiaj Rachel Roy jest uważana za jedną z najwybitniejszych projektantek mody.

Tych, którzy myślą życzeniowo, i tych, którzy działają, dzieli niezmierzony dystans. Rachel Roy była kimś więcej niż marzycielką. Przekształciła swoje marzenie w cel i ciężko pracowała, by go osiągnąć.

Twoja tajna broń – umysł podświadomy

Podświadomy umysł ma olbrzymią moc budowania nawyku oczekiwania, wiary w urzeczywistnienie zamierzeń, w spełnienie marzeń.

Ten właśnie nawyk oczekiwania, że w przyszłości spotka cię wiele dobrego, że czeka cię szczęście i pomyślność, że będziesz mieć wspaniałą rodzinę, piękny dom, udaną karierę i wartości, za którymi będziesz się opowiadać – jest najlepszym kapitałem, z którym możesz wejść w życie.

Musisz zawsze starać się urzeczywistniać swoje ideały. Twoja podświadomość wysłucha cię i wcieli w czyn to, co chciałbyś urzeczywistnić w życiu – czy będzie to doskonałe zdrowie, szlachetny charakter czy wielka kariera. Jeśli tylko wyraziście wyobrazisz sobie te rezultaty i ze wszystkich sił będziesz próbować wcielać je w życie, łatwiej doprowadzisz do ich urzeczywistnienia, niż gdybyś zaniedbał tego kroku.

Pragnienie przynosi jednak skutek tylko wtedy, gdy przeobrazi się w postanowienie. Twórcza moc bierze się jedynie z pragnienia, któremu towarzyszy niezłomna determinacja jego urzeczywistnienia. Tylko połączenie pragnienia, tęsknoty i dążenia przynosi efekty.

Jeżeli pragniesz udoskonalić jakąś cechę swojego charakteru, wyobrażaj ją sobie wytrwale i wyraziście, wyznawaj najwyższy ideał, jaki podsuwa ci ambicja. Niech myśl ta trwa w twoim umyśle tak długo, aż poczujesz, że doszło do jej uwznioślenia i urzeczywistnienia w twoim życiu. Przyszedłeś na świat po to, aby zwyciężać, zdobywać i triumfować. Powinieneś odnosić wielkie sukcesy w wybranej przez ciebie pracy, w relacjach z ludźmi i we wszystkich sferach życia.

Im wyraźniejsze instrukcje przekażesz podświadomości, tym większą pomoc od niej uzyskasz. Głęboka część umysłu słucha twoich rozkazów, tak jak marynarze obsługujący transatlantyk słuchają rozkazów kapitana. Na jego precyzyjne i trafne komendy załoga nadaje statkowi właściwy kierunek lub zwiększa prędkość, dokładnie według otrzymanych poleceń. Jeżeli jednak jako kapitan nie jesteś pewien, czego chcesz, twój podświadomy umysł otrzyma niejasny przekaz, a twój statek będzie płynął przypadkowym chaotycznym lub okrężnym kursem.

Musisz dokładnie powiedzieć swojej podświadomości, czego pragniesz. Musisz nią pokierować, aby pomogła ci w realizacji twoich celów. Kiedy naprawdę poznasz swoje prawdziwe pragnienie, twój podświadomy umysł nieomylnie popchnie cię w jego kierunku. Musi jednak wiedzieć, że naprawdę gorąco i niezachwianie pragniesz osiągnąć ten cel i nie podporządkujesz swojego dążenia sprzecznym lub przeciwstawnym pragnieniom, koncepcjom czy kaprysom. W ten sposób stajesz się człowiekiem myślącym pozytywnie, zdecydowanym osiągnąć swoje cele.

Uwierz w swoje cele, a osiągniesz je

Pomyślność zaczyna się w umyśle. Nie można jej osiągnąć, będąc do niej nieprzychylnie usposobionym. Jeżeli dążysz do jednej rzeczy, a spodziewasz się innej, postawa ta przyniesie zgubne skutki, ponieważ wszystko najpierw powstaje w umyśle, a potem rozwija się zgodnie ze stworzonym tam wzorcem.

Nie będzie ci się dobrze powodzić, jeżeli twój umysł pochłonięty jest lub choćby lekko poruszony oczekiwaniem biedy. Na ogół otrzymujemy to, czego się spodziewamy, a nie spodziewać się niczego – to pozostać z niczym.

Jeżeli każdy krok stawiasz na drodze prowadzącej do porażki, jak możesz mieć nadzieję na dotarcie do celu, jakim jest sukces? Zwracanie się w niewłaściwą stronę, ku mrocznym, przygnębiającym, beznadziejnym perspektywom – nawet wtedy, gdy dążymy w przeciwnym kierunku – niweczy wyniki naszych starań.

Myśli są magnesami, które przyciągają to, co do nich podobne. Jeśli twój umysł rozpamiętuje biedę i chorobę, przyniesie ci biedę i chorobę. Nie możesz stworzyć przeciwieństwa tego, czym żywi się twój umysł, ponieważ nastawienie psychiczne jest wzorcem, który wbudowuje się w twoje życie. Wszelkie osiągnięcia dokonują się najpierw w umyśle.

Strach przed porażką, niedostatkiem i poniżeniem *uniemożliwia wielu ludziom spełnienie pragnień, ponieważ zsyłając na nich niepokoje i zmartwienia, odbiera im siły życiowe, obezwładnia i uniemożliwia wykonanie twórczej pracy niezbędnej do osiągnięcia sukcesu.* Bądź optymistą. Wypracuj sobie nawyk konstruktywnego myślenia, z perspektywy światła, nadziei, wiary i pewności. Powstrzymaj się od spoglądania na życie ze zwątpieniem i niepewnością. Przyzwyczaj się wierzyć, że zdarzy się to, co najlepsze, i że musi zatriumfować to, co słuszne. Miej wiarę, że prawda musi ostatecznie zwyciężyć to, co błędne, że harmonia i zdrowie są rzeczywistością, a niezgoda i choroba – chwilowym zawirowaniem. Oto postawa optymisty, która w końcu odmieni oblicze świata.

Przyjrzyj się sobie

Na całym świecie jest tylko jedna osoba, która może cię zaprowadzić do sukcesu. Tą osobą jesteś ty.

Zanim ustalisz, jakie cele mogą cię pobudzić do rozpoczęcia tej podróży, musisz najpierw przyjrzeć się sobie. Sięgnij w głąb umysłu i wydobądź z podświadomości to, czego naprawdę pragniesz w życiu, i te z posiadanych zasobów które doprowadzą cię do tego celu.

Musisz myśleć realistycznie. Wyobraźmy sobie, że chcesz wyznaczyć sobie cel, który wydaje ci się godny pożądania, może ci jednak brakować zdolności niezbędnych do jego osiągnięcia. Możesz chcieć zostać aktorem lub śpiewakiem operowym, ale brak ci odpowiednich uzdolnień. Wymarzona kariera może dotyczyć dziedzin dla ciebie niedostępnych. Z drugiej strony, możliwe, że posiadasz talenty i zdolności, z których nie zdajesz sobie sprawy, a które mogą poprowadzić cię ścieżką kariery przynoszącej zyski i satysfakcję.

Jak możesz się o tym przekonać? Zajrzyj w głąb siebie. Wiedzę tę wydobędzie wnikliwa introspekcja. Większość dorosłych ludzi wie, co umie, a czego nie potrafi; co lubi, a czego nie. Być może nie jest to dla ciebie oczywiste, lecz introspekcja pozwala wyjść poza oczywistość i dogłębnie przemyśleć swoją sytuację.

Dobrym przykładem jest tu Shonda Rhimes, pomysłodawczyni i producentka seriali telewizyjnych *Chirurdzy* i *Prywatna praktyka*. Już jako dziecko wiedziała, że zostanie pisarką. Kiedy jeszcze nie umiała pisać, wymyślała historie i nagrywała je na magnetofon. Matka zachęcała ją do dalszych starań, przepisując nagrane opowiastki i sprawiając tym samym, że nabierały realnych kształtów.

Musisz dokonać systematycznego przeglądu swojego wykształcenia, dotychczasowych doświadczeń, dodatkowych zajęć i zainteresowań. Przyjrzyj się tym aspektom swojego życia, w których odnosiłeś sukcesy i które przynosiły ci radość i satysfakcję. Wskazują one obszary, w których odniesiesz sukces w przyszłości. To jednak dopiero początek.

Ludzie sukcesu na samym początku swojej kariery dowiadują się, z jakich zasobów mogą korzystać. Zrób inwenturę wszystkich swoich potencjalnych atutów i zasobów. Nie patrz tylko na to, co dotychczas osiągnąłeś w życiu, lecz również na to, co twoim zdaniem możesz osiągnąć. Większość młodych ludzi zaczyna karierę z niewielką wiedzą o możliwościach swojego umysłu; odkrywają je z czasem, jedną po drugiej.

Większość ludzi dociera jedynie do skromnej części swoich zdolności i nie wykracza poza niskopłatne posady niższego szczebla. Wloką się w ogonie, chociaż stać ich na więcej. Gdyby tylko mogli odkryć swój potencjał, mogliby awansować. Z takich czy innych powodów nigdy nie stykają się z odpowiednim środowiskiem, które pobudziłoby ich ambicję, ani nie stykają się z materiałem, który mógłby rozniecić olbrzymią moc ich wewnętrznej wielkości.

Aby określić własny ukryty potencjał, możesz sporządzić listę tych aspektów swojego wykształcenia, wykonywanej pracy i innych zajęć, w które byłeś szczególnie zaangażowany. Następnie zastanów się nad czynnościami, które dawały ci najwięcej przyjemności i satysfakcji, a także nad tymi, które lubiłeś najmniej.

Josh D., dwudziestopięcioletni absolwent wyższej uczelni, był bardzo niezadowolony ze swojej pracy likwidatora szkód w firmie ubezpieczeniowej. Po ukończeniu studiów na wydziale zarządzania przyjął tę pracę w nadziei na stanowisko kierownicze. Kiedy sporządził listę wszystkich wykonywanych czynności, uświadomił sobie, że najmniej odpowiada mu praca związana z analizowaniem szczegółów. Zauważył, że zarówno jego kierownik, jak i szef jego bezpośredniego przełożonego spędzali większość czasu na takich właśnie czynnościach. Zaobserwował również, że w pracy najbardziej odpowiada mu kontakt z osobami ubezpieczonymi, rozmawianie z nimi i wspólne rozpatrywanie roszczeń. Analizując swoje zajęcia w szkole oraz pracę na rzecz lokalnej społeczności, odkrył, że najwięcej satysfakcji przynosiła mu praca z ludźmi. Josh omówił swoje spostrzeżenia z przedstawicielem działu kadr swojej firmy, który zasugerował, że Josh mógłby znaleźć swoje miejsce i osiągać większe sukcesy w dziale sprzedaży. Josh dokonał odpowiedniej zmiany, a teraz lubi swą pracę i kroczy ścieżką udanej kariery.

Jedność celu

Ludzie sukcesu są mocno przeświadczeni, że trzeba być w pełni zaangażowanym w realizację swoich celów. Decyzja podejmowana bez zastrzeżeń ma wielką moc. Niezłomność, wytrwałość i nieustępliwość palą za sobą wszystkie mosty, usuwają wszelkie przeszkody i docierają do celu niezależnie od kosztów, czasu lub poświęcenia.

Aby odnieść sukces, musisz skupić wszystkie moce swojego umysłu na jednym niezachwianym celu i nieustępliwie do niego zmierzać. To kwestia „życia lub śmierci". Wszelkie inne pokusy należy stłumić.

Osoba dysponująca jednym talentem, która dokona wyboru swojego obiektu zainteresowania, osiągnie więcej niż człowiek o dziesięciu talentach, który rozprasza swoją energię i nigdy dokładnie nie wie, co robić. Koncentrując się na jednym, najsłabsza istota może do czegoś dojść; trwoniąc siły na wiele rzeczy, nawet najsilniejszy może niczego nie osiągnąć.

Odrobina prochu skupiona za kulą we wnętrzu lufy skuteczniej wykona zadanie niż cały wóz prochu, na który nie nałożono takich ograniczeń. Lufa strzelby nadaje prochowi kierunek i pozwala dotrzeć do celu temu, co bez niej – niezależnie od swojej jakości – nie miałoby żadnej mocy.

Jedność celu prowadzi do zwycięstwa. Ludzie sukcesu mają program. Wytyczają kurs i trzymają się go. Kreślą plany i wcielają je w życie. Zmierzają prosto do celu. Nie miotają się we wszystkich kierunkach, kiedy pojawiają się trudności, a jeśli nie potrafią obejść przeszkody, przebijają się przez nią. Zdolności wykorzystywane w stały i równomierny sposób, ukierunkowane na cel, dają siłę i moc, natomiast używane bez celu – słabną. Umysł musi być skoncentrowany na określonym punkcie przeznaczenia, gdyż w przeciwnym razie rozpadnie się na kawałki niczym maszyna pozbawiona koła zamachowego.

Krótko mówiąc

Pierwszym krokiem do sukcesu jest wytyczenie rozsądnych i osiągalnych celów, tak w sprawach zawodowych, jak i w innych aspektach życia. Musisz zasiać w swojej podświadomości ziarna, które umożliwią ci zaakceptowanie tych celów i wcielenie ich w życie. Oto siedem punktów, które ułatwią ci ten proces:

1. *Cele powinny być jasno określone.* Określ wyraźnie to, czego chcesz dokonać. Wyznaczając swój cel, bądź konkretny i stanowczy. „Moim celem jest zostać najlepszym sprzedawcą w firmie" – to brzmi dobrze, ale lepiej być bardziej konkretnym: „Moim celem jest sprzedaż o wartości tylu, a tylu dolarów w następnym roku podatkowym oraz o 10% więcej każdego roku przez kolejne trzy lata". Teraz już znasz swój cel, a twój podświadomy umysł pomoże ci skoncentrować starania na realizacji ustalonych wskaźników.

2. *Cele powinny być inspirujące.* Cel zbyt łatwy do osiągnięcia nie będzie cię motywować do przekroczenia minimalnego nakładu pracy. Wyznacz sobie cele inspirujące do dalszej podróży i do cięższej pracy nad ich osiągnięciem. Ci, którzy realizują cele, wiedzą, że potem trzeba natychmiast nakreślić kolejny cel, zachęcający do dalszego wzrostu i rozwoju.

3. *Cele powinny być możliwe do zmierzenia.* Nie zawsze można ująć cele w kategoriach ilościowych. Niektóre można określić wartością finansową lub za pomocą innych parametrów liczbowych. Możesz wyznaczyć sobie wartość sprzedaży do uzyskania na zakończenie miesiąca, kwartału lub roku w jednostkach produktu lub w wartości pieniężnej. Cele związane z produkcją można mierzyć liczbą wyrobów. Nawet cele niematerialne, których nie da się przedstawić ilościowo, można sformułować tak, by dały się zmierzyć. Większy cel można podzielić na elementy i wyznaczyć harmonogram realizacji każdego z nich. W ten sposób możesz zmierzyć, ile cię dzieli od osiągnięcia poszczególnych elementów, i zmodyfikować swoje postępowanie, tak aby cele zostały zrealizowane w terminie.

4. *Cele powinny mieć związek z działaniem.* Bez uwzględnienia działań niezbędnych do realizacji celów same cele pozostają tylko marzeniami. Działanie wymaga aktywności umysłowej, fizycznej i emocjonalnej. Musisz być przygotowany do tego, by w każdej wolnej chwili myśleć o swoich celach i działaniach wymaganych do ich realizacji. Podświadomość pomoże ci przekształcić te myśli w działania.

5. *Cele należy zapisać.* Jednym ze sposobów na to, żeby nie zapomnieć ani nie zagubić swoich celów w gorączce codziennego życia, jest ich zapisanie. Zrób listę swoich długofalowych celów i rozbij je na cele pośrednie i krótkoterminowe. Zapisz je dużymi literami i umieść kartki wszędzie tam, gdzie będziesz je codziennie widzieć: na biurku, lodówce lub lustrze. Czytaj je, naucz się ich na

pamięć, czytaj ponownie i zadawaj sobie pytanie: „Co robię, żeby osiągnąć te cele?"

6. *Cele należy przedstawić drugiej osobie.* Kolejnym sposobem na to, aby twoje zamierzenia nie rozwiały się jak noworoczne postanowienia, jest powiedzieć o nich komuś, kogo darzysz szacunkiem i kogo jesteś gotów słuchać. Bill Wilson, jeden z założycieli Anonimowych Alkoholików, powiedział, że uczestnicy zachowują trzeźwość przede wszystkim dzięki temu, że informują o swoich celach innych ludzi. Podobne odczucia miała Jean Nidetch, założycielka organizacji Strażnicy Wagi.

7. *Cele powinny być elastyczne.* Okoliczności mogą się zmieniać, a cele – dezaktualizować. Warunki ekonomiczne mogą nie sprzyjać rozpoczęciu nowego przedsięwzięcia; rozwój techniki mógł odesłać twój cel do lamusa; błąd w analizach mógł sprawić, że twój cel przestał być osiągalny. Nie musi to znaczyć, że należy go porzucić. Być może wymaga on tylko dalszych przemyśleń lub badań. Jeżeli znajdziesz się w takiej sytuacji, zapoznaj się z faktami i dokonaj niezbędnych poprawek.

Rozdział 2

Zdobądź pewność siebie i poczucie własnej wartości

Jeżeli uważasz się za nieudacznika i masz o sobie takie wyobrażenie, nie zdołasz zrealizować swoich zamierzeń. Myśl o sukcesie. Uświadom sobie, że przyszedłeś na świat, aby odnosić sukcesy i wygrywać. Wyobrażaj sobie, że dobrze ci się wiedzie, że jesteś wolny i szczęśliwy, a taki się staniesz. Wszystko, co świadomie uznajesz za prawdę, ucieleśnia się w twojej podświadomości i urzeczywistnia w doświadczeniach. Takie jest prawo umysłu, niezachwiane, nieodwołalne, ponadczasowe i niezmienne. Miej wiarę, a pokonasz wszelkie przeszkody.

Dlaczego jednemu człowiekowi wiedzie się w karierze lub w interesach, a drugiemu nie? Mogą być ku temu niezliczone powody. Od wielu lat stykam się z ludźmi – bogatymi i ubogimi, sławnymi i przeciętnymi, przywódcami i naśladowcami. Zauważyłem, że jednym z najistotniejszych czynników, które predestynują do sukcesu lub do niepowodzenia, jest to, jak dany człowiek odnosi się do samego siebie. Tym, którzy naprawdę kochają siebie i uważają się za ludzi wartościowych, dużo łatwiej osiągnąć sukces w życiu niż tym, którzy nie mają tego przekonania.

Co takiego mają ludzie sukcesu, czego brakuje innym? Jest to pewność siebie, poczucie własnej wartości. Wierzą oni w siebie i swoje wewnętrzne moce.

Poczucie własnej wartości – podstawowy składnik pewności siebie

Własną wartość zna ten, kto dobrze się czuje ze sobą. Tacy ludzie widzą duże szanse na sukces w większości spraw, którymi się zajmują. Szanują siebie i wiedzą, że inni traktują ich z szacunkiem. Nie oznacza to, że są zawsze optymistyczni, radośni i uśmiechnięci. Wszyscy mają złe dni i zdarzają się chwile, kiedy wydaje się, że wszystko idzie na opak. Ludzie o wysokim poczuciu własnej wartości godzą się z tym i nie dają się owładnąć negatywnym emocjom.

Poczucie własnej wartości jest integralną częścią pewności siebie. Abyś mógł z zadowoleniem przyjmować własne decyzje, musisz wierzyć w siebie. Musisz naprawdę czuć, że jesteś kimś wartościowym. Jeżeli nie znasz własnej wartości, skąd masz czerpać pewność, że twoje decyzje są coś warte?

Z czego wynika brak pewności siebie? Częstą przyczyną jest niepowodzenie w jakiejś dziedzinie we wcześniejszym okresie życia i lęk przed ponowną porażką. Kolejnym powodem jest wieczne niezadowolenie innych ludzi – często nauczycieli lub nawet rodziców – z wyników nauki dziecka lub z innych rzeczy; taka reakcja otoczenia wywołuje poczucie niższości.

Są też tacy, którzy zasmakowali sukcesu, lecz później doznali niepowodzenia. Pozwolili, by porażka zdominowała ich umysł i skazała na brak pewności siebie we wszystkim, czym się zajmują.

Klucz do zmiany nastawienia do własnej osoby leży w podświadomym umyśle. Jedyna droga do podświadomości zaś prowadzi przez umysł świadomy. Podświadomość zawsze pozostaje pod kontrolą dominującej myśli. Z dwóch przeciwstawnych stwierdzeń podświadomość wybiera to, które jest silniejsze. Jeżeli mówisz: „Chcę zyskać pewność siebie, lecz nie potrafię. Tak bardzo się staram; zmuszam się do modlitwy i wykorzystuję całą siłę woli, jaką dysponuję" – musisz sobie uświadomić, że twój błąd polega na tym, że za bardzo się starasz.

Niektórzy ludzie próbują zmienić swój sposób postępowania „siłą woli". Siła woli to otwarte dążenie do zmiany. Aby mieć wyniki, trzeba usunąć z podświadomości negatywne myśli, tymczasem siła woli tylko je wzmacnia. Siłą woli nie możesz zmusić podświadomego umysłu do zaakceptowania twojej koncepcji. Takie starania skazane są na porażkę i doprowadzą do skutków przeciwnych do tych, o które się modlisz. Kiedy polegasz na sile woli, jedynie wzmacniasz w podświadomości działanie, które próbujesz przezwyciężyć. Jeśli spróbujesz rzucić palenie siłą woli i będziesz powtarzać: „Nie będę palić", twój podświadomy umysł będzie się koncentrował na czynności palenia. Jeśli natomiast skupisz się na jasnych stronach wolności od nałogu – na świeżym oddechu, czystym powietrzu wolnym od nieprzyjemnego zapachu i innych korzyściach – twoja podświadomość odpowiednio zareaguje.

Jeśli twój świadomy umysł zastąpi negatywne myśli pozytywnymi koncepcjami, przesączą się one do twojej podświadomości.

Nigdy nie uważaj się za nieudacznika

Władzę nad tobą sprawują twoje własne oceny, plany i przekonania. Takiej mocy nie mają przekonania innych osób na twój temat. Jeśli ktoś powie ci: „Jesteś nieudacznikiem i nigdy do niczego nie dojdziesz", co powinieneś zrobić? Powiedz sobie: „Nie ma znaczenia, co mówią o mnie inni. Moim przeznaczeniem jest pomyślność i zwycięstwo. Muszę odnosić sukcesy. Osiągnę niezwykły, spektakularny sukces".

Kiedy inni wmawiają ci niepowodzenia, niech będzie to dla ciebie bodźcem wzmacniającym wiarę w moc twojego podświadomego umysłu, który nigdy nie zawodzi. Nie wiń więc innych za swoje niepowodzenia. Nie zrzucaj winy na okoliczności. Ludzie sukcesu pracują nad przezwyciężaniem niesprzyjających warunków. Oczywiście czasem coś ci się nie uda, nie oznacza to jednak, że ty jesteś nieudacznikiem. Masz w sobie twórczą moc anulowania porażek i wchodzenia na drogę prowadzącą do sukcesu. Inni ludzie nie mają nad tobą władzy. Nie mają mocy manipulowania tobą, jeśli im na to nie pozwolisz.

Poczucie własnej wartości rośnie w tobie wraz z każdym odniesionym sukcesem. Będzie rosnąć nawet wtedy, gdy od czasu do czasu spotka cię niepowodzenie, jeśli będziesz pamiętać, że ta moc zawsze jest z tobą, jeśli będziesz w nią wierzyć i jeśli swoimi działaniami dowiodłeś jej istnienia.

Jesteś tym, za kogo się uważasz. Stwarzasz siebie na obraz własnej osoby, który przechowujesz w umyśle. Poczucie własnej wartości i pewność siebie są niczym więcej jak projekcjami twojego obrazu własnej osoby. Jeśli zachowasz wyrazisty, pozytywny wizerunek siebie, będziesz człowiekiem szczęśliwszym, osiągającym więcej sukcesów. Będziesz człowiekiem zdolnym do przeskakiwania przeszkód na swej drodze, niezależnie od stopnia trudności, zdolnym do osiągania wyznaczonych celów.

To, czego najbardziej potrzebujesz, to uwierzyć w siebie, w to, co robisz, oraz w swoje ostateczne przeznaczenie. Poleganie na sobie lub pewność siebie znajdują najlepsze ujście, kiedy towarzyszy im przekonanie, że twoja prawdziwa tożsamość jest dana od Boga i że z Bogiem wszystko jest możliwe.

Podejmij decyzję teraz, w tej chwili. Możesz mieć to, czego pragniesz. Stanie ci się według twojej wiary. Postępuj w myśl starego powiedzenia: upewnij się, że masz słuszność, i idź naprzód. Nie pozwól, by cokolwiek cię poruszyło lub zachwiało twoim przeświadczeniem. Uczyń je częścią swojej mentalności. Z takim przekonaniem musisz osiągnąć sukces i ruszyć w życiu do przodu.

Napisz pozytywny scenariusz swojego życia

Psycholodzy twierdzą, że każdy z nas pisze „scenariusz" swojego życia. Może on być optymistyczny lub pesymistyczny, przynoszący szczęście lub wpędzający w kłopoty. Może odzwierciedlać pozytywne nastawienie i poczucie własnej wartości, a innym razem jego głównym wątkiem może być negatywne nastawienie, a nawet nienawiść do własnej osoby. Ludzie, którzy na wczesnym etapie kariery doznają niepowodzenia, tracą poczucie własnej wartości i pewności siebie. Wczesne porażki odbijają się na psychice. Ludzie ci podświadomie piszą dla siebie scenariusz nieudaczników i rzeczywiście nic nie będzie im się udawać, dopóki nie odnowią wiary w samych siebie.

Jeżeli napisałeś dla siebie scenariusz nieudacznika, zdominuje on twoje myśli i działania. Będziesz zawsze uważać się za ofiarę losu i rzeczywiście wszystko w twoim życiu będzie nieudane. Dopóki nie przekształcisz tego scenariusza, będziesz skazany na niepowodzenia i nieszczęścia.

Większość ludzi, którym się powodzi, wcale nie przyszła na świat z genami sukcesu. Biografie wielkich ludzi to często historie zmagań z biedą, depresją i z tym, co można by nazwać nierównością szans.

Odnieśli oni sukces, ponieważ napisali na nowo scenariusz w swoim umyśle i zmienili swój wizerunek z negatywnego na pozytywny. Następnie dzięki wytrwałości, poświęceniu i ciężkiej pracy zaczynali wcielać w życie sukces zapisany w scenariuszu.

Chyba nikt nie miał tak trudnego startu jak Frederick Douglass, który przyszedł na świat jako niewolnik na plantacji bawełny. Jeśli chodzi o możliwości samodoskonalenia i rozwoju, znajdował się w skrajnie niesprzyjającym, beznadziejnym położeniu. Mógłby sobie powiedzieć: „Jestem tylko niewolnikiem. Choćbym miał wielkie ambicje i ze wszystkich sił starał się stąd wyrwać, nie mam takiej mocy, bo urodziłem się niewolnikiem. Moi rodzice są niewolnikami i moi dziadkowie również nimi byli. Nie zdobędę wykształcenia i do niczego nie dojdę w świecie poza tą plantacją".

Gdyby tak rozumował, czy kiedykolwiek usłyszelibyśmy o Fredericku Douglassie? Oczywiście, że nie. Żyłby i umarł tak jak miliony do niego podobnych – jako niewolnik. Miał jednak wolę zwycięstwa. Zamiast mówić: „Nie mogę i nie będę", powiedział: „Mogę to zdziałać i zrobię to: wydobędę się z tej strasznej niewoli".

Napisał dla siebie scenariusz, wzywając na pomoc tajemniczą moc uśpioną w każdym z nas – moc, która słucha naszego wezwania – i pokonał wszystkie przeszkody pozornie nie do przezwyciężenia, stojące pomiędzy nim a wolnością i wykształceniem. Nauczył się alfabetu z plakatów wiszących na płocie, kawałków gazet i starego kalendarza znalezionego na plantacji. Dopiero gdy już umiał czytać, po raz pierwszy zetknął się z prawdziwą książką.

Pomimo tak skromnych początków i niesprzyjających okoliczności młody niewolnik zdołał odzyskać wolność i zdobyć wykształcenie. Zdobył międzynarodową sławę jako wybitny przedstawiciel zniewolonej rasy i tej sprawie poświęcił życie. Swoją pracą zwrócił uwagę prezydenta Stanów Zjednoczonych, który mianował go ambasadorem na Haiti.

Ty również możesz napisać od nowa scenariusz, który trzyma cię na dnie. Wymaga to poświęcenia i niezmożonego wysiłku, jeśli jednak pragniesz wydostać się z czeluści, możesz – a nawet musisz – to zrobić.

Oto kilka kroków, które trzeba poczynić:

- *Pokochaj siebie.* Jeżeli nie będziesz naprawdę szanować samego siebie, nie możesz oczekiwać miłości i szacunku od innych.

- *Zaufaj sobie.* Nie wahaj się decydować o swoim życiu. Jeżeli wyznaczysz sobie cele i będziesz pewny sukcesu, nie będziesz musiał się lękać podejmowania decyzji, które pomogą ci w realizacji zamierzeń.

- *Kładź nacisk na to, co pozytywne.* Oczywiście po drodze mogą cię spotykać niepowodzenia, jednak nie rozpamiętuj ich. Koncentruj się na osiągnięciach, których dokonujesz dzień po dniu, a twój scenariusz sukcesu stanie się bardziej wyrazisty. Godność jest ulotna. Trzeba ją ciągle karmić i podtrzymywać. Karmi się ją słowami, uczynkami, postawami, doświadczeniem i zaangażowaniem.

- *Wiele od siebie wymagaj.* Jeśli osiągniesz niewielki sukces, pogratuluj sobie. Nie jest to jednak czas, aby spocząć na laurach. Niech drobne sukcesy będą dla ciebie bodźcami do poszukiwania większych dokonań.

- *Powtarzaj powiedzenie rozpropagowane przez francuskiego filozofa Emila Coué:* „Z każdym dniem i pod każdym względem wiedzie mi się coraz lepiej".

Dodaj sobie animuszu

Niekiedy trzeba wzmocnić poczucie własnej wartości. Postępuj jak trener drużyny sportowej. Kiedy zespół gra gorzej, trener stara się zmotywować zawodników i podnieść ich na duchu. Starannie dobierając słowa, wzbudza w nich entuzjazm i pewność siebie; chce, żeby nie tylko pragnęli zwycięstwa, ale także włożyli wszystkie siły w osiągnięcie celu.

My również potrzebujemy krzepiących słów, kiedy słabnie w nas pasja życia, kiedy popadamy w przygnębienie, kiedy doznajemy niepowodzenia lub kiedy słabnie nasza pewność siebie i wiara we własne siły. Ale gdzie jest trener?

Musimy być własnymi trenerami. Aby zmienić scenariusz zapisany w umyśle, odbądź ze sobą motywującą rozmowę. Powiedz sobie, że dobrze ci idzie, że jesteś zwycięzcą, że odnosiłeś sukcesy dawniej i będziesz odnosić je znowu. Wypowiadając takie krzepiące słowa, zasiewasz w świadomym umyśle ziarna poczucia własnej wartości, które wysiewane wciąż na nowo przenikną do twej podświadomości i wykiełkują w postaci twojego zachowania.

Poczucie własnej wartości towarzyszy nam przez całe życie. W młodości jest siłą napędową, w środkowej fazie życia pozwala nam utrzymać osiągnięty poziom, a w późnym wieku regeneruje siły.

Zastępuj negatywne słowa scenariusza pozytywnymi wyrażeniami. W miejsce słów rozpaczy zaszczepiaj w sobie słowa nadziei; zamiast wypowiadać słowa porażki, układaj słowa sukcesu; słowa klęski zastępuj słowami zwycięstwa, słowa zmartwień – słowami zachęty; słowa apatii – słowami entuzjazmu; słowa nienawiści – słowami miłości. Zastąp wszystkie negatywne słowa wyrazami godności własnej. I jak po nocy przychodzi dzień, tak poczucie własnej wartości i pewność siebie przenikną wszystkie sfery twojego życia.

Nie unikaj przeszkód, lecz je pokonuj

Niepowodzenia mogą zachwiać twoją pewność siebie. Plany się nie udają, pojawiają się nieprzewidziane przeszkody i zdaje ci się, że wszystko się wali. Wtedy przychodzi pora na odnowienie wiary w siebie. Jest to odpowiednia chwila, by sięgnąć po wszelkie rezerwy otrzymane od Boga, stawić czoło problemowi i uporać się z nim. Odniesiesz sukces, który podbuduje twoją godność własną.

Najlepsi menedżerowie wyższego szczebla zgodnie przyznają, że im większa przeszkoda, tym więcej potrzeba pewności siebie i tym cenniejsze doświadczenia się zyskuje. Na początku kariery A. G. Lafley, późniejszy dyrektor naczelny firmy Procter & Gamble, był odpowiedzialny za działania firmy na rynku azjatyckim podczas wielkiego trzęsienia ziemi w Japonii i kryzysu ekonomicznego w krajach Dalekiego Wschodu. Jak twierdzi, zdołał przeprowadzić firmę przez piętrzące się przeszkody dzięki niezłomnej wierze w siebie i świadomości, że w czasach kryzysu można nauczyć się dziesięć razy więcej niż w czasach dobrobytu.

Podobny kryzys był próbą dla Jeffa Immelta, dyrektora naczelnego firmy General Electric. W 1988 r., kiedy wykryto wadę kompresorów w milionach lodówek, główny dyrektor Jack Welch powierzył mu zadanie uporania się z tym problemem, chociaż Immelt nie zajmował się przedtem ani lodówkami, ani reklamacjami. Immelt powiedział, że nie mógłby zostać dyrektorem, gdyby nie wiara w to, że potrafi poradzić sobie z tym „niewykonalnym" zadaniem – sytuacją, którą wiele osób w firmie postrzegało jako przeszkodę nie do pokonania.

Kolejnym przykładem osoby, która przezwyciężyła wielkie trudności, jest dyrektor firmy Cisco, John Chambers. Słynie on jako jeden z najbardziej dynamicznych i poruszających mówców w świecie biznesu. Uczy się wystąpień na pamięć tak, że wydają się one improwizowane. Schodzi z mównicy, aby kierować swoje słowa do konkretnych osób. Nigdy nie traci kontaktu wzrokowego ze słuchaczami. Jest czarodziejem mównicy, a jego wystąpienia krytyczna prasa biznesu określa jako „zdumiewające".

Trudno uwierzyć, że ten elokwentny człowiek musiał pokonać znaczne przeszkody, by w końcu zdobyć pewność siebie konieczną, żeby stanąć przed publicznością.

Co dało mu tę pewność siebie? *Mocą tą obdarzyła go konieczność pokonania dysleksji.* Aby w ogóle móc przemawiać publicznie, Chambers musiał przywyknąć do spartańskiej pracy. Zamiast się skarżyć na swój problem, potraktował go jako impuls do zmiany. Jak sam powiedział, dysleksja wymusiła na nim raczej postrzeganie większego obrazu niż skupianie się na szczegółach. Ta cecha okazała się przydatna na mównicy, ponieważ słuchacze często nudzą się szczegółami. Dysleksja zmuszała go także do uczenia się większych fragmentów wystąpień na pamięć. Musiał przygotowywać się staranniej od innych mówców, co przydawało jego wystąpieniom rzadko spotykanej bezpośredniości i świeżości. Zapamiętany materiał prezentowany z ożywieniem jest przeciwieństwem dukania wyuczonych formułek i czytania z kartki. John Chambers nie tylko przezwyciężył ciężki deficyt wyniesiony z dzieciństwa, lecz nie pozwolił, by zdominował on jego życie. Wytężoną pracą nabył pewności siebie, która wyniosła go na pozycję lidera biznesu, człowieka jasno i pewnie wypowiadającego się o ludzkich marzeniach, o wartości oferowanych produktów, o szerszym obrazie, który wszyscy pragniemy dostrzec.

Przestań się karać

Życiowe doświadczenia – niezależnie od warunków i okoliczności – przyniosą ci to, co zostało bez reszty zaakceptowane przez twój umysł. Afirmuj te prawdy: do ciebie należą awans, sukces, właściwe działanie, bogactwo. W ten sposób prawdy te zostaną złożone w twoim podświadomym umyśle, twórczym medium, i w twoim życiu zaczną się dziać cuda.

Pewna sekretarka zatrudniona w kancelarii prawnej skarżyła się pastorowi: „Nie mam chwili wytchnienia. Szef i koledzy z biura są dla mnie podli i okrutni. W domu byłam przez całe życie maltretowana przez rodzinę. Chyba prześladuje mnie pech. Nic ze mnie dobrego, powinnam się utopić".

Pastor wytłumaczył jej, że zadaje sobie psychiczne cierpienia i że jej samobiczowanie się i użalanie nad sobą muszą znaleźć uzasadnienie i potwierdzenie w zewnętrznym aspekcie życia. Jeżeli podle się traktujesz, inni ludzie będą dla ciebie podli, dokądkolwiek się udasz. Jeżeli uważasz się za robaka, wszyscy będą cię deptać. Jednym słowem, postawy i czyny ludzi otaczających tę kobietę były świadectwem i potwierdzeniem jej wewnętrznego stanu umysłu.

Kobieta natychmiast przestała karać samą siebie. Zaczęła sobie wyobrażać, że kierownik gratuluje jej wydajnej pracy i daje jej podwyżkę. Stale opromieniała miłością i życzliwością swojego pracodawcę i wszystkich współpracowników. Wiele razy dziennie, przez kilka tygodni wytrwale podtrzymywała w swoim umyśle te wyobrażenia. Była oszołomiona, kiedy szef pogratulował jej wykonywanej pracy, a kilka miesięcy później awansował ją na stanowisko kierownicze. W ciągu kilku godzin zdała sobie sprawę z cudów, jakie może zdziałać głęboki umysł. Znalazła klucz otwierający drzwi skarbca.

Nie mów: „Nie mogę", powiedz: „Będę"

Norman Cousins, redaktor czasopisma „The Atlantic Monthly", autor książek *Anatomy of an Illness* i *Human Options*, jest żywym dowodem na to, jak dzięki podświadomemu umysłowi można sięgać po często niewykorzystywane zasoby.

Cousins zapadł na chorobę, która doprowadziła do częściowego paraliżu szyi, rąk, palców oraz nóg. Znalazł się w szpitalu, gdzie zdiagnozowano ciężką chorobę tkanki łącznej. Lekarz orzekł: „Prawdopodobieństwo wyzdrowienia wynosi w pana przypadku 1:500".

Początkowo Cousins pozwalał, by lekarz i inni pracownicy szpitala „wykonywali swoją robotę". Przyjmował leki i poddawał się badaniom, które jednoznacznie potwierdzały rozpoznanie i negatywną prognozę.

Cousins nie pogodził się jednak z losem. Był mocno przekonany o leczniczej wartości śmiechu, ufności i woli życia.

Wkrótce ułożył plan poszukiwania pozytywnych emocji. Uwzględniał on zasoby medyczne, wsparcie innych ludzi, śmiech i miłość najbliższych. Następnie wyszedł ze szpitala, wynajął pokój w hotelu, zatrudnił pielęgniarkę i oglądał komedie i zabawne programy telewizyjne. Stwierdził, że dziesięć minut dobrego, serdecznego śmiechu pozwala mu – po raz pierwszy od miesięcy – spać przez dwie do trzech godzin bez odczuwania bólu.

Z każdym tygodniem Norman Cousins nabierał siły, z każdym rokiem odzyskiwał zdolność poruszania się. Był mocno przekonany o tym, czego dowodziły też jego doświadczenia, że moc woli życia i pewności siebie wyzwala olbrzymie siły we wnętrzu człowieka. Cousins wiódł czynne i produktywne życie jeszcze przez szesnaście lat.

Wykorzystaj swoje zalety

Fundamentem wszelkich dokonań jest poczucie pewności. Przekonanie o swej zdolności do realizacji określonego zamierzenia ma olbrzymią moc. Ludzie obdarzeni wielką wiarą w swoje siły nie muszą zbytnio zmagać się z niepewnością, czy znajdują się na właściwym miejscu, zwątpieniem w swoje zdolności i obawami co do przyszłości.

Tak jak większość ludzi, jeśli nawet nie odnosisz teraz olśniewających sukcesów, prawdopodobnie jesteś naprawdę skuteczny w niektórych sprawach, którymi się zajmujesz. Być może nie masz najlepszych wyników w swoim dziale, ale możliwe, że masz szczególne zdolności w pewnych aspektach pracy, które pomogą ci zyskać respekt. Być może nie jesteś tak wysportowany jak koledzy z klasy, ale może tworzysz wybitne dzieła na zajęciach plastycznych. Być może nie zarabiasz tyle, co twoi sąsiedzi, ale potrafisz naprawić wszystko, co zepsuje się w twoim domu – i w ich domach.

Martwienie się swoimi słabościami jest rzeczą ludzką. Niektórych ludzi zachęca to do uporania się z tymi słabościami, u innych jednak wzbudza poczucie niższości.

Zamiast rozpamiętywać to, co ci nie wychodzi, wychwalaj w swoim umyśle to, w czym naprawdę jesteś dobry. Zyska na tym twoje poczucie własnej wartości i pewności siebie i znajdziesz bodziec, który cię popchnie ku sukcesom we wszystkich twoich przedsięwzięciach.

Krótko mówiąc

Jeżeli uważasz się za nieudacznika i masz o sobie takie wyobrażenie, nie zdołasz zrealizować swoich zamierzeń. Myśl o sukcesie. Wyobrażaj sobie, że dobrze ci się wiedzie.

- Podejmij decyzję teraz, w tej chwili, że możesz robić to, czego pragniesz; że możesz być tym, kim szczerze pragniesz się stać; że możesz mieć to, czego pragniesz, i stanie ci się według twojej wiary.
- Jeśli nie będziesz kochać i szanować siebie, nie możesz nawet zacząć budować wizerunku siebie jako człowieka sukcesu. Nie ma powodu, by utrwalać negatywny obraz własnej osoby. Jeżeli chcesz zostać człowiekiem sukcesu, musisz stworzyć swój pozytywny wizerunek.
- Porzuć nieprzychylne, ograniczające lub zubażające wyobrażenia o sobie; nigdy nie uważaj się za człowieka słabego, nieudolnego lub chorego. Postrzegaj się jako istotę doskonałą, pełną i zintegrowaną.
- Na ścieżce kariery z pewnością napotkasz przeszkody. Nigdy nie trać pewności siebie. Droga do sukcesu rzadko bywa łatwa. Zaprogramuj swój podświadomy umysł, by był gotowy i zdolny do pokonywania przeszkód utrudniających ci osiągnięcie celów.

Rozdział 3

Myśl bardziej pozytywnie

*Prawo Życia jest prawem wiary. Wiara jest jedną z twoich
myśli. Nie dawaj wiary temu, co może cię zranić lub skrzyw-
dzić. Uwierz w moc swojej podświadomości, która przyniesie ci zdrowie, natchnienie, siłę i pomyślność. Staje ci się
według twej wiary.*

Negatywizm do niczego nie prowadzi. Nie ma w nim
życia, nie ma w nim niczego poza degradacją, znisz-
czeniem i śmiercią. Negatywizm jest zajadłym wrogiem
sukcesu. Ludzie, którzy zawsze wszystko umniejszają
i skarżą się na ciężkie czasy, niepowodzenia w interesach, kiepskie zdrowie i niedostatek, przyciągają do siebie negatywne i destrukcyjne czynniki i obracają wni-
wecz wszystkie swoje przedsięwzięcia.

Ludzie o destruktywnej mentalności i języku nie potrafią myśleć konstruktywnie, ponieważ ich umysł od-
dalił się od tego, co pozytywne, i nie ma w sobie niczego,
co by przyciągnęło dobrostan. W negatywnej, destruk-
cyjnej atmosferze nie mogą działać twórcze zasady ani
nie ma miejsca na jakiekolwiek osiągnięcia. Zatem ludzie o negatywnym nastawieniu zawsze się staczają
i okazują nieudacznikami. Tracą moc afirmacji i dry-
fują, niezdolni postąpić naprzód.

Negatywizm odbiera moc

Negatywizm, jeśli mu ulegniesz, sparaliżuje twoją ambicję i zatruje ci życie. Będzie podkopywać twoją pewność siebie, aż padniesz ofiarą okoliczności, zamiast sprawować nad nimi kontrolę. Jest to w dużej mierze kwestia wiary w swoje siły i pewności siebie. Czegokolwiek byś się podjął, nigdy tego nie dokonasz, dopóki nie uznasz, że potrafisz temu sprostać. Nigdy tego nie opanujesz, dopóki nie poczujesz się panem i nie osiągniesz celu w swoich myślach. Swoje zamiary musisz wbić sobie do głowy, inaczej nigdy nie przekujesz ich w czyn. Nim je urzeczywistnisz w świecie materialnym, musisz je spełnić w umyśle.

Jakże wielu ludzi pozwala na to, by ich życie zdominowały myśli przepojone lękiem, myśli o niepowodzeniu. W rezultacie zadowalają się wykonywaniem niewymagającej pracy bez perspektyw, która zapewnia im marne dochody, mizerne życie i minimalną satysfakcję zawodową. Jeśli nawet wpadają na konstruktywne, innowacyjne pomysły, boją się wyjść z nimi na zewnątrz. „Czemu to miałoby służyć?" – zastanawiają się, pewni odrzucenia.

Mężczyźni i kobiety pozytywnie nastawieni do życia nie zadowalają się rolą przeciętniaków. Strach zostaje zastąpiony przez pewność i pomyślność w życiu zawodowym.

Zachowaj pozytywne nastawienie w relacjach z innymi

Kiedy snujesz na temat innych złe, niezdrowe myśli, związane z chorobą i niezgodą, wtedy wydajesz komendę: „Stój! W tył zwrot!" Spójrz w stronę słońca. Postanów, że skoro nie potrafisz zdziałać w świecie nic dobrego, nie będziesz rozsiewał zatrutych nasion, nie będziesz rozprzestrzeniał jadu złośliwości i nienawiści.

W pracy i codziennych dążeniach zawsze myśl życzliwie o wszystkich ludziach; bądź dla nich wyrozumiały, wielkoduszny i serdeczny. Nie będziesz ich zarażać swoim przygnębieniem. Zamiast smutku i cienia użyczysz im blasku i radości; zamiast siać zniechęcenie, będziesz zachęcać i wspierać.

Kiedy Marisa L. zaczęła nową pracę, spostrzegła, że jest w swoim dziale jedyną Murzynką. Próbowała się zaprzyjaźnić z koleżankami, lecz została odtrącona. Nie tylko ją ignorowały, ale najwyraźniej starały się uprzykrzyć jej życie.

W pierwszej chwili miała ochotę to zgłosić do działu kadr jako naruszenie zasad równego traktowania pracowników, ale po zastanowieniu postanowiła poradzić sobie z tym sama. Zamiast postawy obronnej i otwartego konfliktu postanowiła wypróbować pozytywne podejście. Zastąpiła urazę myślami pełnymi zrozumienia dla postawy koleżanek i zaczęła się zastanawiać nad sposobem zmiany tego nastawienia. Analizowała ich sposób pracy i starała się dzielić z nimi specjalistyczną wiedzą, dzięki której ją zatrudniono.

W dość krótkim czasie zdobyła sobie poważanie, a z czasem również przyjaźń koleżanek i wkrótce została członkiem grupy.

Wyrób w sobie optymistyczne nastawienie

Nic tak nie podnosi na duchu jak nawyk dobrego myślenia, przekonanie o raczej korzystnym niż niekorzystnym obrocie sprawy, oczekiwanie sukcesu zamiast porażki i wiara w szczęście pomimo wszystkiego, co się zdarzy lub nie zdarzy.

Jeżeli chcesz być zadowolony z pracy i nawiązać relacje sprzyjające sukcesom i postępowi, trudno o lepszą pomoc niż optymistyczne nastawienie, postawa pełna oczekiwania – nieustannego wyglądania tego, co najlepsze, najwznioślejsze i najszczęśliwsze – i niedopuszczanie do siebie pesymizmu i zniechęcenia.

Powinieneś całym sercem wierzyć, że będziesz robić to, do czego jesteś stworzony. Nawet przez chwilę nie wątp w swój sukces. Jeśli zwątpienie będzie szukało do ciebie przystępu, wypędź je z umysłu. Snuj tylko przyjazne myśli, idealne wyobrażenia tego, co postanowiłeś osiągnąć. Odrzuć wszystkie wrogie myśli i zniechęcające nastroje – wszystko, co bodaj kojarzy się z porażką lub nieszczęściem.

Arianna Huffington, znana osobowość telewizyjna, współzałożycielka wpływowego magazynu internetowego „Huffington Post", wychowała się w Grecji. Kiedy chodziła do szkoły, zobaczyła w czasopiśmie zdjęcie Uniwersytetu w Cambridge i oświadczyła rodzinie i przyjaciołom, że zamierza tam studiować. Wszyscy – a zwłaszcza ojciec – mówili, że to absurdalny pomysł, który trzeba zarzucić. Natomiast matka Arianny postanowiła pomóc swojej zdeterminowanej córce lepiej wyobrazić sobie przyszły pobyt na uczelni. Kupiła tanie bilety lotnicze i obie wybrały się do Cambridge. Podczas pobytu nie rozmawiały z przedstawicielami uczelni ani nie zajmowały się poważnymi sprawami – po prostu spacerowały w deszczu i wyobrażały sobie Ariannę na studiach.

Trzy lata później Arianna zdobyła stypendium Uniwersytetu w Cambridge. Od matki przejęła wiarę, że zawsze należy próbować czegoś nowego. Już w dzieciństwie dowiedziała się, że pozytywne nastawienie pozwala przezwyciężać przeszkody. Z biegiem lat taka postawa pozwoliła Ariannie osiągnąć sukces w polityce, w telewizji, a obecnie również w roli wydawcy magazynu internetowego.

Niezależnie od tego, co próbujesz zdziałać lub kim próbujesz się stać, zawsze podchodź do tego z oczekiwaniem, nadzieją i optymizmem. Zdziwisz się, jak bardzo rozwiną się wszystkie twoje zdolności i jak wielka dokona się w tobie poprawa.

Dwaj bracia zaczęli razem robić interesy i szło im całkiem nieźle przez kilka lat. Kiedy jednak zaczęli dokonywać transakcji terminowych i działać na rynku towarowym, w końcu stracili wszystko, włącznie ze swoimi firmami i oszczędnościami. Zadłużyli się na 50 tysięcy dolarów i nie mogąc spłacić długu, ogłosili upadłość. Jeden z braci, który zawsze był bardzo pozytywnie nastawiony, powiedział: „Straciłem pieniądze. Odrobię straty i znowu wejdę do branży. Dostałem dobrą lekcję, która w końcu mi się opłaci. Nie straciłem jednak wiary, ufności, zdolności do rozwoju i wzrostu. Mam wiele do zaoferowania i znowu stanę się człowiekiem sukcesu". Podjął pracę w biurze maklerskim i dzięki licznym przyjaciołom bez problemu pozyskiwał nowych klientów dla swojego pracodawcy.

Jego brat poczuł się jednak poniżony i zawstydzony bankructwem. Zaczął rozpowiadać o tym, ile stracił, i wciąż powtarzał śpiewkę o maklerze, który temu zawinił, szukając tylko usprawiedliwienia dla własnych pomyłek i błędnych decyzji. Stracił znajomych i zdrowie, które zaczęło szwankować wskutek jego ponurego nastroju i zniechęcenia. Nie chciał podjąć terapii i zaczął żyć z zasiłku.

Oto dwaj bracia, którzy doświadczyli tej samej straty. Jeden z nich zareagował konstruktywnie, drugi zaś – negatywnie, w poczuciu daremności wszelkich starań. To, co nam się przydarza, nie ma wielkiego znaczenia; naprawdę ważne jest to, co o tym myślimy, jak reagujemy – konstruktywnie czy negatywnie. Jeden z braci zrobił dobry użytek ze swojej wyobraźni, wbudowując w umysł nowy wzorzec, dostrzegając możliwości, korzystając ze skrzydeł wiary dla zbudowania lepszego życia. Odkrył, że sukces i bogactwo znajdują się w jego umyśle.

Zastąp negatywne myśli pozytywnymi

Kiedy snujesz negatywne myśli, siły życiowe więzną w twojej podświadomości jak woda nieznajdująca ujścia z przyciśniętego węża ogrodowego. Negatywne emocje, które kłębią się w twojej podświadomości, wydobywają się z niej w postaci najróżniejszych chorób duszy i ciała.

Odrzuć negatywizm, urazę, krytycyzm i samopotępienie i napełniaj umysł konstruktywnymi myślami harmonii, zdrowia, pokoju, radości i życzliwości, a przeobrazisz swoje życie.

Myśląc konstruktywnie, opierając się na uniwersalnych zasadach, możesz zmienić wszelkie negatywne wzorce swego umysłu i wieść bajkowe życie.

Aby iść królewską drogą ku wszelkim bogactwom – duchowym, umysłowym, materialnym – nie wolno ci nigdy stawiać przeszkód na drodze innych ludzi. Nie możesz być zazdrosny, zawistny ani żywić do innych urazy. Pamiętaj, że twoje myśli są twórcze i że cokolwiek sądzisz o innych, właśnie to stwarzasz w swoim życiu i doświadczeniach.

W wielu sytuacjach zawodowych współpracownicy konkurują o awans i władzę. Niektórzy są tak skłonni do rywalizacji, że nie cofną się przed niczym, aby zaszkodzić konkurentom ubiegającym się o to samo stanowisko.

Barry G. przez lata osiągał doskonałe rezultaty, był

chwalony za innowacyjność i jakość pracy. Jego szef miał przejść na emeryturę pod koniec roku i Barry spodziewał się awansu na to stanowisko. Jednak sześć miesięcy wcześniej do jego działu został przeniesiony Carl R., który nie awansował na poprzednim stanowisku i teraz rozpoczął kampanię o awans w nowym dziale.

Kiedy uznał, że Barry jest jego głównym rywalem, szukał okazji, aby go poniżyć i zwiększyć własne szanse na sukces. Na zebraniach wyśmiewał propozycje Barry'ego. Usilnie starał się zwrócić uwagę szefa na swoje działania i przy każdej okazji utrudniał Barry'emu pracę.

Barry kipiał urazą. Latami ciężko pracował na ten awans, a teraz Carl spychał go na boczny tor. Długo się nad tym zastanawiał i rozmawiał z najbliższymi przyjaciółmi i swoim pastorem. Wreszcie zdał sobie sprawę, że nie pokona takiego intryganta jak Carl jego własną bronią. Wybrał inną drogę. Zamiast zajmować się sztuczkami Carla, skoncentrował się na własnych zaletach. Rozważał takie słowa: „Carl jest wykwalifikowanym pracownikiem i trudno się dziwić jego ambicji, poza tym ma wiele zalet cennych dla naszego działu. Nie jestem od niego gorszy; wiele razy udowadniałem swoją wartość. Będę nadal skupiał się na swojej pracy i wytyczonym celu. Żadne słowa ani poczynania Carla nie mogą mieć wpływu na moją pracę i na to, co o sobie myślę".

Dzięki takiej postawie Barry nadal pracował doskonale, a po odejściu szefa na emeryturę uzyskał awans.

Negatywna myśl lub sugestia innej osoby nie mają nad tobą władzy, chyba że sam im ją przyznasz. Sugestie mają moc, ale nie są Mocą, która działa jako harmonia, piękno, miłość i pokój. Kiedy inni ludzie dają wyraz swojemu negatywnemu nastawieniu lub podsuwają ci złe sugestie, zawsze pamiętaj, że potrafisz złączyć się w umyśle z obecną w twoim wnętrzu Nieskończoną Inteligencją, której prawem nie jest negatywizm, lecz miłość, szczodrość i harmonia.

Nigdy nie kończ negatywnego stwierdzenia, lecz natychmiast wypowiedz jego przeciwieństwo. To sprawi, że w twoim życiu zaczną się zdarzać cuda. Jeżeli dopuszczałeś do siebie strach, zmartwienia lub inne destrukcyjne formy myślenia, twój podświadomy umysł uzna takie negatywne myśli za prośby i zacznie wcielać je w życie. Możesz temu zaradzić, jeśli zaczniesz zwracać się w myślach ku życzliwości, pokojowi i wielkoduszności. Twój podświadomy umysł – jako byt twórczy – tak samo zacznie tworzyć w twoim życiu te cechy, których szczerze się domagałeś.

Kiedy tylko snujesz lub wypowiadasz negatywne myśli, utrwalasz sytuację, która niweczy twój pokój duszy i gwarantuje porażkę. Modlisz się wtedy przeciwko sobie. Spraw, by niewypowiedziana myśl w twoim wnętrzu była zgodna z obranym przez ciebie celem. Przegrana to nic innego jak negatywne myślenie. Ma ono wiele przyczyn. Jedną z nich, chyba najistotniejszą, jest przekonanie o nieuchronności porażki.

Myśli te wyrażają się w każdej części twojego jestestwa. To, co świadomie odciskasz w podświadomym umyśle, ukazuje się w twoim życiu. Nigdy więc nie afirmuj w swym wnętrzu tego, czego nie chcesz doświadczyć na zewnątrz.

Kluczem jest ambicja

Wielu ludziom wiodłoby się o wiele lepiej, gdyby tylko mieli kogoś, kto cały czas popychałby ich do przodu, ładował ich akumulatory, zarażałby entuzjazmem i ciągle inspirował. Nie są jednak skłonni odgrywać takiej roli wobec samych siebie i dlatego pozostają przeciętni. Swoją siłę napędową czerpią od innych. Przemawiając im do serca i pokazując, do czego są zdolni, dodając im nadziei i pobudzając ambicję, inni ludzie ładują ich akumulatory. Przez kilka dni działają doskonale i mogłoby się wydawać, że rozpoczną nowy rozdział życia i zachowają entuzjazm, ale niespodziewanie zapadają się w sobie, tracą siły i czekają na ponowny zastrzyk energii.

Wydaje się, że są zupełnie niezdolni do poruszania się o własnych siłach. Brakuje im inicjatywy i nie potrafią kierować własnym losem. Trzeba ich popychać jak pionki na szachownicy. Kiedy uświadomią sobie, że są sami i nie ma nikogo, na kim mogliby się oprzeć lub kto zapewniłby im siłę napędową, wpadają w otępienie i nie wiedzą, co począć.

Jest wielu mężczyzn i kobiet, którzy z początku wydają się bardzo ambitni, nie potrafią jednak poruszać się o własnych siłach. Czekają, aż coś się zdarzy, aż ktoś przydzieli im stanowisko, czekają na wpływowego przyjaciela, który dałby im awans.

Suną po linii najmniejszego oporu. Bardzo chcieliby odnieść sukces, lecz boją się ceny, którą trzeba zapłacić. Udane życie jest dla nich zbyt mozolne. Napotykają zbyt wiele trudności i takie funkcjonowanie wymaga od nich zbyt wiele wytrwałości w obliczu przeszkód rzekomo nie do pokonania. Ludzie ci niejasno przeczuwają, że jest gdzieś dla nich miejsce w świecie, że coś gdzieś na nich czeka i że jakimś zrządzeniem losu zostanie im to dane, jeśli poczekają wystarczająco długo. Nim to się stanie, zadowalają się tym, że podtrzymują ich i wspierają inni ludzie. Taki brak samodzielności, zależność od zewnętrznej siły ma fatalne skutki dla ich rozwoju i osiąganych wyników.

Sam L. był podenerwowany. Jak powiedział swojemu doradcy zawodowemu, nigdy się nie spodziewał, że będzie musiał szukać pracy. „Zawsze myślałem, że mój ojciec albo wuj zatrudnią mnie w swoich firmach. Nawet wtedy, gdy nie powiodło się im w interesach, zakładałem, że nasza rodzina ma tyle kontaktów, że dostanę pracę u kogoś znajomego".

Samowi nigdy nie przyszło do głowy, żeby zrobić coś na własną rękę. Przez całe życie zawsze ktoś załatwiał jego sprawy. Na nic się zdało jego dobre wykształcenie; po raz pierwszy w życiu mógł polegać tylko na sobie.

Sam musiał się zmierzyć z prawdziwym światem. W ścisłej współpracy ze swoim doradcą w ciągu kilku tygodni zdołał przeanalizować swoje mocne i słabe strony. Uświadomił sobie, co sprawia mu radość, a do czego nie ma upodobania; jakie są możliwości pracy w różnych dziedzinach; w czym powinien się wyszkolić, żeby otrzymać odpowiednie zatrudnienie. Przede wszystkim zaś musiał określić, jak wyćwiczyć swój umysł, aby zaakceptować fakt, że musi polegać wyłącznie na sobie, jeśli ma się stać naprawdę zintegrowanym człowiekiem.

Rzadko się zdarza, żeby ktoś wydobył się ze slumsów i zdobył bogactwo, sławę i dobre imię tylko dlatego, że uratował tonącego człowieka lub spodobał się jakiemuś milionerowi. Zapamiętaj prostą prawdę: zawsze prezentujesz swój charakter i stan umysłu. Charakter to przeznaczenie. Charakter to twój sposób myślenia, odczuwania i twoje przekonania; to wartości duchowe, które zaszczepiłeś w swoim umyśle; prawość i uczciwość, które tam zaprowadziłeś. Oto cechy, które popłacają.

Jak przezwyciężyć negatywne myślenie
Aby pozbyć się niechcianych emocji, najlepiej jest stosować prawo podstawienia: *Zastąp myśl negatywną*

myślą pozytywną i konstruktywną. Kiedy przychodzą ci do głowy negatywne myśli, nie walcz z nimi, lecz powiedz sobie: „Wierzę we wszystko, co dobre". Zobaczysz, że negatywne myśli będą znikać niczym mrok rozproszony przez światło.

Twój umysł będzie niekiedy powracać do starych nawyków denerwowania się, zamartwiania i powtarzania cudzych opinii. Kiedy takie myśli będą przychodzić ci do głowy, wydaj im rozkaz: „Stójcie! Karmię swoją podświadomość tylko własnymi myślami". Powtarzaj te słowa sto lub tysiąc razy dziennie, jeśli okaże się to konieczne, niezależnie od tego, czy jest to sprawa zawodowa czy osobista.

W obliczu katastrofy wielu ludzi traci nadzieję i popada w negatywizm. Inni jednak nabierają sił i zyskują motywację pobudzającą do heroicznych czynów nawet w najbardziej przerażających okolicznościach. W grudniu 2001 r. pożar zniszczył zajazd Susan i Shermana Goldsteinów na wyspie Martha's Vineyard (stan Massachusetts). Właściciele tak bardzo starali się sprostać tej próbie, że przez cały miesiąc nie znaleźli czasu na przyrządzenie obiadu; żywili się u swoich przyjaciół, a mieszkali u innego przedsiębiorcy.

Nie pozwolili jednak, by nieszczęście zdominowało ich życie. Postanowili, że najpierw ponownie otworzą restaurację, aby utrzymać swą pozycję w mieście. W czasie prac rekonstrukcyjnych wywiesili na zniszczonym zajeździe ogromny transparent: „Kiedy życie podsuwa ci kwaśne jabłka, upiecz szarlotkę". Goldsteinowie potraktowali pożar jako okazję do przekształcenia bardzo skromnego zajazdu o nienowoczesnych, ciasnych pokojach w ekskluzywną rezydencję o nowej nazwie Mansion House, przeznaczoną dla zamożnej klienteli. Susan Goldstein mówi, że pożar, który spowodował tyle zniszczeń, w rzeczywistości pomógł im wspiąć się na wyższy poziom. Dzięki pozytywnemu myśleniu zdołali odbudować zajazd i zacząć wszystko od nowa.

Wizualizacja

Wyobraź sobie, jak się uporasz z codziennymi trudnościami. Jeśli masz zaprezentować ofertę handlową, przedstawić sprawozdanie na zebraniu z udziałem kierownictwa lub oddać się jakiemukolwiek produktywnemu zajęciu, zaplanuj w myślach, co zamierzasz powiedzieć, w jaki sposób to powiesz i jakie kroki poczynisz. Przeprowadzaj w umyśle kolejne próby. Twój zamiar zapadnie ci głęboko w podświadomość i przeniknie do wszystkich komórek twojego mózgu. Zaangażujesz się w odniesienie sukcesu i kiedy rzeczywiście będziesz przeprowadzać transakcję, staniesz przed kierownictwem lub przystąpisz do działania, twoja podświadomość przejmie kontrolę i doprowadzi do pożądanych wyników.

Dzięki Bogu już poniedziałek

Powiedzenie „Dzięki Bogu już piątek" uważa się obecnie za typową postawę większości amerykańskich pracowników. Pilno nam do weekendu i wytchnienia od pracy. Nie ma w tym nic złego, ponieważ wszyscy powinniśmy się cieszyć odpoczynkiem. Jednakże ludzie ambitni i skuteczni z równym utęsknieniem nie mogą się doczekać poniedziałku i powrotu do pracy.

Wielu ludzi nie znosi poniedziałków. Poddają się „losowi" i zamiast żyć, nakładają ograniczenia na swoje życie. W poniedziałek dopada ich poczucie rezygnacji, choć jeszcze w niedzielę świadomie decydowali o swojej przyszłości, a ich podświadomość odpowiednio reagowała. Najprawdopodobniej nie mają pojęcia, że sami planują, a więc i tworzą swój „los". Jeżeli zastąpisz rezygnację pozytywnymi myślami o pracy i oczekiwaniem zawodowych wyzwań i możliwości, poniedziałki staną się łatwiejsze do zniesienia.

Krótko mówiąc

- Pozytywne myślenie zaczyna się od zrozumienia potęgi podświadomości.
- Przejmij kontrolę nad swoją karierą. Nie pozwól swojemu szefowi, współpracownikom ani nikomu innemu sterować statkiem twojej kariery. Nigdy nie zapominaj o pochodzącej z twego wnętrza mocy przezwyciężania negatywnych wpływów, które mogą blokować twój rozwój zawodowy.
- Trudno o lepszą pomoc od optymistycznego nastawienia, postawy pełnej oczekiwania – nieustannego wyglądania tego, co najlepsze, najwznioślejsze i najszczęśliwsze – i niedopuszczania do siebie pesymizmu i zniechęcenia.
- Nigdy nie kończ negatywnego stwierdzenia, lecz natychmiast wypowiedz jego przeciwieństwo, a w twoim życiu zaczną się zdarzać cuda. Twój podświadomy umysł – jako byt twórczy – tak samo zacznie tworzyć w twoim życiu te cechy, których szczerze się domagałeś.
- Wyobraź sobie, jak się uporasz z codziennymi trudnościami. Jeśli masz zaprezentować ofertę handlową, przedstawić sprawozdanie na zebraniu z udziałem kierownictwa lub oddać się jakiemukolwiek produktywnemu zajęciu, zaplanuj w myślach, co zamierzasz powiedzieć, w jaki sposób to powiesz i jakie kroki poczynisz.

Rozdział 4

Opanuj prawo przyciągania

Każdy z nas jest magnesem w ludzkiej skórze. Tak jak właściwy magnes przeciągnięty przez stertę śmieci wyciągnie z niej tylko przedmioty, które do niego przylgną, tak i my stale przyciągamy do siebie i wchodzimy w relacje z rzeczami i ludźmi, którzy reagują na nasze myśli i ideały.

Jak to się dzieje, że pewni ludzie przykuwają uwagę innych, szybko się zaprzyjaźniają i zdobywają podziw, podczas gdy inni utrzymują z otoczeniem zaledwie poprawne stosunki?

Niektórzy ludzie ujmują nas tym, co nazywamy „osobowością". Sposób, w jaki się nam prezentują, sprawia, że darzymy ich zaufaniem, podziwiamy i dobrze się przy nich czujemy. Ludzie ci udoskonalili się w stosowaniu prawa przyciągania. Przykuwają uwagę swoich przełożonych, klientów i innych osób. To właśnie ich wybieramy na mentorów. Z ich grona wywodzą się liderzy przedsiębiorstw i to oni bez trudu pną się po drabinie sukcesu.

Amerykański psycholog William James zdefiniował osobowość jako zbiór indywidualnie wykształconych charakterystycznych wzorców zachowania, wyznaczający sposób funkcjonowania w codziennym życiu na poziomie świadomym i nieświadomym. Mówi się, że osobowość odzwierciedla równowagę pomiędzy wrodzonymi popędami a kombinacją świadomych i zewnętrznych czynników kontrolnych.

Warto pamiętać, że pociągające cechy można w sobie rozwinąć. Niektóre aspekty osobowości są wrodzone: wygląd zewnętrzny, zrąb inteligencji i niektóre uzdolnienia – każdy ma jednak zdolność optymalnego wykorzystywania swoich wrodzonych cech i takiego ich kształtowania, którego efektem jest uzyskanie podziwianego przez innych typu osobowości. Możemy się nauczyć, jak korzystać z prawa przyciągania.

Jeżeli masz zostać tym, kim pragniesz się stać, czeka cię trudna droga, której początkiem jest silne pragnienie i zaangażowanie w rozwój wrodzonych cech charakteru. Możesz stać się człowiekiem towarzyskim, pogodnym, optymistycznym i pozytywnie nastawionym – wykształcić osobowość, która zyska aprobatę mężczyzn i kobiet z twojego otoczenia.

Cechy osobowości można nabyć

William James powiedział również, że osobowość jest sumą wszystkich atrybutów człowieka. Należy tu wymienić nie tylko właściwości ciała i umysłu, ale również sposób ubierania się, dom, w którym mieszka, małżonka i dzieci, przodków i znajomych, reputację i dzieła, majątek i stan konta. Wszystko to wywołuje emocje należące do tego samego zakresu. Jeśli to wszystko rośnie i kwitnie, czujemy się wyśmienicie, jeżeli zaś niknie i zamiera, jesteśmy przygnębieni. Dzieje się tak w każdej dziedzinie życia, choć niekoniecznie w jednakowym stopniu.

Osobowość jest sposobem wyrażania siebie na zewnątrz. Nie tylko jesteśmy stworzeniami stadnymi, które lubią mieć w zasięgu wzroku swoich towarzyszy, ale mamy wrodzone upodobanie do tego, aby pokrewne istoty zauważały nas i spoglądały na nas przychylnym okiem.

Osobowość niektórych ludzi wykracza poza zwykłe fizyczne piękno i nabytą wiedzę. Urok osobowości jest Bożym darem, przed którym ustępują najsilniejsze charaktery, który pozyskuje najlepsze stanowiska w firmie, a czasem nawet decyduje o losie narodów.

Ludzie obdarzeni tą zniewalającą siłą nieświadomie wywierają wpływ na nasze postępowanie. Sama ich obecność dodaje nam skrzydeł. Inspirują swoich podwładnych i klientów i są postrzegani jako wzorce do naśladowania w życiu zawodowym i prywatnym. Odblokowują w nas możliwości, o których nie mieliśmy pojęcia. Nasze horyzonty poszerzają się; czujemy, jak nowa moc porusza całe nasze jestestwo; doznajemy poczucia ulgi, jak gdyby zdjęto nam z barków przygniatający nas od dawna wielki ciężar.

Dobre wychowanie i obycie towarzyskie to dwie główne składowe magnetycznej osobowości. Bardzo ważnym, być może najważniejszym składnikiem jest takt. Trzeba dokładnie wiedzieć, jak należy postąpić, i mieć możliwość zrobienia właściwej rzeczy o właściwym czasie. Dla tych, którzy próbują zyskać tę zniewalającą moc, nieodzowna jest umiejętność oceny sytuacji i zdrowy rozsądek. Kolejny element uroku osobistego stanowi dobry gust. Nie można urazić smaku innych ludzi, nie raniąc ich uczuć.

Jedną z największych inwestycji, jakich możemy dokonać, jest nabycie uprzejmości, serdeczności i wyczucia – opanowanie niezrównanej sztuki sprawiania radości, o wiele przydatniejszej od kapitału pieniężnego. Przed człowiekiem o promiennej, ujmującej, przyjaznej osobowości wszystkie drzwi stoją otworem. Tacy ludzie nie tylko są witani z otwartymi ramionami, ale po prostu są wszędzie poszukiwani.

Cechy osobowości można nabywać. Można przyjąć, że wszyscy ludzie mają jednakowe prawa i możliwości, trzeba jednak przyznać, że nie wszyscy dysponują jednakową inteligencją, siłą fizyczną czy zasobem energii. Pomimo to, niezależnie od swego stanu, można wznieść się wyżej, kształcąc się i rozwijając. Ludzie żądni wiedzy i dążący do mistrzostwa w naturalny sposób będą się posuwać do przodu. Możesz wybrać cechy osobowości, których pragniesz nabyć, i pracować nad ich kształtowaniem. Zastosowanie ich w praktyce to wielka rzecz.

Najważniejszymi cechami, które dają doskonałą renomę, są życzliwość, uprzejmość, szczodrość, pokora, bezinteresowność, miłe usposobienie i szczerość. Cechy te nie są wrodzone, lecz można je kształtować. Niech staną się zrębem osobowości, którą chciałbyś stworzyć, opierając się na elementach twojej złożonej tożsamości.

Niestety, niektórzy ludzie obdarzeni tymi cechami nie urzekają innych osobowością, ponieważ brakuje im ujmującego wyglądu. Nie chodzi tu jednak o fizyczne piękno. Aby dobrze się prezentować, nie trzeba mieć pięknej twarzy ani idealnej sylwetki. Jeśli jednak nie będziesz czysty, zadbany i ubrany schludnie i stosownie do okoliczności, a na twojej twarzy nie będzie gościć uśmiech zamiast grymasu niezadowolenia, twoje wartościowe cechy przejdą niezauważone.

Wygląd jest ważny, ponieważ decyduje o pierwszym wrażeniu, jakie wywierasz na innych. Od tego z kolei zależy, czy twoi rozmówcy pozwolą ci się wykazać wybitnymi cechami charakteru.

Nie tylko jesteśmy osądzani na podstawie wyglądu, ale tak samo oceniamy innych. Ludzie instynktownie próbują się upodobnić do podziwianych osób. Noszą podobne ubrania, tak samo się czeszą i zachowują. Dotyczy to też innych cech. Koncentruj się na cechach osobowości ludzi, których szanujesz i podziwiasz. W osobach tych możesz dostrzec wizję człowieka, którym pragniesz się stać. Obserwuj nie tylko te osoby, które znasz osobiście, ale poszukuj także innych wzorców w ludziach żyjących obecnie i w przeszłości, którzy uosabiają twój ideał osobowości.

Szukaj tego, co dobre

Zamiast szukać w swym życiu brzydoty, można też wypatrywać dobra i piękna; tego, co godne, zamiast tego, co haniebne; tego, co jasne i pogodne, zamiast tego, co mroczne i ponure; tego, co wzbudza nadzieję, zamiast tego, co przywodzi do rozpaczy – dostrzegać jasną stronę zamiast ciemnej. Równie łatwo zawsze kierować twarz ku słońcu, jak wszędzie dostrzegać cień. Taka postawa może zaważyć na tym, czy twój charakter zdominuje zadowolenie czy niezadowolenie, szczęście czy nieszczęście i czy w życiu będzie ci się dobrze powodziło, czy będziesz się spotykać z przeciwnościami; czy odniesiesz sukces, czy poniesiesz porażkę. Karm pozytywnymi myślami swój podświadomy umysł – oto, jak możesz stosować prawo przyciągania.

Naucz się więc wypatrywać światła. Zdecydowanie odmawiaj dostępu do siebie cieniom i skazom, negatywnym wyobrażeniom i dysonansom. Trzymaj się tego, co daje radość, wsparcie i natchnienie, a całkiem zmienisz swój sposób patrzenia na sprawy i w krótkim czasie przeobrazisz swoją osobowość.

Jedną z metod wykształcenia w sobie najlepszych cech charakteru jest wypatrywanie tego, co najlepsze, u innych. Ten nieoceniony dar możesz otrzymać, jeśli będziesz traktować wielkodusznie każdego napotkanego człowieka, starając się przenikać maskę pozorów i sięgać głębiej.

Jeżeli potrafimy sprawić, by inni czuli się przy nas swobodnie, byli zadowoleni z siebie i szczęśliwi, trudno o bardziej przydatną umiejętność. Jak słońce rozprasza mrok, tak ludzie obdarzeni pogodą ducha kładą kres melancholii, przygnębieniu, troskom i niepokojom osób, z którymi się stykają. Potrafią rozpogodzić ludzi znudzonych i zamkniętych w sobie, tak jak słońce, które przedziera się po burzy przez grubą pokrywę czarnych chmur. Wszystkim udziela się nastrój radości. Pogodna dusza sprawia, że języki się rozwiązują, rozmowa staje się ożywiona i natchniona, a atmosfera wibruje radością i optymizmem.

Bądź wrażliwy na innych. Ludzie wrażliwi na innych stawiają się w ich położeniu i nie tylko słyszą słowa, ale też czują to, co rozmówca w danej chwili odczuwa. Czy można reagować negatywnie na kogoś takiego?

Zachowaj pogodne usposobienie

Jeżeli nie wyrzekniesz się intryganctwa i zgorzknienia, jeśli nie będziesz traktować każdego dnia jak błogosławieństwa, którym należy się cieszyć i rozkoszować, będziesz niezadowolony z życia i prawdopodobnie do niczego nie dojdziesz.

Nie dasz z siebie tego, co najlepsze, jeśli będziesz mściwy lub nieprzyjazny. Zrobisz najlepszy użytek ze swoich zdolności tylko wtedy, gdy będziesz pracować w idealnej harmonii. Musisz mieć życzliwość w sercu, w przeciwnym razie nie wykonasz należycie pracy – czy to fizycznej, czy umysłowej. Nienawiść, zemsta i zazdrość to trucizny równie zabójcze dla tego, co w tobie najszlachetniejsze, jak arszenik jest zgubny dla życia.

Życzliwe nastawienie i dobra wola wobec wszystkich są najlepszą ochroną przed zaciekłą nienawiścią i wszelkimi szkodliwymi myślami.

Człowiek o ujmującej osobowości roztacza urok, któremu trudno się oprzeć. Komuś takiemu nie sposób uczynić afrontu. Jest w nim coś pociągającego. Niezależnie od tego, jak bardzo jesteśmy zajęci lub zmartwieni albo jak bardzo nie życzymy sobie kontaktu z intruzami, nie wiadomo dlaczego nie mamy serca, by się pozbyć człowieka o ujmującej osobowości.

Jak dać się polubić

Emerson powiedział: „To, kim jesteś, krzyczy tak głośno, że nie słyszę tego, co mówisz". Nie potrafimy ukryć, kim jesteśmy i jak się czujemy, ponieważ nasz nastrój i osobowość promieniują na zewnątrz, tworząc chłodną lub ciepłą, pociągającą lub odpychającą atmosferę, zależnie od dominujących w nas cech i przymiotów.

Człowiek samolubny, ciągle myślący o sobie i szukający własnych korzyści, chłodny, nieczuły i chciwy, nie może promieniować ciepłem i łagodnością. Jeżeli twoją naturę zdominowały egoizm, obojętność i zachłanność, będą one się uzewnętrzniać i działać odstręczająco na ludzi, ponieważ są to cechy, których instynktownie nie lubimy.

W innych ludziach pociąga nas to, co wypływa z ich wnętrza i napawa optymizmem, natomiast odpycha to, co próbują zamknąć w sobie. Oznacza to, że ludzie pozbawieni magnetycznego uroku są skupieni na sobie i zbyt wiele myślą na swój temat. Nie dają z siebie wystarczająco wiele. Pilnują własnego interesu i próbują wszystko obrócić na swoją korzyść. Brakuje im współczucia, serdeczności, koleżeńskości i źle się czują w towarzystwie.

Magnes przyciąga jedynie żelazne produkty. Nie przyciągnie drewna, miedzi, gumy ani innych substancji niezawierających żelaza. Jako dziecko odkryłeś, że twój mały magnes przyciąga igłę, lecz nie działa na wykałaczkę. Przyciąga ku sobie jedynie to, co do niego podobne.

Każdy z nas jest magnesem w ludzkiej skórze. Tak jak żelazny magnes przeciągnięty przez stertę śmieci wyciągnie z niej tylko przedmioty, które do niego przylgną, tak i my stale przyciągamy do siebie i wchodzimy w relacje z rzeczami i ludźmi, którzy reagują na nasze myśli i ideały.

Nasze otoczenie, współpracownicy i ogólna sytuacja są skutkiem działania przyciągającej siły naszego umysłu. Weszliśmy z nimi w kontakt w świecie materialnym, ponieważ koncentrowaliśmy się na nich i wchodziliśmy z nimi w relację w dziedzinie umysłu. Jesteśmy do nich podobni i pozostaniemy w ich pobliżu dopóty, dopóki to powinowactwo będzie trwać w naszych umysłach.

Prawo przyciągania w praktyce

Jeśli przeanalizujemy charakter ludzi o wrodzonej magnetycznej osobowości, stwierdzimy, że posiadają oni pewne właściwości podziwiane przez wszystkich i atrakcyjne dla każdego, takie jak: szczodrość, wielkoduszność, serdeczność, współczucie, szerokie horyzonty, uczynność i optymizm. Ludzie ci stosują prawo przyciągania.

Nie ma takiej cechy charakteru, której nie mógłbyś w sobie rozwinąć i spotęgować. Jeśli tak uczynisz, znajdziesz posłuch tam, gdzie nie znajdą go inni.

Niezależnie od tego, czym się zajmujesz, twoje dobre imię i pomyślność będą w dużym stopniu zależeć od wrażenia, jakie wywrzesz na innych ludziach. Dla młodych mężczyzn i kobiet stosowanie prawa przyciągania jest nieodzownym elementem procesu budowania magnetycznej, zniewalającej, silnej i atrakcyjnej osobowości. Rozwijaj przymioty serca. Rozum i inteligencja niewiele mają wspólnego z magnetyzmem osobowości, jeśli w ogóle coś je z nim łączy. Cechą, która pozwala przyciągnąć do siebie innych ludzi i utrzymać ich przy sobie, jest raczej urok osobisty niż intelekt.

Nie jest to szczególnie trudne. Każdy może pracować nad zdolnością do sprawiania radości innym i budować siłę charakteru, która pozwoli mu się poczuć naprawdę silnym w świecie. Znając prawo przyciągania – wiedząc, które cechy i atrybuty decydują o magnetyzmie lub jego braku – względnie łatwo jest kultywować pożądane właściwości, a eliminować niekorzystne. Możemy wtedy rozwijać przymioty umysłu związane z hojnością, wielkodusznością, pogodą ducha i uczynnością, a kruszyć ich przeciwieństwa. Z czasem odkryjemy w sobie większe zainteresowanie innymi ludźmi i stwierdzimy, że oni również bardziej interesują się nami. Przekształcając się w żywe magnesy – tworząc wokół siebie aurę życzliwych myśli, słów i uczynków, która dzień po dniu buduje w nas bogatą, magnetyzującą osobowość – odkryjemy, że jesteśmy wszędzie mile widziani i oczekiwani i coraz bardziej przyciągamy do siebie innych ludzi.

Wpajając swojemu podświadomemu umysłowi cechy, które tak bardzo podziwiasz u innych – te właśnie, które cię pociągają – stajesz się bardziej atrakcyjny dla ludzi. Kiedy przesiąkną one twoją istotę, staną się twoimi cechami charakteru, posiądziesz magnetyczną, urzekającą osobowość.

Wiedź zdrowe życie

Pierwszym krokiem do stworzenia magnetycznej osobowości jest poprawa stanu zdrowia. Kwitnące zdrowie wraz z odpowiednim nastawieniem psychicznym, umysłem pełnym optymizmu, nadziei, pogody ducha i szczęścia, w dużym stopniu zwiększą twój magnetyzm.

Człowiek o doskonałym zdrowiu roztacza aurę siły, wigoru i odwagi. Natomiast człowiek pozbawiony sił witalnych czerpie energię od innych, zamiast im ją dawać. Siła fizyczna i radość, jaką przynosi zdrowie, sprzyjają magnetycznej, silnej osobowości. Ludzie o żywym i bystrym umyśle, z błyskiem w oku i o sprężystym kroku, tryskający energią, mają olbrzymią przewagę nad ludźmi słabymi fizycznie i pozbawionymi wigoru.

Przyznawaj się do błędów

Jeżeli chcesz zniechęcić do siebie innych, bądź przemądrzały, zarozumiały i arogancki i nigdy nie przyznawaj się do błędów.

Guru branży inwestycji, Warren Buffett, prawdopodobnie jeden z najbogatszych ludzi świata, nie tylko potrafi robić użytek z „niepowodzeń" i „błędów", lecz nawet je reklamuje. Oficjalnie zaczął wysuwać zarzuty pod własnym adresem, gdy w 1989 r. opublikował w „Liście do inwestorów" spis swoich pomyłek. Nie tylko przyznał się do popełnionych błędów, ale również pokazał, jakie okazje przeszły mu koło nosa wskutek zaniechania odpowiednich działań. Buffett jest przekonany że szczerość w równej mierze służy udziałowcom, jak kadrze zarządzającej. Ujął to w następujących słowach: „Dyrektor, który publicznie zwodzi innych, może w końcu wprowadzić w błąd samego siebie w prywatnym życiu". Buffett jest przekonany, że nie można koncentrować się tylko na sukcesach; równie wartościowe jest analizowanie błędów.

Być może dzięki takiej szczerości Warren Buffett może bez przeszkód cieszyć się wykonywaną pracą. Perspektywa codziennego wychodzenia do pracy naprawdę go ekscytuje. Jest znany ze swojego optymizmu i uczynności i przyciąga do siebie innych ludzi. Czy dlatego, że jest bogaty, a może na odwrót?

Wyciągnij rękę do ludzi, których spotykasz

Musisz przekonać innych, że mają do czynienia z człowiekiem szczerym i autentycznym. Kiedy się witasz, nie ograniczaj się do sztywnego i chłodnego „Dzień dobry" lub „Miło mi panią poznać". Bądź człowiekiem, który dobrze się czuje w towarzystwie innych. Patrz poznawanym ludziom prosto w oczy i pozwól, by nawiązali kontakt z twoją osobowością. Witaj ich ciepło, radośnie, życzliwym słowem. Dzięki temu zapamiętają, że zetknęli się z rzeczywistą siłą, i będą chcieli spotkać cię znowu.

Jeśli masz stać się popularny, musisz rozwijać w sobie serdeczność. Otwórz szeroko drzwi swojego serca, zamiast – jak postępuje wielu – uchylać je tylko odrobinę, tak jakbyś chciał powiedzieć napotkanym ludziom: „Możesz zerknąć do środka, ale nie wolno ci wejść, dopóki się nie przekonam, że warto się z tobą zadawać". Jakże wielu ludzi skąpo wydziela swoją serdeczność. Wydaje się, że zostawiają ją na szczególną okazję lub dla najbliższych przyjaciół. Sądzą, że jest zbyt cenna, by obdarzać nią wszystkich.

Zdziwisz się, jak wiele może zdziałać ciepły, przyjazny uścisk dłoni i serdeczne pozdrowienie, jeżeli chodzi o stworzenie życzliwych relacji z nowo poznanymi ludźmi. Powiedzą oni sobie: „To bardzo ciekawy człowiek.

Dobrze byłoby lepiej go poznać. Spotkało mnie niezwykłe powitanie. To jasne, że ten człowiek widzi we mnie coś, czego inni nie dostrzegają".

Pielęgnuj nawyk serdeczności; pozdrawiaj spotkanych ludzi ciepło, szczerze i z otwartym sercem. To zdziała cuda w twoim życiu. Zobaczysz, jak znika sztywność, nieśmiałość, obojętność i chłodny brak zainteresowania osobami, które teraz sprawiają ci kłopot. Ludzie przekonają się, że naprawdę się nimi interesujesz, chcesz ich poznać, sprawiać im radość i zainteresować ich swoją osobą. Praktykowanie serdeczności będzie punktem zwrotnym, jeśli chodzi o twoje umiejętności obcowania z innymi. Rozwiniesz w sobie umiejętność przyciągania, o której nawet ci się nie śniło. Ludzie będą tłumnie zbierać się przy tobie, zwracać się do ciebie po radę i pomagać ci w urzeczywistnianiu twoich marzeń.

Wybierz mentora, bądź mentorem
Doskonałym sposobem poczynienia postępów na drodze zawodowej jest znalezienie mentora i kroczenie jego śladem. To człowiek, który posiada wszystkie powyższe atrybuty i który nie tylko potrafi, ale także chce podzielić się nimi z innymi.

Mentorzy stanowią dobry przykład ludzi, którzy opanowali prawo przyciągania. Nie tylko mogą podzielić się z tobą swoją wiedzą, ale także ujawniają przed tobą niuanse kultury korporacyjnej.

A kiedy osiągniesz sukces i staniesz się liderem, będziesz mógł zwrócić dług, stając się mentorem dla jednego z nowicjuszy w twojej organizacji.

Krótko mówiąc
- Jeżeli nie wyrzekniesz się intryganctwa i zgorzknienia, jeśli nie będziesz traktować każdego dnia

jak błogosławieństwa, którym należy się cieszyć i rozkoszować, będziesz niezadowolony z życia i prawdopodobnie do niczego nie dojdziesz. Wygnaj negatywizm ze swoich myśli.

- Poznaj prawo przyciągania – cechy i atrybuty decydujące o magnetyzmie lub jego braku. Możemy rozwijać przymioty umysłu związane z hojnością, wielkodusznością, pogodą ducha i uczynnością, a kruszyć ich przeciwieństwa. Z czasem odkryjemy w sobie większe zainteresowanie innymi ludźmi i stwierdzimy, że oni również bardziej interesują się nami.

- Analizuj życie ludzi, których znasz osobiście, a także tych żyjących w przeszłości, którzy uosabiają twój ideał osobowości. Uczyń ich swoimi wzorcami do naśladowania.

- Naucz się emanować ciepłem i pogodą ducha. Nie powstrzymuj radości.

- Bądź wrażliwy na innych. Ludzie wrażliwi na innych stawiają się w ich położeniu i nie tylko słyszą słowa, ale i czują to, co ich rozmówca w danej chwili odczuwa. Obecność takich osób budzi tylko pozytywne uczucia.

- Bądź entuzjastą. Ludzie podchodzący z entuzjazmem do samych siebie, wykonujący swoją pracę z nastawieniem na sukces, wypełnią złożoną obietnicę. Entuzjazm pomnaża siły i potęguje wszelkie posiadane zdolności, pozwalając im osiągnąć najwyższy poziom.

- Jednym ze sposobów praktykowania prawa przyciągania w miejscu pracy jest zachęcanie kolegów i koleżanek do wyrażania poglądów, zwłaszcza odmiennych od twoich. W ten sposób nie tylko zapoznasz się z nowymi pomysłami, ale pokażesz swoim współpracownikom, że dostrzegasz ich talent i traktujesz ich nie jak podwładnych, lecz jak partnerów.

- Szukaj mentora – człowieka, którego podziwiasz i od którego możesz się uczyć – i podążaj za nim. Kiedy odniesiesz sukces, stań się mentorem dla innych.

Rozdział 5

Wzbudź w sobie
większy entuzjazm

Entuzjazm to tajemny składnik sukcesu większości ludzi, którym się powiodło, i generator szczęścia w życiu tych, którzy go posiedli.

Słowo „entuzjazm" pochodzi z języka greckiego; dosłownie oznacza „owładnięcie przez Boga". Jest to stan, w którym dążenie lub pasja pochłania i opanowuje umysł. Musisz wierzyć, że jesteś ożywiany energią Nieskończonej Mocy, a twórcze idee, które się w tobie rodzą, ujawniają przed tobą wszystko, co musisz wiedzieć. Musisz wierzyć, że Nieskończona Moc wysłucha cię i pomoże osiągnąć cel. Pozytywna wiara obudzi w tobie entuzjazm, a świat dokonań będzie stopniowo otwierać się przed tobą.

Ludzie o ujmującej osobowości są entuzjastycznie nastawieni do swojego życia, pracy, związków z ludźmi i celów. Entuzjazm rodzi się w głębi ich istoty. Entuzjazmu nie można udawać. Fałszywy entuzjazm – wyrażający się sztucznymi gestami, nieszczerymi uśmiechami i przesadnymi komentarzami – łatwo rozszyfrować. Jeżeli wierzysz, że twoje poczynania mają wartość i sens, są ekscytujące i realistyczne, uwidoczni się to w twoim zachowaniu i działaniu.

Bądź entuzjastycznie nastawiony
do swojej pracy

Jak to się dzieje, że jeden pracownik może zdziałać trzy lub cztery razy więcej od drugiego? Nie zawsze jest to kwestia talentu. Często różnica polega na wysiłku wkładanym w pracę. Ludzie sukcesu bardziej się starają. Wzbogacają swoje zadania o entuzjazm i gorący zapał, co z kolei poprawia rezultaty – zarówno pod względem ilościowym, jak i jakościowym.

Często spotykałem ludzi, którzy rano z przerażeniem myślą o nadchodzącym dniu, w pracy skarżą się na wolno płynący czas, a wreszcie z zadowoleniem przyjmują koniec udręki. Praca nie budzi ich entuzjazmu. Czy może się spodziewać sukcesu w życiu ten, kto uważa dzień pracy za dopust Boży i kogo trzeba siłą gnać do roboty?

Zwycięstwo we krwi mają ci, którzy rzucają się w wir pracy, jak gdyby nie było dla nich nic milszego, i którzy szczycą się tym, co robią. Nic tak nie martwi pracodawcy jak widok pracowników wykonujących swoje zadania bez ambicji, obojętnie, traktujących pracę jak zło konieczne, dzięki któremu mogą uniknąć głodowej śmierci.

Pracownicy, którzy przystępują do obowiązków z energią, determinacją i entuzjazmem, dają pracodawcy pewność, że to, czego się podjęli, nie tylko zostanie zrobione, ale będzie zrobione dobrze.

Kiedy pracownicy snują się niczym muchy w smole, jak gdyby życie było dla nich ciężarem, kiedy zabierają się do pracy z niechęcią i strachem, ich przełożony może być pewien, że nigdy niczego nie osiągną.

Entuzjazm jest zaraźliwy

Świat zawsze witał entuzjastów z otwartymi ramionami. Entuzjazm pomnaża siły i potęguje wszelkie posiadane zdolności, pozwalając im osiągnąć najwyższy poziom.

Entuzjazm jest magnesem dla interesów. Jest tak zaraźliwy, że ogarnia nas, zanim się zorientujemy – nawet jeśli próbujemy mu się oprzeć. Jeżeli wkładasz w pracę serce, klient poruszony twoim entuzjazmem często zapomina o tym, że próbujesz mu coś sprzedać. Niektórzy ludzie w przypływie entuzjazmu działają doskonale. Pracują wydajnie, mają mnóstwo pomysłów, są oryginalni, twórczy, silni i skuteczni, ale kiedy ich entuzjazm odrobinę osłabnie, zaczynają się zaniedbywać. Obniżają poprzeczkę i do niczego się już nie nadają. Muszą czekać na przypływ. Jednego dnia można by sądzić, że będą czynić cuda, a nazajutrz podupadają na duchu i pogrążają się w pesymizmie. Z trudem nadążają z pracą i opadają z sił, dopóki nie otrzymają nowej dawki energii.

Krista Hawkin nigdy nie traci entuzjazmu. Słynie z tego, że w każdym tygodniu pozyskuje setki potencjalnych klientów. Nie jest kierowniczką, dyrektorką ani też liderką w zwykłym znaczeniu tego słowa. Krista oprowadza wycieczki po fabryce Hyundai Motors w Montgomery w stanie Alabama, jednej z najbardziej technologicznie zaawansowanych wytwórni świata, w której produkuje się tysiąc samochodów dziennie.

Krista jest doskonale znana z tego, że swoją pasją i entuzjazmem zmienia turystów w klientów firmy Hyundai. Osobiście interesuje się ludźmi, których oprowadza, zachęca ich do zadawania pytań i odpowiada na nie wyczerpująco, z zapałem i w prostych słowach.

Znawcy wiedzą, że każdy, kto pracuje na rzecz jakiejś marki, reprezentuje ją przed światem i że każda interakcja jest okazją do nadania marce entuzjastycznego wizerunku. Krista traktuje to przesłanie serio – i to właśnie stanowi sekret jej sukcesu. Ponieważ Krista zdaje sobie sprawę, co fabryka zrobiła dla jej społeczności i stanu Alabama, łatwo wzbudza w sobie pogodne nastawienie. Nigdy nie używa określenia „pracownicy", ponieważ uważa wszystkich za członków zespołu i wie, że jakość pojazdów ma bezpośredni związek z poziomem energii ludzi, którzy je wytwarzają. Nie oprowadza wycieczek z zamiarem sprzedawania samochodów; stara się raczej zabawiać i informować swoich gości, a to przekłada się na zwiększenie obrotów firmy.

Jak zachować entuzjazm

Entuzjazm jest kruchy. Łatwo go utracić. Zachowanie entuzjazmu w zniechęceniu jest wielką sztuką, której jednak łatwo można się nauczyć. Jest to po prostu kwestia panowania nad myślami. Można utrzymać negatywne myśli poza obrębem swojego umysłu. Nic nie tłumi entuzjazmu i przedsiębiorczości równie szybko jak zalew destrukcyjnych, nieharmonijnych myśli. Własny nastrój można jednak kontrolować: aby nie dopuszczać ciemności do umysłu, najlepiej oświetlić go słonecznym blaskiem.

Jeżeli chcesz wzbudzić w sobie entuzjazm, przyjmij rolę, którą chcesz odegrać, a następnie zrób to z entuzjazmem. Jeżeli masz ambicję dokonania wielkich rzeczy, musisz zawsze być entuzjastycznie nastawiony do samego siebie.

Tom J. wiedział, że trudno będzie namówić kierownika do modernizacji systemu komputerowego. Aby rozproszyć obawy szefa związane z dodatkowymi wydatkami, Tom przygotował eksytującą prezentację o tym, jak proponowany system przyśpieszy pracę i zminimalizuje błędy. Wiedział, że szef jest zwykle niechętnie nastawiony do nowych pomysłów, więc najpierw pomyślał: „Po co zawracać sobie tym głowę? On i tak się tym nie zajmie". Ale Tom był tak entuzjastycznie nastawiony do tego projektu, że przezwyciężył swoją niechęć, przedstawił ekscytującą i inspirującą prezentację i zdobył aprobatę szefa dla wprowadzenia nowego systemu.

Entuzjaści, który wierzą w wygraną, roztaczają wokół siebie taką aurę i mają w sobie coś takiego, co sprawia, że niemal wygrywają bitwę przed zadaniem pierwszego ciosu.

Postanów zrealizować swoje pragnienie z całą stanowczością, entuzjazmem i determinacją, na jakie cię stać; bądź gotowy na wszystko, tak by nic na świecie nie zdołało cię zawrócić z drogi.

Lucy A. chciała podjąć pierwszą pracę na stanowisku sekretarki medycznej. Chociaż ukończyła dwuletnie studium administracji medycznej, kilku pracodawców odrzuciło jej ofertę ze względu na brak doświadczenia. Lucy dodała sobie animuszu w następujących słowach: „Chcę dostać tę pracę. Mam fachową wiedzę. Jestem pilnym i sumiennym pracownikiem. Mogę służyć lekarzowi cenną pomocą". Na kolejną rozmowę w sprawie pracy poszła zdeterminowana, że ją dostanie. W drodze do gabinetu lekarskiego powtarzała sobie motywujące słowa. Pewna siebie weszła do gabinetu i odpowiedziała na pytania lekarza z takim entuzjazmem, że ten zaoferował jej pracę. Kilka miesięcy później zwierzył się jej, że kiedy się zorientował, że Lucy nie ma doświadczenia, miał zamiar porozmawiać z nią tylko z grzeczności i odmówić. Widząc jej entuzjazm, postanowił jednak zaproponować jej pracę na okres próbny. Ponieważ Lucy swój entuzjazm przeniosła na pracę, stała się wartościowym członkiem personelu administracyjnego lekarza.

Dźwigasz innych czy wspierasz się na ich barkach?

Są dwa rodzaje ludzi – tylko dwa, nie więcej. Nie mam na myśli dobrych i złych, doskonale bowiem wiadomo, że dobrzy są w połowie źli, a źli – w połowie dobrzy. Nie chodzi też o wesołych i smutnych, bogatych i biednych, pokornych i pysznych. Nie. *Dwa typy ludzi to ci, którzy dźwigają innych, i ci, którzy opierają się na ich barkach.* Dokądkolwiek się udasz, zobaczysz, że zbiorowość ludzka zawsze dzieli się na te dwie klasy. I co najdziwniejsze, przekonasz się, że na jednego, który nosi, przypada dwudziestu, którzy się na nim opierają. Dźwigasz innych? Czy może jesteś malkontentem potrzebującym oparcia? Opierasz się na innych ludziach? Jesteś tu po to, aby się rozwijać i przekraczać granice. Istniejesz po to, aby stawiać czoło problemom, trudnościom i wyzwaniom i je przezwyciężać, a nie uciekać od nich. Pokonywanie przeszkód sprawia radość. Gdyby ktoś rozwiązywał za ciebie krzyżówki, czynność ta stałaby się nudna. Radość polega na samodzielnym rozwikływaniu łamigłówki.

Inżynier czerpie radość z pokonywania przeszkód, niepowodzeń i trudności pojawiających się podczas budowy mostu. Twoim zadaniem jest ostrzenie narzędzi swojego umysłu i ducha i wzrastanie w mądrości, sile i zrozumieniu. Jesteś tu po to, by wprowadzić entuzjazm do życia własnego i ludzi, z którymi się kontaktujesz.

Entuzjazm prowadzi do osiągnięć

Czynności wykonywane z entuzjazmem przenika ekscytacja, radość i poczucie wewnętrznego zadowolenia. Nie zawsze łatwo się ekscytować wieloma sprawami, które mamy codziennie do załatwienia, jest to jednak możliwe, jeśli się postaramy.

Wynik działania jest wyznaczony przez to, co się dzieje w umyśle. Prawdziwy entuzjazm można poznać po błysku w oku człowieka i sprężystym kroku, po żywiołowości i bystrości umysłu. Entuzjazm bije z całej istoty człowieka. Zmienia nastawienie do innych ludzi, do pracy i świata. Decyduje o radości ludzkiego istnienia.

Trzeba oczywiście podchodzić z entuzjazmem do samego siebie i swoich zdolności, ale równie konieczne jest entuzjastyczne nastawienie do tego, co się robi – do wytwarzanego produktu, komponowanej muzyki lub pisanego wypracowania.

Jak wzbudzić w sobie entuzjazm dla tej lub innej sprawy? Przede wszystkim musisz uwierzyć w to, co robisz. Dowiedz się jak najwięcej o produkcie, pomyśle lub koncepcji, w które się angażujesz. Zdobądź tyle informacji, ile zdołasz. Zgłębiaj temat. Żyj nim. Im lepiej coś poznasz, tym mocniej złączysz to ze swoim życiem i tym bardziej entuzjastycznie będziesz to traktować.

Kiedy się przyjrzeć życiu wielkich mężczyzn i kobiet – niezależnie od tego, czy działają oni na polu polityki, biznesu, nauki czy sztuki – widać, że tym, co ich łączy, jest entuzjazm dla swojej pracy i życia. To entuzjazm pozwolił Beethovenowi skomponować największe symfonie pomimo głuchoty. Entuzjazm pozwolił Kolumbowi przekonać królową Izabelę do sfinansowania wyprawy w nieznane i kontynuować podróż, choć sukces wydawał się niemożliwy.

I ty również dysponujesz tą mocą. Uwolnij swoje zdolności i talenty i wzbudź w sobie zapał i entuzjazm poznawania swoich wewnętrznych mocy. Możesz wówczas wznieść się na zdumiewające wyżyny. Poproś Najwyższą Inteligencję, która jest w tobie, o obdarzenie cię tym, czego potrzebujesz, a zostaniesz wysłuchany. Zdaj sobie sprawę, że Nieskończona Inteligencja prowadzi cię, ujawniając przed tobą ukryte talenty, otwierając przed tobą nowe drzwi, ukazując ci drogę, którą powinieneś kroczyć; a Zasada Przewodnia w twoim wnętrzu będzie cię prowadzić i kierować tobą na wszystkich twoich ścieżkach.

Krótko mówiąc

- Postanów zrealizować swoje pragnienie z całą stanowczością, entuzjazmem i determinacją, na jakie cię stać; bądź gotowy na wszystko, tak by nic na świecie nie zdołało cię zawrócić z drogi.
- Ludzie sukcesu bardziej się starają. Wzbogacają swoją pracę o entuzjazm i gorący zapał, co z kolei poprawia rezultaty – zarówno pod względem ilościowym, jak i jakościowym.
- Czynności wykonywane z entuzjazmem przenika ekscytacja, radość i poczucie wewnętrznego zadowolenia. Nie zawsze łatwo się ekscytować wieloma sprawami, które mamy codziennie do załatwienia, jest to jednak możliwe, jeśli się postaramy.
- Entuzjazm jest zaraźliwy. Entuzjastę można poznać po błysku w oku, dźwięcznym głosie i sprężystym kroku. Entuzjazm przenika każdy aspekt postępowania i osobowości. Jest dostrzegany przez przełożonych, wyczuwany przez podwładnych i współpracowników i oddziałuje na klientów.
- Entuzjazm jest kruchy. Łatwo go utracić. Zachowanie entuzjazmu w zniechęceniu jest wielką sztuką, której jednak łatwo można się nauczyć. To po prostu kwestia panowania nad myślami.

Można utrzymać negatywne myśli poza obrębem swojego umysłu. Nic nie tłumi entuzjazmu i przedsiębiorczości równie szybko jak zalew destrukcyjnych, nieharmonijnych myśli. Własny nastrój można jednak kontrolować: aby nie dopuszczać ciemności do swojego umysłu, najlepiej oświetlić go słonecznym blaskiem.

Rozdział 6

Nabądź odporności psychicznej i zdolności przystosowania się

Podświadome przekonania i uwarunkowania decydują o wszyst-kich świadomych poczynaniach i je kontrolują. Możesz po-nownie uwarunkować swój umysł, identyfikując się z odwiecz-nymi prawdami. Możesz zbudować cudowną, wspaniałą oso-bowość, napełniając swój umysł pojęciami pokoju, radości, miłości, humoru, szczęścia i życzliwości. Dopilnuj, by te idee zaprzątały twój umysł. W ten sposób zapadną one w sferę podświadomości.

Zapewne znasz stare powiedzenie: „Jeżeli coś się nie popsuło, nie należy tego naprawiać". Jest w tym sporo prawdy, ponieważ zmiana dla samej zmiany przynosi mizerne rezultaty. Aby jednak pójść naprzód, sprostać nowym wyzwaniom, zmiana często jest nieodzowna. Łatwo jest robić w kółko to samo. Jeszcze łatwiej ulec pokusie oparcia się zmianie, jeżeli sam obmyśliłeś swo-je obecne zajęcie. Często zakochujemy się w swoich po-mysłach i niechętnie bierzemy pod uwagę możliwość zmiany, nawet jeśli wyszłaby nam na dobre.

Kolejnym powodem, dla którego ludzie nie chcą brać pod uwagę zmiany, jest lęk przed niepowodzeniem. Nikt nie chce znosić cierpień porażki, nie sposób jednak od-nieść sukcesu w jakimkolwiek przedsięwzięciu, jeżeli najpierw nie podejmie się próby – a z każdą próbą wiąże się ryzyko niepowodzenia.

Aby wzbudzić w sobie rzeczywistą chęć przyjrzenia się całości swojego postępowania i dokonywania niezbędnych zmian, musisz przekazać swojemu podświadomemu umysłowi umiejętność przystosowywania się. Jeżeli będziesz ciągle umacniać otwartość i elastyczność umysłu, twoja podświadomość – zamiast opierać się zmianom obecnego statusu – stanie się narzędziem umożliwiającym ci przystosowanie się do nowych koncepcji. Ludzie sukcesu podejmują ryzyko. Nie ograniczają się do metod, które zawsze stosowali.

Oczywiście możesz ponieść porażkę, musisz jednak nabyć odporności, która pozwoli ci godzić się z przegraną i znowu stawać na nogi. Musimy się uczyć na własnych błędach i korzystać ze zdobytej nauki, tak aby podnosić się po porażce. R. H. Macy musiał zamknąć pierwszych siedem sklepów sieci Macy's. Zamiast jednak nazwać to porażką i poddać się, nie ustawał w dalszych próbach i stał się jednym z największych przedsiębiorców w branży handlu detalicznego w Stanach Zjednoczonych. Baseballista Babe Ruth popełnił w swej karierze ponad 1300 potrójnych błędów, nikt jednak o tym nie pamięta, ponieważ 714 razy zdobył bazę domową. Thomas Edison nigdy się nie poddał, lecz nie poprzestawał na wytrwałości. Kiedy eksperyment się nie powiódł, określał przyczynę niepowodzenia i dalej szukał rozwiązań. Przegrane hartowały jego odporność i zdolność przystosowania się. Nie załamywały go, lecz motywowały do dalszych prób.

Tylko ty możesz zmienić siebie

Jeżeli myślisz zachowawczo i z trudem się przystosowujesz, musisz się uporać ze swoim konserwatyzmem.

Nikt nie może tego zrobić za ciebie. Przede wszystkim musisz uznać, że jesteś jedyną osobą, która może dokonać w tobie zmiany. Oto początek prawdziwej przemiany całej twojej osobowości.

Wyobraź sobie, że się rozdwajasz: masz swoją obecną jaźń i tę, którą pragniesz mieć. Przypatrz się myślom podszytym strachem, zmartwieniami, niepokojem, zazdrością lub nienawiścią, które mogą cię niewolić i więzić. Rozdwoiłeś się, aby narzucić sobie dyscyplinę. Jedną częścią twojej osoby jest ludzki umysł, który działa w tobie. Drugą częścią zaś jest Nieskończoność, która dąży do wyrażenia się poprzez ciebie. Wszystko zależy od tego, jak siebie postrzegasz.

W pewnym azjatyckim państwie znana jest legenda o rolniku, który odwiedził wioskowego mędrca i opowiedział mu o swoim życiu i trudach. Nie wiedział, jak sobie poradzić. Jego umysł był zdominowany przez strach przed przyszłością. Zmęczony walką i zmaganiami, był bliski rezygnacji. Wydawało mu się, że kiedy rozwiązuje jeden problem, zaraz pojawia się drugi.

Mędrzec poprosił go o przyniesienie do chaty wiadra wody z jeziora. Następnie wlał wodę do trzech garnków i zawiesił je na hakach nad paleniskiem. Wkrótce woda się zagotowała. Do pierwszego garnka włożył pęczek marchwi, do drugiego – kilka jajek, a do trzeciego wsypał garść liści herbaty.

Po półgodzinnym gotowaniu zdjął garnki z ognia, wyjął marchew i włożył ją do miski, a jajka do drugiej. Następnie nalał herbatę do trzeciej miski. Zwracając się do wieśniaka, zapytał: „Powiedz teraz, co widzisz?"

„Marchew, jaja i herbatę" – odrzekł rolnik. Wtedy mędrzec polecił mi: „Weź marchew i powiedz, co czujesz". Rolnik spełnił polecenie i odpowiedział: „Jest miękka". Następnie miał obrać jajko ze skorupki; przekonał się, że stwardniało. Wreszcie mędrzec kazał rolnikowi upić łyk herbaty. Rolnik z uśmiechem delektował się bogatym aromatem napoju, po czym zapytał: „Co to wszystko oznacza?"

Mędrzec wyjaśnił, że każdy z tych produktów zetknął się z tą samą przeciwnością losu: wrzącą wodą. Każdy jednak zareagował inaczej. Marchew była na początku mocna i jędrna, lecz pod wpływem wrzącej wody stała się słaba i miękka. Jajko było delikatne, a jego miękkie wnętrze chroniła skorupka. Pod wpływem gotującej się wody stwardniało w środku. Jednak reakcja liści herbaty była jedyna w swoim rodzaju: to one przeobraziły wodę.

„Którym z nich jesteś?" – zapytał rolnika. „Kiedy na progu twojego domu stają przeciwności losu, jak reagujesz? Czy jesteś jak marchew, jajko czy liście herbaty?"

Stykając się z problemami, zadaj sobie pytanie: Czym jestem: marchwią, która wydaje się mocna, lecz pod wpływem bólu i trudności mięknie i traci moc? Czy podobnie jak jajko byłem istotą miękkiego serca i niestałego ducha, która w wyniku utraty pracy, załamania, trudności finansowych lub innych prób stwardniała? Czy może jestem jak liście herbaty? Liście doprowadzają do przemiany gorącą wodę – właśnie te okoliczności, które powodują ból. We wrzątku liście uwalniają swój aromat i smak. Jeżeli jesteś jak liście herbaty, to kiedy sprawy przybiorą najgorszy obrót, będziesz się doskonalić i zmienisz sytuację, w której się znajdujesz. Kiedy nastaje najciemniejsza godzina i pora największej próby, czy wznosisz się na kolejny poziom?

Jak radzisz sobie z przeciwnościami losu? Jesteś jak marchew, jajko czy liście herbaty?

Pozytywne myślenie sprzyja zdolności przystosowania się

Pamiętaj o tej wielkiej prawdzie. Nie musisz aprobować znanych sposobów lub wypracowanych systemów ani reagować mechanicznie jak dotychczas. Postępuj i myśl w nowy sposób. Chcesz przecież czegoś dokonać. Dlatego od tej chwili nie wolno ci się identyfikować z negatywnymi, przygnębiającymi myślami. Dostosuj swój sposób myślenia do rozwiązywania napotykanych problemów w nowy, odmienny sposób.

Bądź wytrwały

Historia jednego z największych amerykańskich mężów stanu nie opowiada o łatwym sukcesie, lecz o niezłomnym uporze. Kiedy mężczyzna ten miał 21 lat, poniósł porażkę w interesach. W 1833 r. nie powiodło mu się w wyborach do legislatury stanowej, ale w końcu wygrał wybory w roku 1834. W 1835 r. zmarła jego narzeczona, a w 1836 r. przeżył załamanie nerwowe. W 1838 r. przegrał rywalizację o stanowisko rzecznika partii. W 1840 r. nie dostał się do Kolegium Elektorskiego. W 1843 r. przegrał wybory do Kongresu. W końcu w 1846 r. został wybrany na jedną kadencję do Kongresu, lecz poniósł ponowną porażkę w 1848 r. W 1855 r. nie otrzymał fotela senatora, a w 1856 r. odrzucono jego kandydaturę na stanowisko wiceprezydenta Stanów Zjednoczonych. W 1858 r. ponownie nie udało mu się zasiąść w Senacie. Wreszcie w 1860 r. został wybrany prezydentem Stanów Zjednoczonych. Oto kilka czarnych punktów w życiu Abrahama Lincolna.

Nic nie zastąpi wytrwałości. Nie dokona tego talent; nie ma nic powszechniejszego od utalentowanych ludzi, którym się nie powiodło. Nie jest to geniusz; niedoceniony geniusz to postać wręcz przysłowiowa. Nie sprawi tego samo wykształcenie; świat pełen jest wykształconych włóczęgów. Natomiast wytrwałość i determinacja są wszechpotężne.

Na świecie wszystko się zmienia. Nie można na to nic poradzić. Zmieniają się rządy; możliwe, że pewnego ranka obudzisz się pod rządami nowego prezydenta lub króla albo że gdzieś wybuchnie rewolucja. Wszystko płynie.

W obliczu większych niepowodzeń łatwo się poddać i pogrążyć w depresji, warto jednak pamiętać legendę o królu Salomonie. W przypływie smutku król poprosił swoich doradców, aby odnaleźli pierścień, który kiedyś ujrzał we śnie.

„Kiedy ogarnia mnie zadowolenie, obawiam się, że stan ten nie potrwa długo. Kiedy jestem w złym nastroju, lękam się, że mój smutek nie będzie miał końca. Znajdźcie dla mnie pierścień, który ukoi moje męki" – zażądał król.

Salomon wysłał w świat wszystkich swoich doradców. W końcu jeden z nich spotkał starego złotnika, który wygrawerował na zwykłej złotej obrączce napis: „I to przeminie". Kiedy król otrzymał ów pierścień i przeczytał napis, jego smutek zamienił się w radość, a radość w smutek, po czym obydwa uczucia ustąpiły miejsca spokojowi.

Twój obecny problem również przeminie. Twoje dążenia nie mogą być wiecznie udaremniane. Zarówno ty, jak i ja możemy coś zrobić z naszą postawą wobec nieustannych zmian. Liczy się nie to, co się zdarza, lecz to, co myślimy o tych zdarzeniach.

Nie wszystkie przedsięwzięcia mogą się udać. Radość sukcesu przemieszana jest z goryczą porażki. Radząc sobie konstruktywnie z niepowodzeniami, możemy przekuć je w sukces.

Lee Iacocca osiągnął zawodowe dno, kiedy został zwolniony z firmy Ford Motors Company. Dobrze wiadomo, jak zmienił tę klęskę w sukces na nowym stanowisku jako dyrektor firmy Chrysler. W autobiografii opisał, że tuż po rozpoczęciu nowej pracy stanął w obliczu jeszcze bardziej druzgocącej klęski. Firma Chrysler znalazła się na krawędzi bankructwa. Człowiek mniejszego formatu mógłby się wycofać na myśl o perspektywie kolejnej porażki.

Iacocca nie pozwolił, by to go pokonało, i odwołał się do swoich wewnętrznych zasobów. Poznał już smak porażki, lecz tym razem nie zamierzał się usuwać na boczny tor. Użył swoich atutów, tak by zwiększyć swoją zdolność przystosowania się, wprowadzania innowacji, by wzmóc kreatywność i wytrwałość, które pozwoliły mu stawić czoło kryzysowi i wyjść z niego obronną ręką.

Nadrzędne myśli

Postawy są niematerialnym tworzywem, z którego budujemy swoje zdolności, spokój i pomyślność. Postawy decydują o tym, jak pokierujemy swoim życiem, gdyż zmieniając swoje nastawienie, możemy odmienić wszystko inne. Postawy to nic innego jak nadrzędne myśli, które mogą doprowadzić do wielkich rezultatów i zaowocować wspaniałymi doświadczeniami. Kiedy bowiem zmieniasz swój umysł, zmieniasz także ciało, gdyż stanowi ono niejako odzwierciedlenie umysłu. Ciało jest skondensowanym umysłem. Staje ci się tak, jak wierzysz.

Negatywne myśli uniemożliwiają wielu ludziom nabycie odporności w chwilach niepowodzenia. Nie pozwalają oni, by ich podświadomy umysł otworzył się na niezbędne adaptacje i zmiany.

Dzięki nadrzędnym myślom można przezwyciężać

negatywizm. Potrafisz coś zdziałać, jeśli myślisz, że potrafisz. Masz w sobie ziarno odporności psychicznej i możesz sprawić, by wykiełkowało, odwołując się do umacniającej cię Nieskończonej Potęgi. Niemal wszyscy znają beznadziejność walki z dominującą negatywną myślą lub uczuciem. Możesz jednak wyjść z tych zmagań obronną ręką. Kiedy najdzie cię negatywna myśl – strach, uraza, potępienie, nienawiść czy cokolwiek innego – zrób coś z nią, nie zwlekając. Utnij jej głowę. Nie pozwól, by urosła i wzmocniła się, by rzuciła wyzwanie twojemu panowaniu, pokonała cię i przyniosła ci chorobę i klęskę. Jeśli bowiem uraza rozrośnie się w twoim umyśle, zacznie panować nad tobą i zabarwi lękiem wszystko w twoim życiu – twoje uczynki, słowa i myśli. Zdławi twoją kreatywność i nie pozwoli ci wprowadzać innowacji i przystosowywać się do nowej sytuacji.

Mówi się, że Thomas Edison przegrywał tysiące razy, zanim odniósł sukces, nigdy jednak nie pozwolił, by negatywne myśli powstrzymały go przed wprowadzaniem dalszych adaptacji i udoskonaleń. Jak wspomnieliśmy we wcześniejszej części tego rozdziału, Lee Iacocca zrobił użytek ze swoich zdolności dostosowania się i kreatywności, aby przekonać Kongres do przekazania funduszy ratujących firmę Chrysler od bankructwa.

Powiększ swoje wewnętrzne zasoby
Mężczyźni i kobiety, którzy próbują jak najlepiej przeżyć swoje życie, nigdy nie przestają rosnąć. Są zawsze w drodze, ponieważ ich cel zawsze się oddala, w miarę jak stają się bardziej znaczący, wpływowi i skuteczni. Zatrzymują się tylko na chwilę, aby wypakować kilka niepotrzebnych już rzeczy, pozbyć się balastu utrudniającego marsz, a potem znów ruszają w podróż. Tak wygląda ich wędrówka ścieżką życia.

Jeżeli chcesz dotrzeć do swoich wewnętrznych zasobów, pobudzić swój wzrost i zwiększyć własną moc, musisz ciągle się doskonalić w jakimś obszarze; rozwijać swoją inteligencję dzięki coraz uważniejszej i bardziej wnikliwej obserwacji, ciągłemu gromadzeniu wiedzy, poszerzaniu umysłowych i duchowych horyzontów, wychodzeniu poza własne ego i poszerzaniu zakresu, w którym możesz służyć i pomagać innym. Przestań obawiać się zmian. Zaufaj swojej zdolności przezwyciężania problemów za pomocą nowych, wizjonerskich koncepcji.

Dyrektor firmy Burberry, Angela Ahrendts, przypisuje swój sukces obserwacji i naśladowaniu najwybitniejszych postaci w swojej branży. Ahrendts twierdzi, że ilościowej oceny zjawisk nauczyła ją Linda Wachner, zarządzająca Warnaco, gigantem na rynku artykułów gospodarstwa domowego; a zdolności twórcze przekazała jej liderka branży mody, Donna Karan. Linda była ekspertem w dziedzinie liczb, a Donna nauczyła ją wiele o projektowaniu strojów.

Na początku kariery Angela opuściła firmę Donny Karan, aby wspomóc inicjatywę otwierania 50 sklepów sieci Bendel w Stanach Zjednoczonych. Jednak po 18 miesiącach zarząd firmy zawiesił projekt, co Ahrendts opisuje jako „najbardziej druzgoczący cios w karierze". Szybko jednak stanęła na nogi, kiedy zatrudniła się w firmie Liz Clairborne. Tam zdołała wykorzystać zarówno umiejętności biznesowe, jak i twórcze, by przekonać kierownictwo do rozwoju poprzez zakup firmy Juicy Couture, czemu niechętni byli ludzie z firmy Karan.

Kiedy wieloletnia dyrektorka firmy Burberry, międzynarodowej sieci butików, odeszła na emeryturę, Ahrendts została zatrudniona na zwolnionym przez nią stanowisku. Dzięki innowacyjnym ideom Ahrendts i jej gotowości do przyjmowania nowych pomysłów firma mogła się rozwijać i odnosić sukcesy.

Kiedy jesteś przeciążony problemami, pomyśl o skarbnicach możliwości, które otwierały się przed wieloma ludźmi, takimi jak Angela Ahrendts. Wyzwaniom, z którymi przyszło się jej zmierzyć, stawiły czoło również tysiące innych ludzi, którzy dzięki temu stali się lepszymi mężczyznami lub kobietami, lepszymi mężami lub żonami, lepszymi prawnikami, lekarzami lub politykami. Żadna droga samopoznania nie może się mierzyć z lekturą inspirującej książki lub spotkaniem z inspirującym mówcą. Zetknięcie się z nimi często porusza nasze jestestwo i wyzwala nowe bodźce i nową falę determinacji w wielu z nas, którzy wcześniej pozostawali w uśpieniu, jeżeli chodzi o poznanie i wykorzystanie swoich wewnętrznych mocy. Być może jakiś wykładowca lub kaznodzieja otworzył przed tobą obszary, które mogłyby pozostać ukryte na zawsze.

Im bardziej pielęgnujemy moce swojego umysłu, im głębiej sięgamy do własnych zasobów, im bardziej odkrywamy swoje wewnętrzne „ja", tym bardziej poszerzają się nasze perspektywy, a życie staje się nieustannym postępem.

Niektórzy ludzie dopiero na półmetku życia zaczynają sobie zdawać sprawę ze swoich możliwości. Wówczas niespodziewanie się budzą, niczym z długiego snu, po przeczytaniu jakiejś inspirującej, stymulującej książki, po wysłuchaniu kazania lub wykładu, po spotkaniu przyjaciela – kogoś o wysokich ideałach, kto ich rozumiał, wierzył w nich i dodawał im otuchy.

To wielka różnica, czy przestajesz z ludźmi, którzy dopatrują się w tobie uzdolnień, wierzą w ciebie, zachęcają cię i chwalą, czy też z tymi, którzy ciągle szargają twoje ideały, niweczą nadzieję i studzą ambicje.

Dobrym przykładem jest tu Andrea Wong, prezes i dyrektor Lifetime Television. Jak wspomina, jej rodzice przykładali wagę do tego, aby córka potrafiła mierzyć się z porażkami. To dało jej wiele sił. Kiedy przegrała wybory w szkole na przewodniczącą klasy, umiała się otrzepać i ruszyć w dalszą drogę. Tę umiejętność wniosła do pracy w znanej z szalonego tempa branży programów telewizyjnych, gdzie na każdy hit przypada niezliczona liczba produkcji, które nie oglądają światła dziennego. Kiedy Angela wpadła na pomysł wprowadzenia do amerykańskiej telewizji brytyjskiego cyklu *Taniec z gwiazdami*, ludzie w branży uznali ją za wariatkę, ona jednak była pewna swoich racji i przekonała zarząd stacji do emisji programu. Był to jeden z najpopularniejszych programów w tamtym roku. W nowej roli kierownika własnej sieci telewizyjnej jej wyzwaniem jest rozwój marki Lifetime. Aby realizować swój cel, Angela opiera się na poczuciu pewności, które nabyła w dzieciństwie, oraz na ciągłym dążeniu do samodoskonalenia.

Wyciągaj naukę ze swoich niepowodzeń
Jeżeli porozmawiasz z jednym z licznych nieudaczników, dowiesz się, że wielu poniosło porażkę, ponieważ nigdy nie znalazło się w stymulującym, zachęcającym środowisku, ponieważ nigdy nie rozbudzono ich ambicji lub też dlatego, że nie byli wystarczająco silni, by dać sobie radę wśród osób, którzy ich przygnębiały, zniechęcały lub źle traktowały. Większość pensjonariuszy więzień i przytułków jest przykładem wpływu otoczenia odwołującego się nie do najlepszych, lecz do najgorszych cech człowieka.

Czymkolwiek się w życiu zajmujesz, podejmij wszelkie starania, aby żyć w atmosferze pobudzającej ambicję, w środowisku sprzyjającym rozwojowi. Bądź blisko ludzi, którzy cię rozumieją, wierzą w ciebie i pomogą ci odkryć siebie oraz będą cię zachęcać do tego, abyś dał z siebie jak najwięcej. To zaważy na tym, czy osiągniesz wielki sukces, czy będziesz trwać w miernocie. Trzymaj się tych, którzy próbują czegoś dokonać i być kimś w świecie – ludzi o wzniosłych celach i wielkich ambicjach. Ambicja jest zaraźliwa. Zarazisz się duchem, który dominuje w twoim otoczeniu. Jeżeli wiedzie ci się nie najlepiej, sukces ludzi z twojego otoczenia, którzy próbują wspiąć się wyżej, doda ci otuchy i pobudzi do większych starań.

Nicholas Hall wie, że porażka jest pojęciem względnym, ponieważ umieścił słowo „niepowodzenie" w nazwie swojej firmy. Niezmordowany przedsiębiorca, założyciel popularnej witryny internetowej Startup-Failures.com („Nieudany rozruch"), zaczął odnotowywać niespodzianki, jakie zdarzają się przedsiębiorcom. Twierdzi on, że odnoszenie sukcesów polega na tym, by ciągle stawać na nogi i przezwyciężać zwątpienie we własne siły. Uważa porażkę za bliską krewną sukcesu i dobrze się zapoznał z każdą z nich. Na swojej stronie internetowej przedstawia wskazówki i inspirujące porady, jak znowu ruszyć w drogę.

Najważniejszym przekonaniem Halla jest to, że *jedyną przyczyną rzeczywistej porażki jest zaniechanie prób*. Twierdzi on także, że porażki są nieodłącznym elementem działania, tzn. że każdy, kto kiedykolwiek odniósł sukces – w życiu osobistym czy zawodowym – ponosił także klęski. Jego zdaniem, tylko ten, kto chce się podnieść, ma szansę znowu stanąć u steru.

Jeśli nawet rozruch okaże się skuteczny – mówi Hall – w drodze do celu żaden przedsiębiorca nie uniknie wielu rzeczywistych lub pozornych niepowodzeń.

Dotyczy to także firm z najwyższej półki. Wielu ludzi rozpoczynających jakieś przedsięwzięcie zdaje sobie sprawę, że porażka jest jednym z elementów procesu, mają jednak nadzieję, że uda im się pominąć ten składnik. Największą przeszkodą w tym, aby znowu stanąć na nogi, jest zwątpienie we własne siły. Pocieszające jest jednak to, że chociaż z czasem wcale nie jest łatwiej godzić się z porażką, to coraz łatwiej się podnosić. Rzecz w tym, by postrzegać to jako część procesu i klucz do pozostania w grze.

Krótko mówiąc

- Pamiętaj o tej wielkiej prawdzie. Nie musisz aprobować negatywnych myśli lub reakcji. Zacznij zdecydowanie odmawiać mechanicznego reagowania. Postępuj i myśl w nowy sposób. Chcesz przecież być człowiekiem spokojnym, szczęśliwym, rozpromienionym, zdrowym, zamożnym i natchnionym. Od tej chwili nie wolno ci się identyfikować z negatywnymi, przygnębiającymi myślami.

- Nie obawiaj się zmian. Nie pozwól, by powstrzymała cię myśl o braku akceptacji szefa lub innych osób. Aby sprostać wymaganiom zawodowym, bądź gotów adaptować, tworzyć, poprawiać i doskonalić swoje pomysły.

- Nic na świecie nie może zastąpić wytrwałości. Nie dokona tego talent; nie ma nic powszechniejszego od utalentowanych ludzi, którym się nie powiodło. Nie jest to geniusz; niedoceniony geniusz to postać wręcz przysłowiowa. Nie sprawi tego samo wykształcenie; świat pełen jest wykształconych włóczęgów. Natomiast wytrwałość i determinacja są wszechpotężne.

- Kiedy najdzie cię negatywna myśl, zrób coś z nią,

nie zwlekając. Utnij jej głowę. Nie pozwól, by cię pokonała. Jeśli uraza rozrośnie się w twoim umyśle, zacznie panować nad tobą i zabarwi lękiem wszystko w twoim życiu.

- Stale rozważając pozytywne metody rozwiązywania problemów i karmiąc podświadomość myślami na temat elastyczności i gotowości do przystosowania się, przezwyciężysz obawy przed zmianami i uodpornisz się na negatywne myślenie.

- Czymkolwiek się w życiu zajmujesz, podejmij wszelkie starania, aby pozostać w środowisku sprzyjającym twojemu rozwojowi. Bądź blisko ludzi, którzy cię rozumieją, wierzą w ciebie i pomogą ci odkryć siebie oraz będą cię zachęcać do tego, abyś dał z siebie jak najwięcej. To zaważy na tym, czy osiągniesz wielki sukces, czy będziesz trwać w miernocie.

- Porażki się zdarzają, ale nie daj im siebie zniszczyć. Wszystko przemija. Liczy się nie to, co się zdarza, lecz to, co myślisz o tych zdarzeniach.

Rozdział 7

Pokonaj stres i zmartwienia

*Cała woda w oceanie nie zatopi małej łódki, jeśli nie dosta-
nie się do środka; podobnie wszelkie problemy, wyzwania
i trudności tego świata nie mogą cię pogrążyć, dopóki nie
wpuścisz ich do swojego wnętrza.*

Długotrwałe zamartwianie się okrada ludzi z witalności, entuzjazmu i energii, zamieniając ich we wraki.
Lekarze podkreślają, że przewlekłe zmartwienia leżą
u podłoża wielu chorób, takich jak astma, alergia, problemy z sercem, nadciśnienie i wiele innych, których
nie sposób wymienić.

Umysł zmartwiony jest zdezorientowany i rozbity;
roztrząsa bezcelowo wiele spraw niemających odpowiednika w rzeczywistości. Choć wielu z nas ma prawdziwe problemy, jak np. choroba bliskich osób lub utra-
ta pracy, większość zmartwień spowodowana jest leni-
stwem, apatią i obojętnością. Kiedy budzisz się rano,
nie musisz snuć niespokojnych myśli. Możesz myśleć
o harmonii, pokoju, pięknie, słusznym działaniu, miłości i zrozumieniu. Możesz zastąpić myśli negatywne
konstruktywnymi.

Steve L. martwił się o swoje zdrowie, jednak po prze-
prowadzeniu wszechstronnych badań lekarskich okazało się, że jego problemem jest nie tyle choroba ciała, ile

nerwica lękowa. Nerwica lękowa to po prostu specjalistyczne określenie długotrwałego zamartwiania się. A słowo „martwić się", jeśli poszukać jego pierwotnego znaczenia, oznacza „dusić, dławić" – i to właśnie Steve robił samemu sobie. Ustawicznie zamartwiał się o pieniądze, pracę i przyszłość. Jego wizję sukcesu i pomyślności psuły przewlekłe zmartwienia, a nerwowość pochłaniała jego energię. Czuł się ciągle zmęczony i przygnębiony.

Doradzono mu, by trzy lub cztery razy dziennie, podczas chwil spędzanych w spokoju i samotności, uroczyście oświadczał, że został obdarzony przez Wszechmogącego natchnieniem i nadzieją. Jedyne, co miał do zrobienia, to dostrajać się do Nieskończoności i pozwalać, by harmonia, pokój i miłość, które wypływają z tego Źródła, przepływały przez jego osobę. Zalecono mu następującą medytację:

Otrzymałem to pragnienie w darze od Boga, czyli Najwyższej Mądrości. Mam w sobie Wszechpotężną Moc, dzięki której mogę być, robić i mieć. Mądrość i Potęga Wszechmogącego wspierają mnie i umożliwiają mi realizację moich celów. Nie myślę już o przeszkodach, opóźnieniach, porażkach i utrudnieniach. Wiem, że jeśli będę stale myśleć w pozytywny sposób, wzmocnię swoją wiarę i ufność, a także nabiorę sił i równowagi psychicznej, albowiem „Bóg nie dał nam ducha bojaźni, ale miłości i mocy, i trzeźwego myślenia".

Rozważał te słowa regularnie i systematycznie. Prawdy te przedostały się do jego świadomego umysłu, a mózg rozprowadził ich uzdrawiające wibracje po całym organizmie. Dotarły one do jego podświadomego umysłu i niczym duchowa penicylina zniszczyły bakterie zmartwień, strachu, niepokoju i wszystkich negatywnych myśli. W ciągu miesiąca osiągnął świadomość siły, mocy i inteligencji, które zostały zaszczepione w nim w chwili przyjścia na świat. Pokonał swoje zmartwienia, zażywając duchowe lekarstwo i korzystając z pomocy Nieskończonej Inteligencji osadzonej w jego podświadomości.

Rozłóż swoje zmartwienia na części

Andy F., inżynier, traktuje zmartwienia jak problem techniczny. „Kiedy napotykam taki problem w pracy – powiedział – rozbieram go na elementy składowe i rozbijam na mniejsze części. Wtedy zadaję sobie pytanie: Skąd się wzięły? Jakie jest znaczenie poszczególnych części? Jak mogę to wykorzystać do rozwiązania całego problemu? Jeżeli chodzi o zmartwienia, zapytuję się: Czy te zmartwienia mają jakąkolwiek władzę? Czy istnieje jakakolwiek zasada leżąca u ich podłoża?"

Chłodny, racjonalny sposób myślenia i logiczna analiza pozwalają mu rozłożyć zmartwienia na części i zdać sobie sprawę, że są one jedynie cieniem w jego umyśle, bytem fałszywym i wyimaginowanym.

Cień nie ma mocy! Tym właśnie jest zmartwienie: cieniem kładącym się na umyśle. Nie ma rzeczywistego odpowiednika, zasady leżącej u jego podłoża, prawdy, na której niepokój mógłby się opierać. Zmartwienia nie są niczym więcej jak zlepkiem złowrogich cieni. Pozbądź się ich, przekształcając je w rzeczywiste obiekty i biorąc byka za rogi.

Ciało odzwierciedla to, co jest obecne w umyśle

Jak mówią lekarze, wielu pacjentów tak się przejmuje wyimaginowanymi chorobami, że zaczyna odczuwać ich objawy. Są to tzw. objawy psychosomatyczne. Słowo to składa się z wyrazów *psyche* („umysł") oraz *soma* („ciało"). Myśli obecne w umyśle są odzwierciedlane przez reakcję ciała.

Wiceprezes dużej firmy ubezpieczeniowej w Hartfort (stan Connecticut) martwił się, że jest chory na serce. Kiedy jego najbliższy przyjaciel, starszy od niego o 20 lat, przebył atak serca, doszedł do wniosku, że grozi mu to samo. Poszedł do kardiologa, który po obejrzeniu EKG stwierdził, że jego serce działa prawidłowo i że jego problem ma naturę psychosomatyczną. Kiedy dowiedział się o chorobie przyjaciela, zaczął się nadmiernie lękać o własne zdrowie i rzeczywiście zaczął odczuwać bóle w klatce piersiowej i inne objawy choroby serca. Lekarz oświadczył mężczyźnie, że lekarstwa na te dolegliwości nie znajdzie w książkach medycznych, lecz w swoim podświadomym umyśle. Zalecił mu medytować nad dobrym zdrowiem do chwili, gdy fałszywe wyobrażenie zniknie z jego *psyche*, a *soma* zareaguje w odpowiedni sposób. Zajęło mu to tylko kilka tygodni. Stosował wielkie prawo podstawienia: powtarzał wciąż na nowo dobrą myśl, aż jego umysł zaakceptował prawdę, która go wyzwoliła i obdarzyła pogodą ducha.

Wymaga to trochę pracy, ale jest wykonalne. To kwestia dyscypliny i chęci. „Zamierzam to przezwyciężyć. Chcę stanąć z tym oko w oko. To tylko cień w moim umyśle, a ja nie zamierzam oddawać władzy cieniom". Emocjonalne dolegliwości, których doświadczał dyrektor firmy ubezpieczeniowej, były spowodowane obsesyjną myślą o rzekomej chorobie serca. Został zatem w pełni uleczony. Z czego jednak się wyleczył? Z fałszywego przekonania goszczącego w jego umyśle.

Moc jest w tobie

Kiedykolwiek nachodzi cię strach lub zmartwienie albo zdaje ci się, że nie potrafisz czegoś dokonać, wycisz się i uspokój – i uznaj, że Bóg jest nieskończoną miłością, Nieskończoną Inteligencją, Nieskończonym Życiem, cudowną mądrością, absolutną mocą i pełną harmonią.

Kiedy Ją wezwiesz, Ona cię wysłucha. Nieskończona Inteligencja reaguje na twoje myśli. Tego rodzaju modlitwa czy medytacja doprowadzi cię do pełnego odprężenia i wyciszenia umysłu. W takim stanie relaksu rozważaj to, czym pragniesz być, co pragniesz mieć lub robić, a Nieskończony Duch zareaguje na twoją wiarę i ufność. Wiara ta przesączy się do twojej podświadomości i przyda ci mocy radzenia sobie z wszelkimi problemami.

Przez długie lata Carlos J. kreślił diagramy i wykresy dla działu marketingowego swojej firmy. Wciąż wychwalany za przejrzystość i dokładność swojej pracy, czuł się pewny swojej posady. Kiedy jednak pojawiły się metody komputerowe, osoba o umiejętnościach Carlosa przestała być potrzebna. Zamiast uskarżać się na niesprawiedliwe traktowanie lub zły los, Carlos poprosił swoich zwierzchników o zgodę na szkolenie się w grafice komputerowej. Pilnie przykładał się do nauki i opanował nowe metody. Zorientował się, że dzięki wcześniejszemu doświadczeniu w sporządzaniu wykresów mógł dogłębnie zrozumieć grafikę komputerową, opanował temat i stał się jednym z najlepszych pracowników.

Nie pozwól, by cokolwiek cię niepokoiło, przerażało, złościło lub ci przeszkadzało. To ty jesteś panem. Władasz swoim królestwem pojęć: myśli, doznań, emocji i reakcji. Jesteś królem państwa pojęć. Kiedy przychodzi ci do głowy jakakolwiek negatywna sugestia, możesz powiedzieć: „Mam umiejętności i siły, dzięki którym mogę sobie z tym poradzić. Z pomocą Nieskończonej Mocy zdołam rozwiązać problem".

Karm świadomy umysł pozytywnymi myślami
Lęki i zmartwienia mogą zdominować twoje życie tylko wtedy, gdy im na to pozwolisz. Masz władzę, aby pozbyć się ich ze swojego życia. Masz w sobie Obecność i siłę potrzebną do odmienienia własnego życia. Dzięki modlitwie i medytacji, dzięki oddaniu się sprawie swojej duchowej tożsamości, dzięki ufności pokładanej w Bogu pokonasz lęk i obawy. Jeśli będziesz karmić świadomy umysł pozytywnymi myślami, twój umysł podświadomy zareaguje pozytywnie w obliczu problemów i znajdziesz rozwiązania, które pozwolą ci wieść życie szczęśliwsze, spokojniejsze i bardziej satysfakcjonujące.

Przyczyną wielu niepowodzeń jest ciągłe zatrzymywanie się w drodze i zastanawianie, co z tego wyniknie; czy uda się osiągnąć sukces czy nie. To ciągłe kwestionowanie ostatecznego obrotu rzeczy doprowadza do zwątpienia, które jest fatalne w skutkach.

Tajemnicą osiągnięć w pracy i innych dziedzinach życia jest koncentracja. Wszelkie lęki i zmartwienia są zgubne dla koncentracji umysłu i niszczą zdolności twórcze. Zwykle pracowników najbardziej nęka obawa przed dominującym, wiecznie niezadowolonym szefem, który ciągle straszy karą czy nawet zwolnieniem z pracy. W takich warunkach praca jest niełatwa, a często bardzo przykra. Cały ustrój psychiczny pracownika wibruje wtedy sprzecznymi emocjami, a skuteczność działań jest nie do pomyślenia.

Jest mało prawdopodobne, aby udało ci się zmienić osobowość szefa, możesz jednak nauczyć się z nim żyć i nie dać się zamęczyć. Gdy tylko spostrzeżesz, że takie traktowanie budzi twój niepokój, zdenerwowanie lub lęk, po prostu zatrzymaj się na kilka chwil i powiedz sobie: „Nie na tym polega życie istoty inteligentnej i myślącej, życie prawdziwego człowieka". Oczywiście, jeśli możesz się przenieść na inne stanowisko w tej samej organizacji lub przejść do innej instytucji, warto spróbować. Jeśli jednak okaże się to niemożliwe, to gdy tylko szef cię zbeszta, powtarzaj sobie: „Nie pozwolę, aby to zrujnowało moje życie; zachowam spokój w pracy; będę pamiętać, aby dokładać wszelkich starań pomimo postawy mojego szefa. Nie pozwolę, by to mnie demobilizowało". Możliwe, że to nie złagodzi sytuacji, pozwoli ci jednak pogodzić się z nią i szukać satysfakcji i możliwości realizowania się poza pracą.

Zrelaksuj ciało, wycisz umysł

Jutro masz złożyć szefowi roczne sprawozdanie. Jak się zachowasz? Prawdopodobnie będziesz się martwić jego reakcją. Przypomnisz sobie wszystkie popełnione błędy, zawalone terminy i inne problemy. Negatywne nastawienie obciąży twoją podświadomość i nie pozwoli ci się wyspać.

Załóżmy jednak, że znasz prawa umysłu i drogi ducha. Zamiast się martwić sprawozdaniem, usiądź na krześle lub na kanapie i skup się. Najpierw się odpręż. Zrelaksowane ciało doprowadzi do wyciszenia umysłu. Powiedz sobie: „Palce moich stóp rozluźniają się, stopy się rozluźniają, mięśnie brzucha się rozluźniają, serce i płuca się rozluźniają, kręgosłup się rozluźnia, szyja się rozluźnia, ręce i ramiona się rozluźniają, mózg się rozluźnia, oczy się rozluźniają, cała moja istota rozluźnia się od stóp do głów".

W stanie relaksu twoje ciało będzie ci posłuszne. Kiedy się odprężasz i wierzysz, twoja modlitwa zawsze zostaje wysłuchana; jeżeli się nie rozluźnisz, nie uzyskasz rezultatów. *Odpręż się i uwierz.* Kiedy rozluźniasz ciało, relaksujesz umysł. Uspokaja się on i wycisza. Jak zatem powinieneś się przygotować do tego, co zawsze było dla ciebie męką? Skoncentruj się na wszystkim, czego dokonałeś w ciągu roku: na obniżeniu kosztów; na zaproponowanych przez ciebie innowacjach; na klientach, których udało ci się zadowolić, i na innych pozytywnych działaniach, w których uczestniczyłeś. Jeśli włączysz ten film w swoim umyśle i będziesz go stale wyświetlać, będziesz gotów.

Kiedy następnego ranka zobaczysz się z szefem, wejdziesz do jego biura z mocnym pozytywnym nastawieniem. Niepokój ustąpi miejsca pewności. Owszem, szef może wskazać obszary wymagające naprawy. Na tym w końcu polega jego rola, a każdy z nas może działać sprawniej niż dotychczas. Nie odbierasz jednak uwag szefa jako krytyki, lecz jako konstruktywne wskazówki. Zaprogramujesz swoją podświadomość tak, by obawy i zmartwienia związane z pracą ustąpiły miejsca pewności, że dobrze sobie radzisz, a chcesz i potrafisz działać jeszcze lepiej.

Zdaje ci się, że masz problemy?

Jest taka stara historia o mędrcu, który umiłował tajemnice życia. Wykorzystując swoją mistyczną moc, polecił wszystkim mieszkańcom ziemi utworzyć wielkie koło. W środku kręgu mieli oni złożyć wszystkie swoje problemy, żale, nieporozumienia, rozczarowania miłosne, dolegliwości, niedostatki i ograniczenia. Następnie kazał im się przyjrzeć temu obrazowi nędzy i rozpaczy, temu zbiorowisku ludzkich bolączek, i wybrać sobie tę, którą chcieliby zastąpić własne problemy. W tłumie zapanowała cisza i spokój.

Po długich namysłach i rozważaniach wszyscy wchodzili znowu do środka kręgu. Każdy z obecnych dźwignął swoje brzemię i z nim wrócił do domu. Nie było nikogo, kto wybrałby i wziął na swoje barki ciężary, cierpienia, udręki i znoje drugiego człowieka.

Rozwiązywanie problemów innych ludzi to wielka pokusa. Jest to jednak błąd i marnowanie swoich sił. Mając do dyspozycji całą dobrą wolę i intencję świata – tyle, ile moglibyśmy zapragnąć – nie jesteśmy w stanie rozwiązać problemów drugiego człowieka.

Tylko my posiadamy zasoby, dzięki którym możemy radzić sobie z własnym życiem, gdyż sami to życie tworzymy. Możemy je odmieniać i doskonalić, zmieniając swoje przekonania i pamiętając o tym, kim naprawdę jesteśmy. Musimy stale przypominać sobie o tym, by przyjmować swoją spuściznę, swoje dziedzictwo, które w całości jest dobre, prawdziwe i piękne.

Uporaj się z chandrą

W życiu większości ludzi zdarza się, że w pracy wszystko idzie na opak. Zadania się piętrzą, a terminy gonią. Niezależnie od wysiłków nie sposób nadążyć ze wszystkim. Wtedy pojawia się przygnębienie.

Kiedy czujesz, że dopada cię depresja, mocno skup się na odwrotnej stronie problemu. Przypomnij sobie, że w przeszłości też mierzyłeś się z sytuacjami kryzysowymi w pracy i pokonywałeś trudności. Miej przed oczami ideały pogody ducha, pewności siebie, wdzięczności i życzliwości wobec wszystkich, a ze zdziwieniem spostrzeżesz, jak szybko znikną wrogowie, którzy deptali ci po piętach i zatruwali życie. Podobnie się dzieje z ciemnością, gdy otwierają się okiennice i do pokoju wpada światło. Nie wypędzasz ciemności z pokoju, lecz wprowadzasz jej przeciwieństwo – światło, które natychmiast ją neutralizuje. Kiedy gonią cię terminy, kiedy szef odrzuca twoją pracę i domaga się jej poprawienia, kiedy tracisz okazję dokonania transakcji potrzebnej do wypełnienia planu sprzedaży, kiedy wszystko zdaje się iść na opak i czujesz nadchodzącą chandrę – przerwij wykonywane zajęcie i zajmij się wypędzaniem ze swojego umysłu wrogów, neutralizowaniem ich i niszczeniem za pomocą przeciwstawnych sugestii. Wiesz doskonale, że pogodna, piękna myśl – choć trudno ją uchwycić w chwili cierpienia – szybko przynosi ulgę. Kultywuj pogodę ducha i nadzieję, jeśli jeszcze ich nie posiadłeś, a szybko będziesz nimi rozporządzać.

Jeżeli padłeś ofiarą własnych nastrojów, rzuć się w wir spraw, odegraj aktywną rolę i naprawdę zainteresuj się tym, co się dzieje wokół ciebie. Znajdź wytchnienie od problemów zawodowych. Krótka przerwa często odświeża umysł i pomaga w jasnym myśleniu. Bądź szczęśliwy i interesuj się innymi. Nie koncentruj się na sobie. Odsuń uwagę od swojej osoby, z entuzjazmem angażując się w plany przyjaciół, rodziny lub innych osób z twojego otoczenia.

Nie skupiaj się na bezpośrednich obawach; pomyśl o swoich sukcesach i o tym, jak je odniosłeś. Przypomnij sobie trudne zadanie, które rozwiązałeś, kiedy inni dali za wygraną. Przywołaj chwilę, gdy szef chwalił twoją kreatywność, pilność i lojalność. Rozpamiętuj zwycięstwa, zamiast dręczyć się porażkami. To pozwoli ci oczyścić umysł i pomoże znaleźć rozwiązania obecnych problemów.

Nie sądź przyszłości na podstawie drobnych problemów, z którymi teraz masz do czynienia. Czarne chmury, które dziś przesłaniają słońce, jutro się rozpierzchną. Naucz się patrzeć na życie z dystansem i właściwie oceniać różne sprawy.

To ty decydujesz o swoich myślach. Możesz rozkazywać im do woli, kierując uwagę na to, co pragniesz uczynić przedmiotem swej medytacji. Zasiadasz na tronie własnego królestwa pojęć. Stosownie do swoich życzeń możesz wydawać rozkazy poddanym – myślom i uczuciom – a one muszą ci być posłuszne. Jesteś monarchą absolutnym w państwie swojego umysłu i masz władzę rugowania z niego wszelkich wrogów.

Zmartwienia i obawy są fałszywymi przekonaniami, które obumrą, jeśli nie zechcesz ich obdarzać uwagą. Jeżeli coś cię martwi, to naturalny sygnał zwracający uwagę na to, że twoje przekonania są błędne. Wyzwolisz się, zmieniając sposób myślenia. Ludzie, którzy się martwią, zawsze oczekują złego obrotu sprawy. Potrafią wymienić wszelkie powody, dla których powinno się wydarzyć coś złego, i ani jednej przyczyny, dla której miałoby się zdarzyć coś dobrego. Zamartwianie się osłabia ich i upośledza ich zdolność sprostania nadchodzącym wyzwaniom, ponieważ przyciągają ku sobie dokładnie te stany, które rozpamiętują w umyśle.

Sposób widzenia oparty na obawach i zmartwieniach, wpajany podświadomemu umysłowi, praktycznie gwarantuje pojawienie się odpowiadających im trudności lub problemów.

Oto dziewięć sposobów, jak złagodzić stres i niepokój:

1. *Naucz się relaksować.* Wyznacz sobie kilkuminutowe przerwy w pracy, gdy nikt nie będzie ci przeszkadzał, i poświęć je na ćwiczenia głębokiej medytacji lub programowanej relaksacji. Krótka przerwa często odświeża umysł i pomaga jaśniej myśleć.

2. *Idź na spacer.* Jeśli możesz, odejdź od biurka lub opuść na chwilę stanowisko pracy i idź na spa-

cer. Wyjdź z budynku, zrób rundkę wokół kwartału ulic lub parkingu. Przewietrz się, a jeśli nie możesz wyjść na zewnątrz, spaceruj po korytarzach. Oddalenie się od stresującego miejsca często łagodzi napięcie.

3. *Uwierz w siebie.* Nie pozwól, aby presja lub krytyka innych wpływały na twoje emocje.

4. *Zgłębiaj swą duchowość.* Kiedy poczujesz się zestresowany, odwołaj się do swoich religijnych lub duchowych przekonań, które tchną w ciebie spokój.

5. *Nie przestawaj się uczyć.* Ciągła nauka pobudza umysł i sprzyja jego bystrości i otwartości.

6. *Znajdź grupę wsparcia.* Unikniesz większego stresu, mając w pobliżu przyjaciół i członków zespołu, którzy cię wesprą, gdy sprawy przybiorą niekorzystny obrót.

7. *Przyjmuj tylko zadania istotne dla spełnienia twojej zawodowej misji.* Grzecznie odmawiaj udziału w innych projektach, które byłyby dla ciebie stratą czasu i energii.

8. *Szukaj nowych sposobów wykorzystania swojej kreatywności.* Kiedy przemyślisz sposób wykonywania rutynowych zadań, staną się one mniej nudne i stresujące. Dzięki opracowaniu twórczych metod podejścia do nowych wyzwań radzenie sobie z problemami będzie mniej stresujące.

9. *Witaj zmiany z radością.* Traktuj je jako nowe wyzwania, a nie zagrożenie dla obecnego stanu.

Krótko mówiąc

- Kiedy się martwisz o pracę, rozpamiętujesz wiele spraw, które nigdy się nie zdarzą, i pozbawiasz się witalności, entuzjazmu i energii.

- Jeśli będziesz trwać w nawyku zamartwiania się, przyciągniesz do siebie przedmiot swoich zmartwień.

- Zmartwienia i obawy są fałszywymi przekonaniami, które obumrą, jeśli nie zechcesz obdarzać ich uwagą. Jeżeli coś cię martwi, to naturalny sygnał zwracający uwagę na to, że twoje przekonania są błędne. Wyzwolisz się, zmieniając swój sposób myślenia.

Rozdział 8

Uporaj się ze strachem

Odczuwając nietypowy lęk, skoncentruj się na swoim bezpośrednim pragnieniu. Daj mu się pochłonąć i opanować. To podniesie cię na duchu i doda ci pewności siebie. Nieskończona moc podświadomego umysłu działa w twoim imieniu. Moc, która nie może przegrać, gwarantuje ci spokój i poczucie pewności. To właśnie strach przed niepowodzeniem kreuje rzeczywistą porażkę.

Większość z nas martwi się problemami zawodowymi. Jak wspomnieliśmy w poprzednim rozdziale, możemy się nauczyć radzić sobie z takim niepokojem. Może się nam jednak zdawać, że problemy są zbyt uciążliwe i po prostu nie będziemy w stanie stawić im czoła. Miejsce ufności w naszym podświadomym umyśle zajmuje strach.

Lęk jest najsilniejszym ze wszystkich patologicznych stanów psychicznych, siejących spustoszenie w organizmie człowieka. Ma wiele stopni: od krańcowego przerażenia, trwogi lub zgrozy do ledwie uchwytnej obawy przed zagrażającym złem. Zawsze jednak jest to doznanie, które paraliżuje i za pośrednictwem układu nerwowego może wywoływać różne objawy chorobowe w każdej tkance ciała.

Strach jest niczym dwutlenek węgla wpompowany do otaczającej nas atmosfery. Dusi nas psychicznie, moralnie i duchowo, a czasem zabija – jest śmiercionośny dla energii, dla tkanek i dla wszelkiego rozwoju.

Jakże wielu ludzi nęka strach przed nieuchronnym złem. Poczucie to prześladuje ich nawet w najszczęśliwszych chwilach i zatruwa tak, że w ogóle nie potrafią się cieszyć ani czerpać przyjemności z czegokolwiek. To doznanie jest niczym duch na balu lub trup w szafie. Zakorzenia się w ich życiu i sprawia, że stają się nadmiernie nieśmiali, skurczeni w sobie i zakłopotani własną osobą.

Często obawiamy się, że nasze zawodowe decyzje ściągną na nas porażkę, krytykę ze strony szefa, degradację lub nawet utratę pracy. Uczucie to może być przyczyną bólów głowy, choroby wrzodowej i problemów emocjonalnych. Strach jest jedną z najważniejszych przyczyn niezadowolenia z pracy, braku postępów w karierze lub zwolnień.

Lęk może zdominować twoje życie

Wczesnymi objawami strachu są zamartwianie się, niepokój, złość, zazdrość i nieśmiałość. Jeśli nie zostaną zidentyfikowane i zneutralizowane, przeobrażą się w lęk, który jest główną przyczyną niezadowolenia i nieudolności. Strach jest w głównej mierze odpowiedzialny za to, że ludzie stają się tchórzami i nieudacznikami i muszą wieść mierne życie.

Niewiele może zdziałać osoba, która wykonuje swoją pracę pod wpływem strachu lub złych przeczuć. Lęk dławi oryginalność, śmiałość i odwagę. Zabija indywidualność i osłabia wszelkie procesy psychiczne. Wielkich czynów nigdy nie dokonuje się w strachu przed grożącym niebezpieczeństwem. Strach jest zawsze oznaką słabości, tchórzostwa. Skraca życie, składa ofiarę ze szczęścia i ambicji i rujnuje karierę.

Lęk hamuje czynności umysłu i uniemożliwia rozsądne działanie w sytuacji kryzysowej, ponieważ nikt nie jest w stanie jasno myśleć i mądrze postępować, kiedy jest sparaliżowany strachem. Jeśli nachodzi cię melancholia i tracisz zapał do spraw, którymi się zajmujesz; jeśli ogarnia cię strach przed porażką i nawiedza widmo biedy i cierpień dotykających twoją rodzinę, to zanim się spostrzeżesz, myśli te przyciągną właśnie to, czego się obawiasz.

Nie ma potrzeby się bać. Powtarzaj to sobie nieustannie, a twoja podświadomość stopniowo to zaakceptuje. Uwierzy w to, ponieważ będzie o tym przekonany twój świadomy, rozumny umysł. Wszystko, w co twój świadomy umysł naprawdę wierzy, zostanie urzeczywistnione przez twoją podświadomość. Nie wahaj się ani nie unikaj podjęcia decyzji. Twój podświadomy umysł potrafi rozpoznać, kiedy jesteś szczery. Zorientuje się, kiedy naprawdę w coś wierzysz, a wtedy zareaguje. Jeżeli zamiast poddawać się strachowi, będziesz zachowywać dobrobyt w swoich myślach, przybierać postawę pełną nadziei i optymizmu i prowadzić swoje sprawy w sposób systematyczny, ekonomiczny i dalekowzroczny, rzeczywiste niepowodzenia będą spotykać cię względnie rzadko.

Zastąp strach wiarą

Można łatwo uporać się ze strachem, po prostu zmieniając sposób myślenia. Lęk przygnębia, tłumi i dławi. Jeśli mu pobłażać, zmieni pozytywną, twórczą postawę psychiczną w nastawienie nieproduktywne i negatywne, które fatalnie odbija się na wynikach pracy. Skutkiem strachu – zwłaszcza gdy myśli podszyte lękiem stają się nawykowe – jest wysychanie samego źródła życia. Wiara, która pojawia się w miejsce strachu, działa na mózg i ciało mobilizująco: poszerza i otwiera ludzką istotę, hojnie udziela życia komórkom i zwiększa sprawność mózgu.

Strach sieje straszliwe spustoszenie w wyobraźni, która zaczyna snuć przerażające wizje. Wiara jest idealnym antidotum na strach, tam bowiem, gdzie strach widzi tylko mrok i cienie, wiara dostrzega dobre aspekty niepomyślnej sytuacji, słońce wyglądające zza chmur. Strach ma spuszczone oczy i oczekuje najgorszego; wiara spogląda w górę i spodziewa się tego, co najlepsze. Strach jest pesymistyczny; wiara – optymistyczna. Strach zawsze wieści klęskę; wiara przepowiada sukces. Nie może być strachu przed nędzą lub niepowodzeniem, jeśli w umyśle dominuje wiara. W jej obecności nie ma miejsca na zwątpienie. Wiara wznosi się ponad wszelkie przeciwności.

Andrew L. był bardzo utalentowanym skrzypkiem, najlepszym w licealnej orkiestrze. Nauczyciele zachęcali go do podjęcia kariery muzyka koncertowego. Dawał z siebie wszystko w orkiestrze i podczas występów solowych przed niewielkim audytorium. Kiedy orkiestra szkolna miała wykonywać koncert skrzypcowy Beethovena w dużej sali koncertowej, Andrew powierzono solową partię skrzypiec. Grał przepięknie na próbach, kiedy jednak w dzień koncertu stanął przed salą wypełnioną po brzegi, zamarł z przerażenia. Był tak sparaliżowany strachem, że nie zdołał zagrać i trzeba go było sprowadzić ze sceny.

Od tamtej pory Andrew już więcej nie zagrał. Postanowił pójść inną drogą, nie przestał jednak marzyć o muzyce. Czy coś mogło ocalić jego muzyczną karierę? Oczywiście. Inni ludzie zdołali pokonać tremę i stali się wielkimi aktorami, muzykami, śpiewakami i mówcami. Nie pozwolili, aby zatrzymało ich jedno niepowodzenie ani nawet kolejne. Wierzyli w siebie.

Silna wiara jest wielkim atutem, ponieważ nic nie wytrąca jej z równowagi. Sięga wzrokiem poza chwilowe trudności, niesnaski i kłopoty i dostrzega słońce za chmurami. Wie, że wszystko będzie dobrze, ponieważ dostrzega cel niewidoczny dla oczu.

Pokonaj strach

Pierwszym krokiem do przezwyciężenia strachu jest poznanie jego natury. Lęk zawsze dotyczy tego, co nie istnieje, co się jeszcze nie zdarzyło. Kłopotów przysparza nam to, co urojone, wymyślone i przerażające przez samą możliwość zaistnienia.

Większość ludzi boi się iść wąską drogą wysoko nad ziemią. Gdyby równie wąski pas wytyczono na podłodze, doskonale mieściliby się w jego obrębie i nawet nie przyszłoby im na myśl, że mogą stracić równowagę. Największym zagrożeniem dla osoby odbywającej spacer na wysokościach jest strach przed upadkiem. Ludzie o mocnych nerwach po prostu się nie boją; nie pozwalają, by owładnęła nimi myśl o możliwym niebezpieczeństwie, i doskonale panują nad swoim ciałem. Aby dokonać zdumiewających wyczynów, akrobata musi tylko pokonać strach.

Weźmy pod uwagę bardzo częstą obawę przed utratą pracy. Ludzie, którzy zatruwają sobie życie, martwiąc się tym możliwym nieszczęściem, wcale nie dostali jeszcze wypowiedzenia. Nie muszą się mierzyć z rzeczywistym problemem, a bieda nie zagląda im w oczy. Ich obecna sytuacja jest więc zadowalająca. Kiedy już zostaną zwolnieni, będzie za późno na niepokojenie się perspektywą utraty pracy. W tym momencie wszystkie wcześniejsze niepokoje okazują się nic niewarte; nie tylko nie przynoszą żadnego pożytku, lecz odbierają siły potrzebne do walki o ponowne zatrudnienie. Wówczas łatwo zacząć się martwić o nową posadę. Jeśli jednak praca się znajdzie, wszystkie zmartwienia znowu okażą się bezużyteczne. W danej chwili żadne okoliczności nie usprawiedliwiają zamartwiania się. Przedmiotem zmartwień jest zawsze wyimaginowana sytuacja z przyszłości.

Przezwyciężając swe różne obawy, prześledź w myślach przebieg wydarzeń aż do ich logicznego zakończenia i przekonaj sam siebie, że w chwili obecnej to, czego się obawiasz, nie istnieje poza twoją wyobraźnią. Niezależnie od tego, czy twoje obawy urzeczywistnią się w przyszłości, szkoda im poświęcać czas, energię oraz siły fizyczne i psychiczne. Przestań się martwić tak samo, jak przestałbyś jeść lub pić coś, co kiedyś ci zaszkodziło. Jeśli już musisz się czymś martwić, martw się straszliwymi następstwami zamartwiania się. Być może to pomoże ci się wyleczyć.

Nie wystarczy być przeświadczonym o tym, że obawy są urojone. Trzeba jeszcze nauczyć umysł odrzucania lękliwych sugestii i walki ze wszystkimi myślami, które do nich prowadzą. Oznacza to ciągłą czujność i intensywny wysiłek psychiczny. Kiedy narzucają ci się myśli dotyczące złych przeczuć lub zmartwień, nie pobłażaj im i nie pozwalaj, aby urosły i spochmurniały. Zacznij w zamian myśleć o pozytywnych działaniach, które możesz podjąć.

Jeżeli obawiasz się niepowodzenia w życiu osobistym, nie myśl o tym, jak bardzo jesteś mały, słaby, źle przygotowany i skazany na porażkę. Pomyśl raczej o swojej sile i fachowości; o podobnych zadaniach, które udało ci się kiedyś wykonać; o tym, jaki użytek zrobisz ze swoich doświadczeń, by dostosować się do obecnego poziomu, śpiewająco wykonać swoje zadanie i być gotowym na jeszcze większe wyzwania. To właśnie taka postawa – przyjmowana świadomie lub nieświadomie – prowadzi w górę. Tę samą zasadę wypierania lęku myślami nacechowanymi optymizmem, nadzieją i ufnością można zastosować do wielu różnych obaw nękających nas każdego dnia.

Strach obezwładnia, a jego pokonanie może stać się bodźcem do dokonania wielkich rzeczy. Podczas deszczowej i wietrznej pogody pewien student medycyny nie mógł się opędzić od zmartwień. Był przerażony perspektywą biegu, do którego miał stanąć. Jak to później opisywano, wyglądał, jakby szedł na ścięcie lub przechodził tortury. Jego trener, który siedział naprzeciwko w przedziale pociągu, miał te same obawy co do pogody, zachował je jednak dla siebie. Zawodnik bał się, że wzmagający się wiatr wydłuży czas przebycia każdego z czterech okrążeń o krytyczną sekundę. Trener wiedział, jak bardzo takie wątpliwości mogą zaszkodzić sportowcowi, zapewnił go więc, że jego nogi wykonają swoje zadanie... jeśli będzie miał odpowiednią motywację, czyli znajdzie dobry powód, by pragnąć zwycięstwa. Powiedział zalęknionemu zawodnikowi, że jego umysł może pokonać każdą przeciwność losu. Przypomniał, że pewien wybitny irlandzki lekkoatleta wygrał trudny bieg bez treningu i odpowiedniej diety – po prostu samą wolą. „A cóż by było – zapytał trener – gdyby to była twoja jedyna szansa?" Biegacz powiedział później, że właśnie takich słów oczekiwał od swojego trenera. Pragnął usłyszeć jego tubalny głos wypowiadający słowa, które potwierdziłyby jego nadzieję, że niezależnie od okoliczności może sprostać największemu wyzwaniu. Trener, Fritz Stampfl, napisał później, że największą zaletą biegacza oprócz kondycji fizycznej jest chłodny i wyrachowany umysł sprzymierzony z ufnością i odwagą. Nie rzucał słów na wiatr: on to właśnie sprawił, że Roger Bannister wykrzesał z siebie odwagę, by pokonać granicę czterech minut w biegu na dystansie jednej mili.

Przejmij kontrolę nad swym umysłem

Musimy posiąść umiejętność panowania nad swoimi myślami, uczuciami i reakcjami. Nie wolno nam pozwolić, by strach podejmował decyzję za nas. Musimy przejąć kontrolę i powiedzieć swoim obawom: „Ja tu jestem panem. Zamierzam rozkazywać moim myślom i nie boję się podjąć tej decyzji". Powiedz swojemu umysłowi, na co ma zwracać uwagę, a będziesz niczym szef przekazujący polecenia pracownikom.

Musisz przejąć władzę nad własnym umysłem i nie pozwalać, aby inni rządzili nim za ciebie. Umysłem przeciętnego człowieka rządzą wyznania wiary, dogmaty, tradycje, przesądy, strach i niewiedza. Największą pustynią świata jest nie Sahara, lecz umysł przeciętnego człowieka. Umysł wielu ludzi nie należy wcale do nich samych; nie próbują oni myśleć samodzielnie. Godzą się na to, aby w domu ich umysłem kierowała silna wola jednego z członków rodziny lub opinie szefów i współpracowników w miejscu pracy. Nie pozwól, aby to samo działo się z tobą. Zwiększ moc swojego podświadomego umysłu – oprzyj się dominacji innych i potwierdź swoją zdolność do panowania nad własnym losem.

Przyjrzyj się swoim obawom

Kierownik działu sprzedaży wielkiej międzynarodowej korporacji wyznał, że jako świeżo upieczony sprzedawca przed nawiązaniem kontaktu z klientem musiał dla uspokojenia robić pięć lub sześć rundek po okolicy.

Jego przełożona była kobietą bardzo doświadczoną i spostrzegawczą. Pewnego dnia powiedziała do niego: „Nie bój się, że za drzwiami czai się potwór. Nie ma tam żadnego potwora. Padłeś ofiarą błędnego przekonania".

Dodała, że kiedy czuje pierwsze fale strachu, stawia mu czoło. Staje z nim twarzą w twarz i patrzy mu prosto w oczy. Zawsze się przekonuje, że strach słabnie i kurczy się, aż staje się nieistotny.

Agnes, szefowa Sary M., była tyranem. Ciągle wtrącała się w najdrobniejsze szczegóły pracy wszystkich podwładnych. Zawsze znajdowała powód do krytyki i nigdy nie chwaliła dobrze wykonanego zadania ani nawet nie zauważała. Sara z przerażeniem myślała o nadchodzącym dniu pracy i dosłownie trzęsła się, kiedy Agnes zbliżała się do jej stanowiska.

Zauważyła, że Rebecca, jej koleżanka, nigdy nie traciła rezonu pomimo słownych napaści Agnes. Sara zapytała ją, jak można zachować pogodę ducha w takich warunkach. Rebecca odparła: „Na początku Agnes wprawiała mnie w przerażenie i miałam już stąd odejść, ale potrzebowałam pracy. Postanowiłam, że ani Agnes, ani ktokolwiek inny nie zrujnuje mojego życia, dopóki sama na to nie pozwolę. Zdałam sobie sprawę, że jedyną osobą, która może mnie unieszczęśliwić, jestem ja sama. Jeżeli pozwolę, abym przez Agnes czuła się gorsza, będę gorsza. Kiedy więc mnie obsztorcowuje, wpuszczam to jednym uchem, a wypuszczam drugim. Odpieram jej negatywizm i koncentruję się na tym, co dobre w moim życiu. Po prostu kiwam głową, i mówię: «Tak, proszę pani» i wracam do swojej pracy. Spróbuj tej metody. Nie od razu osiągniesz efekty, ale po pewnym czasie uszczypliwości Agnes będą odbijać się od ciebie, nie pozostawiając żadnych śladów". Sara zastosowała się do rady Rebecki. Chociaż sytuacja się nie zmieniła, Sara zaczęła inaczej na to patrzeć, a praca stała się łatwiejsza do zniesienia.

Inspiracja obróci klęskę w zwycięstwo

Być może przeszłość była dla ciebie gorzkim rozczarowaniem. Patrząc wstecz, możesz odnosić wrażenie, że byłeś nieudacznikiem lub co najwyżej wlokłeś się w ogonie. Możliwe, że nie udało ci się wykonać konkretnych rzeczy, których od ciebie oczekiwano; straciłeś pieniądze, gdy próbowałeś je zarobić; opuścili cię przyjaciele lub krewni. Być może splajtowałeś lub nawet zabrano ci dom, kiedy nie zdołałeś spłacić kredytu hipotecznego. Zachorowałeś i straciłeś zdolność do pracy albo utraciłeś siły w następstwie ciężkiego wypadku. Nadchodzący rok może być dla ciebie bardzo zniechęcającą perspektywą. Jeśli jednak pomimo wszystkich tych nieszczęść nie pogodzisz się z porażką, w dalszej drodze czeka cię zwycięstwo.

Nie musisz czuć się gorszy, jeżeli straciłeś odwagę i boisz się zmierzyć ze światem w wyniku popełnionego błędu, niepowodzenia w interesach, utraty majątku podczas katastrofy lub innych trudności.

Oto sprawdzian twojej odwagi: Ile z ciebie zostało po tym, jak straciłeś wszystko? Jeżeli leżysz, bezradnie rozkładasz ręce i uznajesz się za pokonanego, to nie zostało w tobie wiele. Jeśli jednak z nieulękłym sercem i twarzą zwróconą naprzód nie chcesz się poddać ani stracić wiary w siebie, jeśli nie dopuszczasz do siebie myśli o odwrocie, okazujesz się człowiekiem, który wznosi się ponad swoje brzemię i pokonuje wszelkie przeszkody.

Być może twierdzisz, że zbyt często przegrywałeś, że dalsze próby nie mają sensu, że sukces jest niemożliwy i że upadałeś zbyt często, by choć próbować znowu stanąć na nogi. Nonsens! Niepowodzenie nie spotyka człowieka, którego duch jest niezwyciężony. Niezależnie od tego, jak późna jest pora, ile razy i jak często ponosiłeś porażkę, sukces nadal jest możliwy. W historiach z codziennego życia, opisywanych w gazetach i biografiach i oglądanych przez nas na własne oczy, wciąż powtarzają się relacje o mężczyznach i kobietach, którzy podnoszą się po porażce, otrząsają ze zniechęcenia i jeszcze raz śmiało zwracają naprzód.

Jeśli ulepiono cię z dobrej gliny, jeśli masz charakter i odwagę, twoje nieszczęścia, straty i porażki rzucą im wyzwanie i wzmocnią cię. „To właśnie porażka – powiedział wielebny Henry Ward Beecher – zamienia kość w kamień, a chrząstki w mięśnie i czyni ludzi niepokonanymi". Trzeba powstawać wciąż na nowo i obracać klęskę w triumf. Oto tajemnica sukcesu wszystkich szlachetnych istot, które kiedykolwiek chodziły po tym świecie.

Jakże często sami prowokujemy życiowy kryzys, traktując napotkaną przeszkodę jako dopust Boży i spodziewając się najgorszego, jeśli nie uda się nam jej uniknąć! Lękamy się, że nasze ambicje zostaną zniweczone, a życie legnie w gruzach. Obawa przed wstrząsem, jakim może być spotkanie z nieuniknioną przeszkodą, jest trudna do wyobrażenia.

Niektórzy dobrze sobie radzą w pierwszej połowie życia, kiedy wszystko idzie gładko. Kiedy gromadzą majątek i zdobywają przyjaciół i reputację, wydają się silni i zrównoważeni. Jednak trudności, niepowodzenia w interesach, powszechna panika lub wielki kryzys, podczas którego wszystko tracą, przygważdżają ich i obezwładniają. Wpadają w rozpacz i tracą wszystko: serce, odwagę, wiarę, nadzieję i siły potrzebne do podniesienia się z kolan. Strach przesącza się do ich podświadomego umysłu i zdominowuje ich osobowość. Pozwól odejść wszystkiemu, jeśli musisz, nigdy jednak nie trać panowania nad sobą. Nie poddawaj się strachowi. Zastąp go nadzieją i trzymaj się jej z całej siły. Tak bardzo wyrastasz ponad wszelkie niepowodzenia w świecie materialnym, że wzmianka o nich w twoim życiorysie będzie jedynie drobnym incydentem w twojej karierze – czymś, co kłopotliwe, lecz niezbyt ważne.

Krótko mówiąc

- Strach i zmartwienia powodują, że przyciągamy do siebie właśnie to, czego się obawiamy. Nawykowy lęk nadwątla zdrowie, skraca życie i paraliżuje. Zwątpienie i obawa są równoznaczne z porażką; wiara jest optymistą, strach – pesymistą.

- Wiara jest idealnym antidotum na strach, tam bowiem, gdzie strach widzi tylko mrok i cienie, wiara dostrzega dobre aspekty niepomyślnej sytuacji, słońce wyglądające zza chmur. Strach ma spuszczone oczy i oczekuje najgorszego; wiara spogląda w górę i spodziewa się tego, co najlepsze. Strach jest pesymistyczny; wiara – optymistyczna. Strach zawsze wieści klęskę; wiara przepowiada sukces.

- Wyrzuć ze swoich myśli wszelkie fałszywe przekonania, uprzedzenia i przesądy. Nakaż swojemu umysłowi i myślom akceptować w pełni fakt, że to, czego szukasz, już istnieje w Nieskończonym Umyśle i że aby to urzeczywistnić, musisz jedynie zidentyfikować to w umyśle i w sercu.

- Jakże wielu ludzi lęka się korzystać z własnego umysłu. Godzą się na to, aby ich umysłem kierowały opinie przełożonych lub współpracowników.

Nie pozwól, aby to samo działo się z tobą. Zwiększ moc swojego podświadomego umysłu – oprzyj się dominacji innych i potwierdź swoją zdolność do panowania nad własnym losem.

- Wyrastasz ponad wszelkie niepowodzenia w świecie materialnym. Niezależnie od tego, jakie spotykają cię porażki, rozczarowania lub klęski, jesteś od nich większy. Nigdy nie trać spokoju.

Rozdział 9

Rozbudź swoje twórcze moce

Wyobraźnia jest najpotężniejszą z twoich mocy. Wyobrażaj sobie to, „co miłe, co zasługuje na uznanie". Jesteś tym, kim się widzisz w wyobraźni.

Kreatywność zaczyna się od wyobraźni. Mówimy o wyobraźni zdyscyplinowanej, okiełznanej i kierowanej. Wyobrażać coś sobie – to poczynać to w myślach, wytłaczać w podświadomym umyśle. Wszystko, co wyryje się w podświadomości, zostaje wyrażone na ekranie przestrzeni w postaci formy, funkcji, doświadczeń i zdarzeń. Jeżeli pragniesz sukcesu, musisz najpierw ujrzeć się w wyobraźni człowiekiem sukcesu. Jeśli pragniesz bogactwa, musisz najpierw wyobrazić sobie, że jesteś bogaty.

Kiedy świat mówi: „To niemożliwe, tego się nie da zrobić", osoba obdarzona wyobraźnią twierdzi: „To się robi". Wyobraźnia może przeniknąć głębię rzeczywistości i ujawnić tajemnice natury.

Zaufaj wyobraźni

Pewien przemysłowiec wspominał, jak na początku kariery pracował w małym sklepie. „Marzyłem o wielkiej korporacji mającej oddziały w całym kraju". Regularnie i systematycznie wyobrażał sobie wtedy budynki i biura fabryki i sklepy, wiedział bowiem, że za pomocą alchemii umysłu zdoła utkać tkaninę, w którą odzieje swoje marzenia. Kiedy mu się powiodło, na mocy prawa powszechnego przyciągania zaczął przyciągać ku sobie nowe idee, personel, przyjaciół, pieniądze i wszystko, co było mu potrzebne do rozwoju jego ideału.

Człowiek ten naprawdę ćwiczył swoją wyobraźnię, żył tymi wzorcami psychicznymi, aż wyobraźnia ubrała je w formę. Tak oto podsumował swoje przemyślenia: „Sukces można sobie wyobrazić równie łatwo jak porażkę, lecz jest to o wiele bardziej interesujące".

Każde wyobrażenie jest poczęciem. Zapładniasz swój podświadomy umysł obrazem idei lub ideału. Jak powiedzieli starożytni, dusza może dostrzegać w umyśle to, co niewidzialne. Gdzie jest wynalazek? Gdzie jest nowa sztuka teatralna? Gdzie teraz znajduje się twój nowy, nikomu jeszcze nieznany wynalazek? Jest w twoim umyśle. Jest rzeczywisty. W innym wymiarze umysłu ma postać, kształt i substancję. Uwierz, że już teraz jesteś w jego posiadaniu, a otrzymasz go.

Wyobraźnia – ziarno działania

Historia Howarda Schultza, „człowieka od Starbucksa", jest dobrym przykładem tego, jak wyobraźnia może stworzyć jedną z najlepiej prosperujących firm. Aby nowa koncepcja odniosła sukces, potrzebna jest osoba obdarzona wizją, mocą i niezachwianą pewnością siebie.

Schultz został zatrudniony jako kierownik działu sprzedaży detalicznej i marketingu w Starbucks, niewielkiej firmie zajmującej się wówczas dystrybucją kawy, posiadającej kilka punktów sprzedaży detalicznej w Seattle. Schultz miał wtedy 29 lat i był świeżo po ślubie. Wraz z żoną opuścił swój dom w Nowym Jorku, żeby przyjąć tę pracę.

W niespełna rok później Schultz pojechał do Włoch, aby zakupić towar. Włócząc się po Mediolanie, zauważył, jak ważną rolę odgrywa kawa we włoskiej kulturze. Typowy dzień pracy rozpoczyna się tam w barze nad filiżanką aromatycznej kawy. Po pracy przyjaciele i koledzy ponownie spotykają się w kawiarni, aby się rozerwać przed powrotem do domu. Bar kawowy jest ośrodkiem włoskiego życia towarzyskiego. Schultz wyobraził sobie, że takie bary można by przenieść na grunt amerykański. Nigdy przedtem tego nie dokonano, Schultz miał jednak wrażenie, że ten pomysł może wypalić, ponieważ kawa Starbucks była znana z wysokiej jakości.

Schultz nakreślił wizję setek barów kawowych Starbucks na terenie całych Stanów Zjednoczonych. Pracownicy sklepów mogliby wstępować rano do baru i wpadać tam ponownie po zamknięciu sklepów, aby się odprężyć. Ludzie robiący zakupy wpadaliby na kawkę dla orzeźwienia. Młodzi ludzie umawialiby się na randki raczej w kawiarni niż w barze. Rodzice z dziećmi mogliby zachodzić do kawiarni przed kinem lub po filmie.

Ten pomysł stał się jego obsesją. Postanowił założyć ogólnokrajową sieć kawiarni wzorujących się na włoskich barach kawowych, jednak właściciele firmy Starbucks byli temu niechętni. Zajmowali się hurtową sprzedażą ziarna kawowego, a prowadzenie restauracji było tylko dodatkowym obszarem ich działalności. Aby urzeczywistnić swój cel, Schultz złożył wymówienie w Starbucks i założył nową firmę. W 1986 r. otworzył w Seattle pierwszą kawiarnię, która odniosła natychmiastowy sukces. Schultz wkrótce otworzył kolejny bar w Seattle i trzeci w Vancouver. Następnego roku kupił firmę Starbucks Coffee Company i posłużył się jej nazwą dla określenia swojego przedsięwzięcia. Na przełomie stulecia kawiarnie Starbucks stały się standardowym elementem amerykańskiej kultury i rozprzestrzeniły na kilkadziesiąt krajów całego świata.

Richard D., biznesmen z Los Angeles, poniósł znaczne straty finansowe. Modlił się o przewodnictwo i wizję kroków, które powinien powziąć, by pójść dalej w życiu. Ogarnęło go nieodparte przeczucie, że powinien się udać na pustynię. Rozmyślając na pustkowiu, wpadł na pewien pomysł, który przedstawił później swojemu staremu znajomemu, właścicielowi dobrze prosperującego biura obrotu nieruchomościami w Los Angeles. Richard powiedział znajomemu o olbrzymim potencjale, jaki dostrzegł w tym pustynnym miejscu. Miał wizję ludzi wyjeżdżających z Los Angeles i przybywających ze Wschodu, by zamieszkać tam, gdzie teraz była tylko pustynia. Oczyma duszy widział, jak budują tam domy, szpitale i szkoły. Przyjaciel zatrudnił go na stanowisku agenta, którego zadaniem były starania o zagospodarowanie pustynnej ziemi. Kiedy Richard odniósł sukces, został wspólnikiem swojego znajomego, by w końcu stać się multimilionerem w branży nieruchomości.

Wierzcie, a otrzymacie

W twoim podświadomym umyśle jest inteligencja i mądrość, które przychodzą ci z pomocą w nagłych wypadkach, kiedy jest na nie zapotrzebowanie. Można podać wiele przykładów naukowców, którzy rozwiązali swoje problemy wyłącznie dzięki modlitwie, choć okazywało się to niemożliwe do uzyskania w inny sposób.

• Nikola Tesla, genialny naukowiec zajmujący się elektrycznością, twórca wielu wspaniałych innowacji, powiedział, że kiedy wpada na pomysł wynalazku, pracuje nad nim w wyobraźni. Wiedział, że jego podświadomy umysł odtworzy i ujawni świadomemu umysłowi wszystkie części potrzebne do zmaterializowania koncepcji. Spokojnie rozważając wszelkie możliwe udoskonalenia, nie tracił czasu na poprawianie usterek i był w stanie przekazać technikom doskonały produkt swojego umysłu. „Moje urządzenia zawsze działają tak, jak to sobie wyobraziłem – powiedział. – W ciągu dwudziestu lat nie było ani jednego wyjątku od tej zasady". Podświadomy umysł odpowiadał na wszystkie pytania związane z jego wynalazkami.

Platon nauczał, że każda rzecz, zanim zostanie urzeczywistniona w zewnętrznym świecie, istnieje w umyśle w postaci koncepcji lub myśli ujętej w obraz. Koncepcje mogą być fałszywe lub prawdziwe, a myślenie – prawidłowe lub mylne. Idea fałszywa lub błędna może się urzeczywistnić w ciele jako choroba. Urzeczywistnieniem koncepcji Roberta Fultona był statek parowy, a idei Samuela Morse'a – telegraf. Fabryka lub hipermarket to myśl przedsiębiorcy skondensowana w postaci obiektywnego przejawu.

To właśnie w domenie wyobraźni powstały telewizja, radio, radar, odrzutowce i inne współczesne wynalazki. Wyobraźnia jest skarbnicą nieskończoności, która uwalnia z podświadomego umysłu wszystkie cenne klejnoty muzyki, sztuki, poezji i wynalazczości. Spoglądając na starożytne ruiny, starą świątynię lub piramidę, można odtworzyć zapisy minionej przeszłości. W zniszczonych grobach na przykościelnym cmentarzu można dostrzec miasto z epoki bliższej naszym czasom, podniesione z gruzów w całym dawnym pięknie i chwale.

Zajmijmy się na chwilę postacią wybitnego, utalentowanego architekta. Zakłada on w swoim umyśle piękne, nowoczesne miasto przeznaczone dla ludzi w podeszłym wieku i przewiduje w nim miejsce na wszelkie atrakcje: baseny, park wodny, ośrodki rekreacji, ogrody itd. Może zbudować w swoim umyśle najpiękniejszy pałac, jaki oglądało oko człowieka. Może wyobrazić sobie ukończone budynki, zanim w ogóle przedstawi plany budowniczym. Jego wewnętrzne bogactwa są źródłem bogactw świata zewnętrznego, bogactw dostępnych jemu samemu i niezmierzonej rzeszy innych ludzi. Ty jesteś architektem swojej przyszłości. Możesz w tej chwili, spoglądając na żołędź, ujrzeć okiem wyobraźni wspaniały las pełen rzek, strumieni i potoków i zaludnić go najróżniejszymi formami życia, a nawet udekorować chmury kokardkami. Możesz spojrzeć na pustynię i sprawić, że ożyje i zakwitnie jak róża. Ludzie obdarzeni intuicją i wyobraźnią znajdują wodę na pustyni i budują miasta tam, gdzie inni widzieli tylko piach.

To, co w wyobraźni postrzegasz jako prawdę, istnieje już w twoim umyśle. Jeśli pozostaniesz wierny swojemu ideałowi, pewnego dnia stanie się on rzeczywistością. Biegły architekt, który jest w tobie, wyświetli na ekranie realnego świata to, co odciśniesz w swoim umyśle.

Wyobraźnia sprzyja kreatywności

Mario A., młody chemik, pracował dla firmy, która bezskutecznie usiłowała wyprodukować pewien barwnik. To właśnie zadanie otrzymał tuż po przyjęciu do pracy. Nie przyjął do wiadomości dotychczasowych niepowodzeń i zsyntetyzował nową substancję bez trudu. Zdumieni przełożeni chcieli poznać jego tajemnicę. Odparł, że wyobraził sobie, iż już zna odpowiedź. Naciskany, powiedział, że jasno widział litery ODPOWIEDŹ ukazujące mu się w jaskrawoczerwonym kolorze w jego umyśle. Pod literami umieścił próżnię, ponieważ wiedział, że kiedy będzie próbował wyobrazić sobie wzór chemiczny kryjący się za literami, pustka ta zostanie wypełniona przez jego podświadomość. Trzeciej nocy miał sen, w którym wyraźnie zobaczył cały wzór i metodę produkcji tego związku. Historia zakończyła się awansem młodego chemika na stanowisko kierownicze.

Bądź wierny do końca, pełen wiary na każdym etapie drogi, wytrwały aż po kres. Miej w sercu pewność, że osiągnięcie celu jest możliwe, ponieważ ty już ten cel widziałeś. Ujrzałeś go i poczułeś jego realność, a tym samym mocą swej woli stworzyłeś środki jego urzeczywistnienia.

Rozwiń siłę wyobraźni

Kreatywność nie jest jedynie cechą artystów, wynalazców czy przedsiębiorców. Wszyscy mamy w sobie tę moc. Musimy tylko ją rozwinąć i wydobyć na powierzchnię. Oto kilka wskazówek, jak tego dokonać:

1. Wyobrażaj sobie, że robisz to, co uwielbiasz, i poczuj, że właśnie wykonujesz tę czynność, a cuda zaczną się dziać w twojej pracy i na drodze twojej kariery.
2. Wyobrażaj sobie, że jesteś zdrowy i doskonały, odnosisz sukcesy w życiu zawodowym, mieszkasz w pięknym domu, otoczony szczęśliwą, radosną rodziną. Nieustannie trzymaj się tego wyobrażenia i ciesz się jego cudownymi następstwami.
3. Wyobrażaj sobie, że przełożeni doceniają twój wkład w osiąganie celów firmy lub działu i gratulują ci sukcesu.
4. Jeżeli poza miejscem pracy będziesz koncentrować się na sytuacjach zawodowych, rozwiązania problemów często będą się pojawiać już gotowe i ukończone w twoim umyśle bez najmniejszego wysiłku z twojej strony.

5. Wyobraź sobie, jakie kroki musisz poczynić, aby wspiąć się po drabinie kariery lub rozwinąć firmę, którą chcesz założyć. Niech twoja wizja będzie żywa, realistyczna, naturalna, plastyczna i ekscytująca. Twój podświadomy umysł zaakceptuje twoje wyobrażenia i doznania i urzeczywistni je.

Edward Harriman wyobraził sobie linię kolejową przecinającą Amerykę w poprzek. Piórem na papierze nakreślił linię łączącą oba skraje kontynentu. Tę wizję wzmacniała jego wiara i ufność. Dzięki niej zrewolucjonizował przemysł i handel i dał pracę milionom ludzi, przysparzając niewyobrażalnych bogactw sobie i wielu innym.

Wyobraź sobie teraz rzeczywistość swojego pragnienia i żyj tą rolą w świecie wyobraźni. Twoje wewnętrzne działania muszą odpowiadać temu, jak zachowywałbyś się w świecie zewnętrznym po zrealizowaniu swojego pragnienia.

Nigdy nie porzucaj kreatywności

Nie pozwól, by strach przed odrzuceniem powstrzymywał cię przed wysuwaniem kreatywnych propozycji. Gary F. rozważał pomysł, dzięki któremu można by zwiększyć produktywność poprzez prostą zmianę sposobu postępowania. Czy powinien o tym powiedzieć swojemu szefowi? Poprzednim razem jego propozycja została odrzucona. Szef orzekł wtedy, że to nie zadziała, i nie pozwolił Gary'emu nic wyjaśnić. Dlaczego więc Gary miałby się teraz angażować?

Łatwo się poddać zniechęceniu. Jeśli jednak nie będziesz wychodzić ze swoimi pomysłami, zdławisz swoje zdolności twórcze. Innowacyjność należy doskonalić poprzez ciągłe użytkowanie. Ludzie są skłonni do autocenzury, ponieważ martwią się, jak ich pomysły zostaną przyjęte. Autocenzura jest dużo gorsza od krytyki zewnętrznej, ponieważ przenika do podświadomego umysłu i wywołuje poczucie niższości. Z pewnością będziesz popełniać błędy i wysuwać propozycje, które się nie sprawdzą, a nawet możesz zostać wyśmiany przez szefa lub współpracowników. Nie pozwól, by to cię powstrzymało. Einstein, Edison, Whitney i Watt byli często przedmiotem żartów. Ty jednak zadbaj o to, aby twórcze idee ciągle napływały do twojego umysłu.

Jak zwiększyć kreatywność

Kreatywność można spotęgować na wiele sposobów. Na początek przyjrzyj się już istniejącym metodom, a następnie zastanów się, jak je udoskonalić, i wyobraź sobie, jak tego dokonać. Oto kilka konkretnych metod rozwijania kreatywnych zdolności:

1. *Obserwacja*. Aby być człowiekiem kreatywnym, nie trzeba być pomysłodawcą. Obserwowanie otoczenia i stosowanie nabytej wiedzy w innych sytuacjach jest równie kreatywne jak wprowadzanie innowacji.

Stan L., menedżer w firmie Hooper Steel w Las Vegas, zauważył, że w miarę przybywania samoobsługowych stacji benzynowych, niewyposażonych jak dawniej w urządzenia do wymiany oleju i smarowania podwozia, zaczęły się pojawiać zakłady oferujące usługę szybkiego smarowania. Stan był zadowolony z szybkości i jakości usług jednej z takich stacji.

Przez wiele lat firma Hooper Steel wysyłała ciężarówki do działu obsługi firmy, w której zostały zakupione, w celu regularnego smarowania mechanizmów. Aby doprowadzić ciężarówki do dilera, potrzebne były dwie osoby (zadaniem jednej z nich było dowiezienie do warsztatu drugiego kierowcy własnym samochodem), konieczne było pozostawienie ciężarówki w warsztacie na cały dzień, a potem jej odebranie, co znowu zabierało czas dwu osobom.

„Dlaczego by nie wysłać naszych ciężarówek do stacji szybkiego smarowania?" – pomyślał Stan. Do czego to doprowadziło? Posyłając jednego kierowcę do stacji szybkiego smarowania, gdzie czas oczekiwania to około pół godziny, Stan przyczynił się do zaoszczędzenia przez swoją firmę około 1600 dolarów miesięcznie w przeliczeniu na wydatki na obsługę i czas pracowników. Poza tym ciężarówka była do dyspozycji przez większą część dnia.

2. *Modyfikacja.* Czy aby stworzyć coś nowego, możesz zmodyfikować istniejący produkt lub koncepcję? Założyciele sieci sklepów Think Big zmodyfikowali standardowe produkty i produkowali ich powiększone wersje – olbrzymie kopie popularnych artykułów, od ołówków i notatników po figurki zwierząt i meble, i doprowadzili do powstania nowych segmentów rynku w branży reklamy, zdobnictwa i upominków.

3. *Podstawienie.* Często można uporać się z niską efektywnością pracy i innymi problemami, stosując nowe technologie. Wiele sytuacji można jednak naprawić łatwiej i skuteczniej, odwołując się do wyobraźni. Darlene A., kierowniczka biura w firmie Mass.Mailers, miała trudności z nadmierną rotacją pracowników wykonujących wyjątkowo nudną, rutynową pracę, polegającą na wkładaniu broszur i próbek do kopert. Pracy tej nie mogły wykonać automaty. Rotacja nie tylko wiązała się z kosztami, ale na dodatek nigdy nie było pewności, że pracownicy stawią się do pracy, kiedy będą potrzebni. Darlene doszła do wniosku, że wprawdzie dla przeciętnych ludzi ta praca może być nudna, może być jednak dobrą okazją dla osób upośledzonych umysłowo, które szukają nowych zajęć. Skontaktowała się z miejscowym domem dziennego pobytu, który miał pod opieką osoby upośledzone umysłowo. Uzgodniła z pracownikami socjalnymi, że część pensjonariuszy podejmie tę pracę na próbę. Dzięki nowatorskiemu podejściu do problemu Darlene zdołała zatrudnić ludzi, którym to zajęcie sprawiało przyjemność i którzy stali się stałymi i wartościowymi pracownikami.

4. *Eliminacja.* Jednym z największych złodziei czasu i pieniędzy jest biurokracja. Papierkowa robota, której przybywa w miarę rozrastania się firm, wraz z nieodłącznym mnożeniem się formularzy i sprawozdań, może tłumić produktywność. Czy wszystkie te formularze są naprawdę konieczne?

Gil W. był wzburzony. W jego firmie wprowadzono kolejny formularz dla sprzedawców. Jakim cudem miał znaleźć czas na spotkania z klientami i bieżącą sprzedaż, skoro miał tyle papierkowej roboty? Kierowniczka, której się poskarżył, wzruszyła ramionami i odrzekła, że te informacje są potrzebne „tym z góry". Gil wziął wszystkie formularze do wypełnienia, ułożył je obok siebie i przeanalizował informacje, których trzeba było udzielać. Było oczywiste, że wiele danych się powtarza. Zamiast się na to uskarżać, Gil zaprojektował nowy, łatwy do wypełnienia formularz, który umożliwiałby kierownictwu uzyskanie koniecznych informacji. W ten sposób nie tylko ułatwił pracę sprzedawcom, ale zaoszczędził firmie sporo czasu i pieniędzy. Dodatkowa korzyść: w ten sposób zapoczątkowano w firmie systematyczny przegląd wszystkich formularzy i wyeliminowano wiele przestarzałych i zbędnych już sprawozdań.

5. *Adaptacja.* Kreatywność nie ogranicza się do wymyślania zupełnie nowych koncepcji. Ludzie kreatywni często adaptują to, co okazało się skuteczne dla innych osób – niekoniecznie w identycznych sytuacjach – w celu rozwiązania problemów, z którymi się borykają. Firma North Jersey Limousine Service świadczy usługi transportu kołowego z różnych miast stanu New Jersey do większych lotnisk metropolii Nowego Jorku. Stali klienci firmy ciągle skarżyli się na długi czas składania zamówienia. Za każdym razem musieli podawać swoje nazwisko, adres, telefon, numer karty kredytowej i inne informacje. Jeden z dyrektorów firmy często korzystał z usług dużego domu sprzedaży wysyłkowej. Zauważył, że kiedy miał już za sobą pierwsze zamówienie, podczas kolejnych nigdy nie pytano go o nic poza przedmiotem zamówienia. Dowiedział się, że firma wysyłkowa dysponowała komputerową bazą danych, w której umieszczono wszystkie informacje o klientach. Dzwoniący klient był identyfikowany na podstawie specjalnego numeru, po czym jego dane natychmiast wyświetlały się na ekranie komputera. Dzięki wdrożeniu tego systemu przez North Jersey Limousine Service czas przyjęcia zamówienia został skrócony z trzech minut do dwudziestu pięciu sekund.

To tylko kilka sposobów na pobudzenie krążenia twórczych soków. Sięgając dalej wyobraźnią, poszerzając swoje horyzonty, zrywając z konwencjonalnym podejściem do problemów, stajesz się bardziej innowacyjny, rozwiązujesz trudne problemy oraz inicjujesz i wdrażasz ekscytujące nowe koncepcje. Będzie to nie tylko korzystne dla twojej firmy, ale również pozwoli ci świetnie się poczuć z racji tego, że czegoś dokonałeś, a twoje pomysły udaje się wcielić w życie.

Niestety, soki kreatywności, które płyną swobodnie dzięki odpowiedniemu oddziaływaniu środowiska, u wielu ludzi przestają krążyć. Dochodzi do tego już w dzieciństwie lub w późniejszym okresie życia pod wpływem nadmiernie analitycznego podejścia oraz chęci przypodobania się nauczycielom, rodzicom, a w końcu przełożonym. Jakże często kreatywność blokowana jest przez sposób myślenia kierujący się zasadą czerwonych świateł: „Daj sobie z tym spokój", „To niezgodne z polityką firmy", „Nigdy tego tak nie robiliśmy". Zamiast szukać powodów, dla których nie należy wypróbowywać nowych pomysłów, patrz na innowacyjne koncepcje z otwartym umysłem. Włącz zielone światło. Przyjrzyj się im uważniej. Sięgaj myślą poza to, co oczywiste.

Nie każdy pomysł musi się sprawdzić, a niektórych nawet nie warto rozwijać. Wystarczy jednak myśleć o danym pomyśle i omawiać go z innymi ludźmi, by się przekonać, czy jest wykonalny. Jeżeli trzeba go będzie odrzucić, dowiedz się dlaczego. Nie trać ducha. Często jakaś koncepcja może się wydawać dobra, lecz nie można jej zastosować w konkretnym przypadku lub w danej chwili. Nie oznacza to, że jest zła. Nie należy też tego interpretować jako ataku na swoją osobę. To nie ty zostałeś odrzucony, lecz twój pomysł.

Kreatywność może postawić na nogi upadającą firmę

Można podać mnóstwo przykładów firm znajdujących się na krawędzi bankructwa, które nie tylko zostały uratowane, lecz zaczęły znakomicie funkcjonować dzięki kreatywnemu myśleniu liderów.

Przez ponad czterdzieści lat firma Pitney Bowes kontrolowała 100% rynku poczty frankowanej maszynowo. Prawie połowa wszystkich przesyłek pocztowych w Stanach Zjednoczonych przechodziła przez maszyny wyprodukowane przez tę firmę. Dobra passa skończyła się jednak, kiedy Urząd Pocztowy Stanów Zjednoczonych położył kres monopolowi firmy. W wyniku zastosowania innowacyjnych pomysłów konkurencji udział w rynku firmy Pitney Bowes znacznie się skurczył.

Na szczęście nowy dyrektor, Fred Allen, ujrzał Pitney Bowes w szerszej perspektywie. Uznał, że firma nie powinna działać tylko na rynku maszynowego frankowania poczty, lecz prezentować się jako dostawca rozwiązań technicznych i usług w branży telekomunikacji. Allen zorientował się, że nadchodzi czas faksów i kopiarek i że podczas produkcji tych urządzeń można wykorzystać doświadczenia firmy i jej reputacji w dziedzinie sprzedaży i usług. Nowa wizja sprawdziła się i pod koniec lat osiemdziesiątych nie mniej niż połowa dochodów firmy pochodziła ze sprzedaży produktów wprowadzonych na rynek w okresie nie dłuższym niż trzy lata. Zrealizowanie przez Freda Allena własnej twórczej wizji doprowadziło do opracowania nowej strategii marketingowej oraz wyprodukowania nowoczesnych urządzeń biurowych niezbędnych w nowym modelu biznesu.

Inne wielkie firmy utrzymały swoją pozycję dzięki śmiałej rewizji, modyfikacji, przeplanowaniu i reorientacji strategii marketingowych. Sieć sklepów spożywczych Kroger zreorganizowała swój system otwierania nowych punktów, co pozwoliło zwiększyć obroty firmy i prześcignąć konkurencję. Firma Abbott, gigant na rynku farmaceutycznym, pokonała rywali, koncentrując się na diagnostyce i produktach stosowanych w żywieniu szpitalnym.

Aby osiągnąć sukces, często konieczne było pokonanie oporu dyrektorów i innych menedżerów wyższego szczebla. Fred Allen nigdy nie stracił nadziei. Wierzył, że dzięki swojej wyobraźni, kreatywności oraz śmiałemu wdrażaniu pomysłów osiągnie wspaniałe rezultaty.

Kiedy popadniesz w zwątpienie, przypomnij sobie dokonania liderów, takich jak Fred Allen. Zaszczep teraz w swoim umyśle wyobrażenia, koncepcje i myśli, które leczą, błogosławią, niosą szczęście, inspirują i wzmacniają. Jest prawdą, że człowiek staje się taki, jakim się widzi w wyobraźni. Pielęgnowane wyobrażenie wystarczy do przekształcenia świata. Uwierz, że prawa twojego umysłu urzeczywistnią twoje dobro, a doświadczysz wszystkich błogosławieństw i bogactw życia.

Krótko mówiąc

- Każdy może być kreatywny. Nie musisz być Edisonem ani Billem Gatesem, aby działać innowacyjnie. Masz zdolność poszerzania swej wyobraźni. Od ciebie zależy, czy będziesz ją rozwijać.

- Dzięki mocy wyobrażania sobie rezultatu masz władzę nad wszelkimi okolicznościami i warunkami. Jeśli chcesz urzeczywistnić jakiekolwiek życzenie, pragnienie, plan lub pomysł, nakreśl wizję jego urzeczywistnienia. Ciągle wyobrażaj sobie swoje pragnienie już zrealizowane. W ten sposób zapadnie ono w twoją podświadomość i będzie zmuszone do ucieleśnienia się.

- Twoja wyobraźnia może nadać konkretną postać i kształt wszelkim myślom i pragnieniom. Możesz wyobrażać sobie obfitość tam, gdzie jest niedostatek, skuteczność w miejsce nieudolności i rozwój zamiast dławiącej stagnacji.

- Obserwuj działania innych firm w podobnych sytuacjach. Adaptując metody, które okazały się skuteczne w ich przypadku, być może zdołasz poradzić sobie z własnym problemem.

- Korzystaj z mocy wyobraźni. Szukaj w pracy lub biznesie takich obszarów, w których jest miejsce na poprawę. Nie bój się próbować nowych metod. Możesz doświadczyć niepowodzeń, ale jeśli będziesz doskonalił swoją kreatywność, odniesiesz sukces we wszystkich przedsięwzięciach.

Rozdział 10

Przezwycięż złe nawyki

*Niezależnie od tego, jakich złych nawyków nabyłeś i z jaki-
mi słabościami pragniesz się uporać, znajdziesz na to receptę
w swoim wnętrzu. Czy jest to wyjątkowo paskudne przyzwy-
czajenie, czy tylko mała, głupia rzecz, która zaledwie ci przeszkadza, możesz się ich pozbyć. Możesz przekuć swoje wady
w zalety; możesz pokonać wszystkich wrogów swojego szczęścia i pomyślności, przywołując na pomoc swoją boską naturę,
nieuchwytną moc, która spoczywa uśpiona w twoim wnętrzu.*

Przyzwyczajenia są drugą naturą wszystkich ludzi.
Mamy skłonność robić pewne rzeczy w określony sposób, zawsze tak samo. „Nawyk" można określić jako
„uzależnienie", „obyczaj", „manierę" lub „naturę". Niektóre nawyki lub rytuały są całkiem użyteczne. Ustanawiają tradycję lub schemat postępowania i sprawiają, że nasze działania nabierają pewnego ładu, sensu
i skuteczności. Niestety, niektóre przyzwyczajenia mogą
prowadzić w ślepą uliczkę sztywnych schematów działania umysłu i ciała i blokować otwartość na zmiany.
Nawyki są sposobem życia – wzorcami, które realizuje-
my, ponieważ jesteśmy do tego przyzwyczajeni. Niektóre
przyzwyczajenia są dobre, inne złe. Nawyki kształtowa-
ne w pracy często decydują o doskonałości lub miernocie. W tym rozdziale zobaczymy, jak powstają nawyki,

jak można pokonać złe przyzwyczajenia, jak zastąpić je dobrymi nawykami i w ogóle jak kształtować wzorce zachowania, które prowadzą do sukcesu.

Jak kształtować dobre nawyki

Dominujący, kreatywny, pozytywny charakter buduje się poprzez ciągłe powtarzanie dobrych uczynków i twórczych myśli aż do chwili, gdy procesy te staną się nawykowe. W zależności od sposobu myślenia, do którego się przyzwyczaimy, wyrobimy sobie silny lub słaby charakter. Jeżeli będziemy pewni siebie, asertywni i gotowi do podejmowania decyzji, staniemy się ludźmi silnymi i kreatywnymi. Jeśli jednak będziemy snuć myśli nacechowane zwątpieniem, wahaniem, niepewnością i nieufnością; jeżeli będziemy w duchu usuwać się w cień, niedoceniać i samooskarżać, staniemy się negatywni i nieudolni. Wszystko zależy od tego, w którą stronę pokierujemy swój umysł takim lub innym nawykowym sposobem myślenia.

Dużo się słyszy o roli szczęścia lub okoliczności w odnoszeniu sukcesu czy niepowodzenia w życiu zawodowym. Oczywiście mogą one mieć pewien udział, częściej jednak obrany przez nas kierunek zależy od nawyków, które wykształcimy w sobie i które będziemy wcielać w życie. Zła droga nie musi być obierana świadomie. Wystarczy, że będziemy ulegać swoim skłonnościom, namiętnościom, żądzom i inercji psychicznej, a nawyk wykona resztę. Nawyk nigdy nie próżnuje – czy to na jawie, czy we śnie, ciągle rozsnuwa swe niewidzialne nici wokół naszych myśli i charakteru. Czy to na naszą korzyść, czy na zgubę, nawyk stopniowo bierze nas w posiadanie. To, co robimy rozmyślnie dzisiaj, będziemy tym łatwiej robili jutro, a jeszcze łatwiej pojutrze.

Aby kształtować dobre nawyki, nie próbuj wykorzeniać swoich wad lub złych cech charakteru, lecz w zamian kultywuj przymioty im przeciwstawne. Jeśli będziesz się tego trzymać, złe cechy stopniowo znikną. Wyeliminuj negatywne, kultywując pozytywne.

Najlepszym z możliwych środków zaradczych lub antidotów na niskie pobudki, których chcemy się pozbyć, jest pragnienie czegoś lepszego i wznioślejszego. Przyzwyczajając się do tego, by zawsze do czegoś aspirować, iść w górę i piąć się ku temu, co wyższe i lepsze, przestajemy karmić swoje niepożądane cechy charakteru i sprawiamy, że słabną i zamierają.

Jak się pozbyć złych nawyków

Niełatwo przezwyciężyć od dawna zakorzeniony nawyk. Wiadomo jednak, że można tego dokonać – i to w dowolnej chwili. Tysiące mężczyzn i kobiet przezwyciężyły nawyki, które nieomal zniszczyły ich karierę, a mogły nawet zrujnować życie.

Problem większości osób, które próbują zerwać ze złymi nawykami i wypracować dobre, polega na tym, że nie zdają sobie one sprawy ze swoich uśpionych sił i nie odwołują się dość stanowczo do swojej wyższej, silniejszej jaźni. Nawet w połowie nie wykorzystują mocy podświadomego umysłu, potężnej dźwigni otrzymanej od Boga, pozwalającej się wznieść do stanu, w którym są Bogu podobni. Ich postanowienia są słabe i chwiejne. Nie ma w nich mocy ani charakteru.

Jedną z doskonałych metod wyeliminowania złego nawyku jest odcięcie dopływu pożywienia, którym się karmi. Nie próbuj się cackać ze złym nawykiem ani też odchodzić od niego małymi kroczkami. Przypuść śmiały i pewny atak na wroga. Wyrwij się spod władzy starego nawyku i nabierz nowych przyzwyczajeń, stosując sposób przedstawiony przez prof. Williama Jamesa:

„Musimy zadbać o to, aby wyrywając się z uchwytu starego przyzwyczajenia, uczynić to w miarę możliwości z mocą i zdecydowanie. Musimy odwołać się do wszelkich możliwych okoliczności, które wzmocnią właściwą motywację. Musimy wytrwale stawiać się w każdym możliwym położeniu sprzyjającym nowemu obrotowi sprawy. Musimy podejmować zobowiązania sprzeczne ze starym biegiem rzeczy. Musimy wspomagać swoje postanowienie w każdy możliwy sposób, który jest nam znany".

Jedyną drogą do zerwania z nawykiem jest po prostu zerwać z nim i mocno postanowić, że nie będziesz wdawać się w to, co ci szkodzi. Jeśli będziesz serio trzymać się swojego postanowienia i spalisz za sobą mosty, zobowiązanie to odda na twoje usługi olbrzymie ukryte zasoby, z których istnienia prawdopodobnie nie zdawałeś sobie sprawy. Dopóki jednak zostawiasz sobie furtkę i sądzisz, że kiedy pokusa oddania się staremu nawykowi stanie się zbyt silna, po prostu odrobinę sobie pofolgujesz, w takim wypadku zmniejszasz szanse zapanowania nad nim.

Niełatwo tego dokonać w pracy, w której wiele „złych nawyków" wpisanych jest w metody rozwiązywania problemów. Twoje sposoby postępowania przynosiły dobre rezultaty tak często, że zdaje ci się, iż będą zawsze skuteczne. Stają się one twoim „nawykowym" sposobem wykonywania pracy. Jednak okoliczności się zmieniają i to, co działało w przeszłości, przestaje być skuteczne. Wielu ludzi uparcie trzyma się jednak swoich nawyków. „To zadziała, ponieważ działało zawsze". Mądrzy ludzie przyznają i akceptują to, że podejście nawykowe nie zawsze jest optymalną metodą rozwiązania problemu, porzucają utarte szlaki i szukają nowych sposobów podejścia do trudności.

Pewien wieloletni profesor zarządzania został zaangażowany przez ogólnokrajową sieć handlu detalicznego w celu napisania i prowadzenia programu szkoleniowego dla kierowników sklepów. Profesor zaplanował sesje szkoleniowe z użyciem tych samych metod, które sprawdziły się na uniwersytecie. Wkrótce zdał sobie jednak sprawę, że jego przesłanie nie dociera do osób biorących udział w szkoleniu.

Po kilku zajęciach profesor omawiał brak postępów z wicedyrektorem odpowiedzialnym za szkolenia, który stwierdził: „Uczestnicy kursu są ludźmi aktywnymi, którzy łatwo się nudzą wykładami".

„Ale właśnie wykłady są moją metodą nauczania – odrzekł profesor. – To jedyny sposób na przekazanie całego materiału, który uczestnicy muszą sobie przyswoić w wyznaczonym czasie. To zawsze się sprawdzało. Przywykną do tego". Wicedyrektor nie zgodził się z tym: „Musi pan ich bardziej zaangażować. Metody uniwersyteckie tutaj się nie sprawdzą".

Profesor długo się nad tym zastanawiał. Opracowany przez niego styl prowadzenia wykładów był przecież w jego mniemaniu interesujący, a czasami nawet zabawny i chwalony przez uczestników. Zmiana tego stylu była czymś w rodzaju wykorzeniania nawyku, z którym było mu bardzo wygodnie. Postanowił jednak spróbować nowego podejścia. Zdecydował się zrezygnować ze starego stylu, choć wiedział, że będzie mu ciężko, i nakłonił uczestników do większej aktywności.

Tematem kolejnej sesji był proces najmowania pracowników. Zamiast wygłaszania przygotowanego wykładu zapytał menedżerów o ich problemy w związku z pozyskiwaniem i doborem nowych pracowników. Uczestnicy szkolenia kolejno opowiadali o stosowanych metodach, o swoich sukcesach i porażkach, o obawach w tej dziedzinie. Profesor z trudem opierał się pokusie udzielania długich, akademickich odpowiedzi, pamiętał jednak, że miał pozwolić uczestnikom na czynny udział w szkoleniu. Ku jego wielkiemu zadowoleniu uczestnicy jeden za drugim dzielili się swoimi doświadczeniami, często pomagając innym swoimi historiami sukcesu i ostrzegając ich o możliwych problemach. Profesor uzupełniał ich wypowiedzi krótkimi komentarzami i podsumowaniami. Okazało się, że większą część czasu przeznaczonego na wykład zajęła dyskusja, a uczestnicy wyszli podekscytowani i nie mogli się doczekać następnej sesji szkoleniowej. Profesor zwierzył się wicedyrektorowi, że przeszedł najcięższą próbę, jaką było dla niego powstrzymywanie się przed zdominowaniem uczestników własnymi koncepcjami. Sprostał temu wyzwaniu, dzięki czemu na równi z uczestnikami mógł uznać to spotkanie za udane i satysfakcjonujące.

Odkładanie na później
Odkładanie na później jest jednym z najczęściej spotykanych złych nawyków w miejscu pracy.

„Co masz zrobić dziś, zrób jutro" – oto motto leniuchów.

Taka opieszałość nie musi wynikać z lenistwa. Większość z nas ma zwyczaj zwlekania. Mamy skłonność odkładać do ostatniej chwili to, czego nie lubimy lub czego się obawiamy. Opieszałość ma wiele powodów. Zadanie do wykonania może wydawać się nam przykre lub mniej interesujące od innych zajęć – najczęściej jednak zwlekamy, ponieważ obawiamy się niepowodzenia.

Wielki talent, zniechęcony i unieruchomiony przez

dławiący strach, często musi się parać nędzną pracą. Wszędzie można spotkać wykwalifikowane osoby, których starania spełzają na niczym, a zdolności sprawcze prawie zanikają w wyniku pojawienia się tego potwora, który odbiera pewność siebie wielu stanowczym ludziom i doprowadza najzdolniejszych do zalęknienia i nieskuteczności.

Żadna chwila nie może się równać z chwilą obecną. W gruncie rzeczy żadna chwila poza obecną nie ma właściwie znaczenia, mocy ani energii. Siły trwonione na odkładanie dzisiejszych obowiązków do jutra często wystarczyłyby do wykonania pracy. O ile trudniejsza i mniej przyjemna jest praca odłożona na później. Zadanie, które we właściwym czasie można by wykonać z przyjemnością i zapałem, opóźnione o kilka dni lub tygodni staje się udręką.

Praca wykonywana o czasie nie męczy. „Później" oznacza zwykle „na święty nigdy", a plany często kończą się na zamiarach. Czyn jest jak wysiew ziarna; jeśli nie dokona się o właściwym czasie, zawsze będzie nie w porę. Lato wieczności nie wystarczy, by dojrzał owoc spóźnionego działania.

Ludzie działający zawsze o właściwym czasie, nawet jeśli popełniają sporadyczne błędy, odnoszą sukcesy, natomiast opieszali, jeśli nawet są od nich mądrzejsi, skazani są na porażkę.

Oto kilka wskazówek, jak się uporać z opieszałością:

- Człowiek opieszały to nie taki, który nie potrafi wykonać pracy na czas, lecz taki, który w ogóle jej nie rozpoczyna. Zatem do dzieła! Przypomnij sobie powiedzenie Bena Franklina: „Nie odkładaj do jutra tego, co możesz zrobić dzisiaj".

- Nie bój się nowych lub innych niż dotychczasowe zajęcia. Zagłębiaj się w temat i podejmij działanie.
- Nie uginaj się pod ciężarem skomplikowanego projektu. Podziel go na elementy, z którymi będziesz mógł się uporać. Ułóż harmonogram wykonania każdej części.
- Jeśli obawiasz się coś zrobić lub nie masz na to ochoty, zajmij się tym, kiedy jesteś najbardziej wypoczęty i masz najwięcej sił.
- Włącz do planu punkty określające cząstkową realizację celu. Może być trudno znaleźć motywację do rozpoczęcia projektu, którego rezultaty będą widoczne dopiero po długim czasie. Ustanawiając terminy wykonania zadań na poszczególnych etapach projektu, możesz zobaczyć postępy czynione po drodze i czerpać z nich satysfakcję.
- Zacznij w przypadkowo wybranym momencie. Jeżeli nie wiesz, jak się zabrać do trudnego projektu, nie dumaj nad tym, lecz poczyń wstępne założenie i przystąp do pracy. Praca pobudzi twój mózg do działania. Jeśli takie podejście nie przyniesie efektów, możesz zacząć od początku. Lepiej przyjąć aktywną postawę, niż zwlekać z rozpoczęciem projektu.
- Kiedy będziesz pracować nad specjalnym projektem, niemieszczącym się w ramach zwykłej pracy, może cię najść pokusa odłożenia tego, „aż znajdziesz wolny czas". Wyznacz sobie każdego dnia specjalną porę na pracę nad tym projektem.
- Jeżeli ukończysz w terminie zadanie, z którym zwykle zwlekasz, daj sobie jakąś nagrodę.

Przyznaj się do swoich wad

Jeżeli jakiś przykry nawyk hamuje twój rozwój i przeszkadza w osiągnięciu sukcesu zawodowego, nabędziesz mocy przeciwstawienia się mu, jeśli będziesz stale sobie powtarzał: „Wiem, że to (tu nazwij rzecz po imieniu) jest przeszkodą na mojej drodze. Nie działam wystarczająco skutecznie; nie myślę równie jasno i nie panuję nad swoim umysłem tak, jak bym mógł, gdyby nie powstrzymywała mnie ta ułomność.

Gardzę nawykami, które mnie unieruchamiają i popychają ku porażce. Wiem, że jeśli nie zmienię tego przyzwyczajenia, będzie mnie ono wiązać coraz mocniej i zmniejszać moje szanse na wyrwanie się z jego mocy".

Mów do siebie zawsze w ten sposób w chwilach samotności, a zdziwisz się, jak szybko ta wskazówka pozwoli ci rozluźnić uchwyt złego nawyku. Po krótkim czasie te słowa umocnią cię w twoim zobowiązaniu do tego stopnia, że będziesz zdolny zupełnie pozbyć się swojej wady.

Wally L. był jednym z szefów przekonanych o konieczności sprawowania pełnej kontroli nad swoim działem. Miał pod sobą dwunastu techników i chociaż biegle wykonywali swoją pracę, zawsze ich sprawdzał po każdym zadaniu, a często nawet w trakcie jego wykonywania. Ze względu na nadmierną rotację pracowników w jego dziale szef wezwał go, aby omówić tę sprawę.

— Wally, z rozmów przeprowadzonych z osobami opuszczającymi twój dział wynika, że wszystkie skarżą się na to samo. Mają ci za złe to, że kontrolowałeś wszystkie ich poczynania. Masz dobrych pracowników i musisz pozwolić im wykonywać swoją pracę.

— Ale przecież jestem odpowiedzialny za swój dział — odpowiedział Wally. — Muszę mieć ich na oku, bo inaczej nie wykonam swojego zadania.

– Dobrzy pracownicy powinni mieć swobodę w pracy i nie należy im ciągle zaglądać przez ramię. Jestem odpowiedzialny za twoją pracę, ale nie patrzę ci stale na ręce, bo ci ufam. Musisz zaufać tym, którzy dla ciebie pracują – odparł szef.

– Ale jeśli dam im wolną rękę, nie wyłapię w porę błędów, żeby móc je skorygować, a może wcale ich nie zauważę – martwił się Wally.

– Ciągły nadzór jest tylko jedną z metod sprawowania kontroli. Istnieją sprawdzone, skuteczne metody delegowania pracy. Poznaj je i zastosuj – odpowiedział szef.

Przełożony Wally'ego opisał kilka sposobów, które omawiamy szczegółowo w rozdziale 11. Wally długo się nad tym zastanawiał. Bał się odpuścić, ale wiedział, że jest to konieczne.

Powstrzymywanie się od stałego kontrolowania podwładnych sprawiało mu trudność. Kiedy miał ochotę zajrzeć technikowi przez ramię, mówił do siebie: „Nie rób tego, musisz mu zaufać". Z czasem nabył niezbędnego zaufania do wszystkich pracowników i zdał sobie sprawę, że chociaż niekiedy zdarzają się im błędy, łatwo można je wykryć w punkcie kontrolnym i naprawić. Praca stała się dla Wally'ego łatwiejsza, a napięcie w dziale opadło. Rotacja pracowników się zmniejszyła, a Wally znalazł czas na rozszerzenie zakresu swojej pracy.

Emily R. była ciągle zabiegana. Kiedy była dziewczynką, pędem odrabiała lekcje i wykonywała obowiązki domowe, chcąc je prędko ukończyć i wyjść na dwór się pobawić. Kiedy znalazła pierwszą pracę na stanowisku związanym z wprowadzaniem danych, stosowała te same metody. Zawsze pierwsza wykonywała zadanie, lecz często popełniała mnóstwo błędów i musiała wszystko zaczynać od nowa. Pomimo napomnień szefowej, że należy pracować wolniej i uważniej, niełatwo było zerwać z przyzwyczajeniem wyniesionym ze szkoły. Po pewnym czasie kierowniczka postawiła jej warunek: „Jesteś inteligentną dziewczyną, Emily, ale twój nawyk przedkładania szybkości nad dokładność będzie ci uniemożliwiać należyte wykonywanie zadań. Musisz z tym zerwać. Jeżeli się nie poprawisz, będziemy musiały się pożegnać". Podpowiedziała jej, żeby podczas następnego zadania skoncentrowała się na dokładności i wcale nie myślała o czasie.

Emily była wstrząśnięta. Owszem, lubiła tę pracę, ale była dumna ze swojej szybkości. Postanowiła, że spróbuje zerwać z nawykiem przyśpieszania. Kolejne zadanie rozpoczęła w wolnym tempie, ale po pewnym czasie zaczęła znowu się śpieszyć. Nagle zatrzymała się, sprawdziła wykonaną pracę i zauważyła, że pierwszą część zrobiła bezbłędnie, ale w następnej, którą wykonywała szybciej, znalazło się jednak kilka błędów. Emily poprawiła je i kontynuowała pracę.

Powiedziała do siebie: „Ten zły nawyk niekorzystnie odbija się na mojej pracy, naraża mnie na śmieszność i stawia w niekorzystnym świetle. Wiem, że jestem zdolniejsza od wielu z tych, którzy pracują wydajniej ode mnie. Zamierzam teraz rozprawić się z tym, co niweczy moje nadzieje na przyszłość. Zamierzam uwolnić się od przymusu przedkładania szybkości nad dokładność niezależnie od tego, jak trudne się to okaże". Po kilku tygodniach Emily zdołała wreszcie tak zaprogramować swój podświadomy umysł, by nakłonić go do zaakceptowania jej postanowienia o zmniejszeniu tempa i skoncentrowaniu się na dokładności, a w rezultacie stała się jednym z najefektywniejszych pracowników w swoim dziale.

Nie uchylaj się przed prawdą

Przyznaj się do swoich złych nawyków. Nie wykręcaj się. Nie uporasz się ze złym przyzwyczajeniem, jeśli się do niego nie przyznasz.

Mieszkasz w psychicznym więzieniu, które sam zbudowałeś. Więżą cię twoje przekonania, opinie, wykształcenie oraz wpływy środowiska. Tak jak to się dzieje z innymi ludźmi, przyzwyczajenia są twoją drugą naturą. Zostałeś tak uwarunkowany, aby reagować w znany ci sposób.

Możesz przyswoić sobie ideę poprawy swoich zawodowych nawyków i skierować ją w głąb podświadomości. Zyskasz wtedy nowe spojrzenie na funkcjonowanie swojego umysłu. Odkryjesz w sobie nieskończone zasoby, które umocnią cię w twoim postanowieniu i udowodnią słuszność tej prawdy.

Jeśli gorąco pragniesz uwolnić się od tego, co blokuje twoje zdolności, jesteś uzdrowiony już w pięćdziesięciu jeden procentach. Jeżeli bardziej pragniesz się pozbyć złego nawyku, niż trwać w nim, ze zdumieniem odkryjesz, że uporanie się z tym jest całkiem proste.

Wszystko, na czym zakotwiczysz swój umysł, zostanie przez niego wyolbrzymione. Zajmij umysł ideami sukcesu i dokonań. Utrzymuj na tym jego uwagę. W ten sposób wzbudzisz uczucia, którymi stopniowo nasiąkną myśli o sukcesie i osiągnięciach. Każda myśl, która zyska taką emocjonalną otoczkę, zostanie zaakceptowana przez twoją podświadomość i urzeczywistniona.

Krótko mówiąc

Wykorzenianie starych nawyków nigdy nie jest łatwe. Jest jednak możliwe. Oto 10 wskazówek pomocnych w uwalnianiu się od wzorców zachowania uniemożliwiających ci stanie się człowiekiem, którym naprawdę chcesz być:

1. *Wybierz nawyk, który chcesz zmienić.* Weź na cel nawyk, który nie tylko przeszkadza ci w życiu, ale także uniemożliwia osiąganie celów. Wybierz destrukcyjny wzorzec, na którym możesz skupić swoje niezadowolenie i który możesz uzdrowić w konstruktywny sposób.

2. *Oceń problem.* Kiedy wybierzesz nawyk, określ, co rzeczywiście możesz zrobić i czego naprawdę pragniesz. Podziel duży problem na mniejsze elementy, z którymi będziesz mógł sobie poradzić za jednym zamachem.

3. *Wyznacz sobie śmiały, lecz osiągalny cel i harmonogram jego osiągnięcia.* Cele powinny być śmiałe, lecz realistyczne; jeśli będziesz odpowiednio i stopniowo poszerzał swoje horyzonty i zakres działań, powinieneś osiągnąć pożądane cele.

4. *Bądź gotów zmierzyć się z żalem po stracie nawyku.* Nie zdziw się, jeśli zarówno przed rozpoczęciem, jak i w trakcie pracy nad zmianą nawyku doznasz nagłego lub wręcz przenikającego poczucia straty. Może ci zabraknąć satysfakcji ze znajdowania błędów w pracy podwładnych, których nadmiernie kontrolowałeś, lub upojenia największą szybkością pracy, jeśli nawet odbywało się to kosztem dokładności. Z biegiem czasu twój podświadomy umysł dostosuje się do nowej sytuacji, a poczucie straty zniknie.

5. *Zasięgnij porady doradcy lub terapeuty.* Staraj się zapoznać z doświadczeniami i przemyśleniami przyjaciela, mentora lub profesjonalnego terapeuty, który byłby twoim doradcą w początko-

wej fazie. Mógłby ci pomóc w wyznaczeniu celów, udzielić wskazówek i wsparcia w radzeniu sobie z przykrymi emocjami, których możesz doświadczyć, oraz dodać otuchy, kiedy będziesz pozostawać w tyle.

6. *Przystąp do działania.* Zrób to! Postaw pierwszy krok. Szybko uzyskasz informacje zwrotne dotyczące tego, z czym potrafisz się uporać, a z czym nie, i dotrzesz do osiągalnych źródeł pomocy. Z pewnością uzyskasz dostęp do niezbędnej wiedzy, umiejętności i zasobów.

7. *Przyłącz się do grup zrzeszających inne osoby* pragnące zerwać z tym samym złym przyzwyczajeniem lub nabyć nowych nawyków. Kiedy dochodzi do interakcji osób mających wspólny cel, wzajemna pomoc nabiera nowego wymiaru. Szukaj takich grup jak Anonimowi Alkoholicy, przystosowanych do niesienia pomocy w konkretnych sytuacjach.

8. *Postępuj systematycznie.* Zmiana zachowania jest procesem stopniowym i często odbywa się w trzech fazach: (1) uwalnianie się od starego wzorca, (2) dokonywanie zmiany, (3) nabywanie nowego wzorca. Pierwsza faza obejmuje przyznanie się do destrukcyjnych wzorców i przystąpienie do ich eliminacji. W drugiej fazie próbujemy przyswoić sobie nowe umiejętności, narzędzia, zasoby i pozytywne działania. Podczas gdy pierwszy etap wywołuje przygnębienie, nieporadne stosowanie nowych zachowań w środkowej fazie procesu może być przyczyną niepokoju. W fazie końcowej metodą prób i błędów oraz praktycznego działania opanowujemy wreszcie nowy nawyk. Poczyniona zmiana zaczyna się wydawać bardziej naturalna.

9. *Nie poddawaj się!* Jedna z pułapek procesu modyfikacji zachowania polega na tym, że z początku uczymy się szybko, natomiast później pozornie nic się nie dzieje. Niech to cię nie skłoni do rezygnacji. Nie wpadaj w przesadny optymizm po szybkich zwycięstwach i nie trać pewności siebie w razie niepowodzeń. Upadanie, a potem wstawanie i ponowne ruszanie w drogę to zjawiska równie naturalne jak przypływy i odpływy mórz. Sukces polega na tym, by wstawać o jeden raz więcej, niż się upadło; być odważnym o jeden raz więcej, niż czuło się lęk; i ufać o jeden raz więcej, niż czuło się niepokój.

10. *Podążaj tą ścieżką.* Podążanie obraną drogą i pokonywanie napotykanych przeszkód jest integralną częścią procesu uczenia się. Zmienianie głęboko zakorzenionych i skomplikowanych wzorców zachowania wraz z towarzyszącymi temu upadkami i wzlotami to proces, który trwa całe życie.

CZĘŚĆ II

Jak nakłonić do współpracy i pozyskać pomoc innych

Nie myśl źle o drugim człowieku, ponieważ w ten sposób zatruwasz sam siebie. Odpowiedzią na pytanie, jak ułożyć sobie życie z innymi, jest miłość – rozumiana jako szacunek dla boskiej natury drugiego człowieka.

Twój sukces w życiu zawodowym często zależy od innych ludzi. Jedni z nich, np. przełożeni, podwładni i współpracownicy, należą do twojej organizacji, natomiast inni, jak klienci, przychodzą z zewnątrz.

Będziesz musiał motywować członków swojego zespołu, przełożonych, a nawet klientów i dostawców do tego, aby wspólnie z tobą dążyli do ustalonych celów. Musisz zatem zwiększyć swoje umiejętności komunikowania się i przekonywania innych do akceptowania twoich pomysłów. Będziesz musiał się nauczyć, jak sobie radzić z trudnymi ludźmi, jak wyrażać sprzeciw, nie stając się niczyim przeciwnikiem, jak najlepiej wykorzystywać czas – ogólnie rzecz biorąc, jak stać się skutecznym liderem. W następnym rozdziale dowiesz się, jak tego wszystkiego dokonać, robiąc jak największy użytek z mocy podświadomego umysłu i zachęcając do współpracy ludzi, z którymi spotkasz się na drodze do sukcesu.

Rozdział 11

Zostań liderem

Nie staniesz się liderem, dopóki naprawdę nie uwierzysz, że możesz nim zostać. Musisz wpisać w swą podświadomość dwa proste warunki: musisz wierzyć, że twoje pragnienia mogą się ziścić, i musisz wierzyć, że twoje pragnienia ziszczą się naprawdę.

Nie wszyscy ludzie sukcesu są liderami, lecz wszyscy dobrzy liderzy są ludźmi sukcesu. Nie tylko dokonują czegoś w życiu osobistym, ale także inspirują innych do osiągania celów. Nie tylko zbierają owoce własnego sukcesu, lecz także starają się pomóc innym w odnoszeniu sukcesów.

Przez stulecia powszechnie akceptowano pogląd, że człowiek raczej się rodzi liderem, niż nim zostaje. W samej rzeczy, pogląd ten legł u podstawy feudalizmu i systemu monarchii absolutnej. Nawet w Ameryce, gdzie ludzie skromnego pochodzenia wspinają się wysoko, liderzy często odnoszą wrażenie, że cechy przywódcze mieli od urodzenia.

W większości instytucji biznesowych zdarza się, że szeregowi pracownicy zdobywają stanowiska nadzorcze i kierownicze. Czy są oni „naturalnymi liderami"? Jak pokazuje doświadczenie, odpowiedź brzmi: „Niekoniecznie".

Stanowiska kierownicze, wiążące się z odpowiedzialnością, przyznawane są z wielu względów: starszeństwa, faworyzowania krewnych, w drodze konkursu (w sektorze publicznym) lub dzięki doskonałym wynikom pracy. W tych przypadkach kryteriami wyboru nie są zdolności przywódcze ani doświadczenie, wybrani ludzie muszą więc nabyć umiejętności przywódczych. Objęcie wyższego stanowiska nie gwarantuje, że dana osoba będzie dobrym liderem. Przywództwa trzeba się nauczyć – zapoznać się z metodami przewodzenia innym, czytać inspirujące książki, uczęszczać na wykłady i wcielać w życie zdobytą wiedzę.

Cechy wybitnych liderów

Choć każdy z wielkich liderów – dawnych i obecnych – zawdzięczał swą wielkość pewnym szczególnym atrybutom, wszyscy mieli pewne wspólne cechy osobowości. Moim zdaniem wyróżniający się liderzy mają takie oto cechy:

1. *Wielcy liderzy rozpoznają, zjednują sobie i inspirują entuzjastycznych zwolenników.* Niewiele firm lub przedsięwzięć może przetrwać i prosperować bez personelu realizującego program lidera. W każdym pokoleniu, kraju i dziedzinie życia byli ludzie, którzy prowadzili armie do zwycięstwa, inspirowali wielkie dzieła sztuki lub rozwijali kwitnące przedsiębiorstwa i dynamiczne organizacje. Dla lidera nieocenioną sztuką jest zdolność oceny innych, szacowania ich kalibru lub formatu, analizowania ich zalet i eliminowania wad.

Liderzy otaczają się ludźmi mającymi zdolności, których im samym brakuje. Potrzebują ludzi, którzy mogliby kompensować ich braki i wady swoimi zaletami i zdolnościami. Razem stanowią potęgę. Aby jednak ją stworzyć, dobry lider często musi przewrócić swoją instytucję do góry nogami lub nawet usunąć się w cień.

Dobrym przykładem jest Sean Perich, założyciel firmy Bakery Barn produkującej przekąski białkowe. W ciągu niespełna pięciu lat zwiększył obroty firmy do poziomu 6 milionów dolarów dzięki sprzedaży w klubach fitness i sklepach 7-Eleven. Jednak mniej więcej w 2005 r. firma Bakery Barn przestała piąć się w górę, co zmusiło Pericha do ponownego przyjrzenia się swojemu zespołowi – i sobie. Firma ostro zmieniła kurs, wprowadzając nowe produkty powstałe na podstawie własnych pomysłów Pericha, co zostało przyjęte bez sprzeciwu. Początkowo członkowie starszego kierownictwa (głównie członkowie jego rodziny) działali sprawnie, lecz Perich doszedł do wniosku, że ani on sam, ani reszta kierownictwa nie mają doświadczenia w dziedzinie gastronomii i biznesu koniecznego do uratowania firmy. Potrzebna była nowa krew. Zatrudnił rewidenta księgowego na pełen etat i zaczął prowadzić rozmowy kwalifikacyjne z kandydatami na prezesa firmy. Powołał też trzyosobowy zespół badawczo-rozwojowy, którego zadaniem było dostarczanie nowych, bardziej obiektywnych informacji, mogących być podstawą decyzji dotyczących zarządzania.

Równie śmiałe i trudne posunięcie musiał wykonać założyciel firmy z dużo wyższej półki, David Neeleman, były dyrektor wykonawczy firmy JetBlue, innowacyjnej linii lotniczej oferującej usługi w ograniczonym zakresie. Choć pozostał na stanowisku prezesa zarządu, Neeleman uświadomił sobie, że brakuje mu umiejętności zarządzania wymaganych do wzniesienia firmy na kolejny poziom. Nie oznacza to, że nie był wielkim wizjonerem i przedsiębiorcą. Wręcz przeciwnie: udowodnił w ten sposób, że jest liderem z krwi i kości.

2. *Wielcy liderzy skupiają wysiłek na jednym punkcie.* Wielcy liderzy wiedzą, czego chcą, i koncentrują działania tak, by osiągnąć swoje cele. Ludzie, którzy wcześnie nie nauczą się skupiać wysiłku i swoich mocy, nigdy nie odnoszą większego sukcesu. Na szczyt wspinają się tylko ci, którzy posiedli moc jednoczenia swych dążeń i zmierzają do jednego kluczowego celu. Pojmują oni, że nie ma znaczenia, ile można wykonać za jednym zamachem, najważniejsza bowiem jest wytrwałość. Tym, co decyduje o wygranej w batalii życia, jest długotrwałe dążenie, stałość celu i niezłomny wysiłek.

3. *Wielcy liderzy napotkali i przezwyciężyli wielkie trudności.* Przeciwieństwa losu mogą być prawdziwą katastrofą, lecz wszyscy dobrzy liderzy zetknęli się z nimi i stanęli na nogi, by sięgnąć po większą chwałę. Robert Fulton, twórca statku parowego, doznał kilku niepowodzeń. Jego statek pogardliwie nazywano „Szaleństwem Fultona" do chwili, gdy nareszcie wypłynął w pierwszą udaną podróż i zrewolucjonizował transport wodny. Helen Keller, niewidoma i głuchoniema od niemowlęctwa, pokonała swoje kalectwo i stała się poważaną i uwielbianą pisarką i pedagogiem.

W 1971 r. dyrektorem naczelnym podupadającego przedsiębiorstwa Kimberly-Clark, tradycyjnego producenta papieru, został Darwin E. Smith, nieśmiały i skromny radca prawny firmy. Akcje Kimberly--Clark z biegiem lat wiele straciły na wartości. Przynajmniej jeden z dyrektorów nie zawahał się wypomnieć Smithowi jego nie najlepszych kwalifikacji do prowadzenia firmy. To jednak nie powstrzymało nowego dyrektora naczelnego przed całkowitym przeobrażeniem Kimberly-Clark z niczym niewyróżniającego się przedsiębiorstwa w wiodącą firmę na rynku papierniczym.

Smith, który wychował się w niedostatku, wykorzystał osobiste doświadczenia, żeby umocnić się w swoim postanowieniu. Dwa miesiące po objęciu posady dyrektora naczelnego lekarze rozpoznali u niego chorobę nowotworową i poinformowali go, że ma przed sobą rok życia. Ta trudna sytuacja wzmocniła tylko jego determinację. Zaprogramował swój podświadomy umysł, zaszczepiając mu przekonanie, że zdoła pokonać chorobę, i odepchnął od siebie wszelkie myśli i obawy związane z niepowodzeniem. Nie pogodził się z tym, że ma się położyć i umrzeć, lecz kontynuował pracę podczas radioterapii. Nie tylko tchnął nowego ducha w swoje życie, ale i przebudował firmę.

Mało wówczas znany Darwin Smith zyskał uznanie świata biznesu jedną z pierwszych decyzji – o sprzedaży zakładów papierniczych. Wraz z zespołem zdecydował, że dalsza produkcja papieru kredowego nie pokrywa się z celami firmy i że wejście na rynek konfekcji papierniczej, na którym panowała olbrzymia konkurencja, sprawi, że firma przetrwa lub zginie. Była to najśmielsza decyzja, jaką kiedykolwiek podjęto. W prasie branżowej uznano to za idiotyzm, a notowania firmy na nowojorskiej giełdzie ponownie spadły. Smith jednak trwał w swoim postanowieniu. W ciągu dwudziestu pięciu lat jego firma rozłożyła konkurencję na łopatki i jest dzisiaj liderem w branży. Smith wyjaśnił swój sukces tym, że po prostu nigdy nie przestał wierzyć w siebie i w zdolność swojej firmy do przetrwania.

4. *Wielcy liderzy oczekują od siebie więcej niż od innych.* Twój sukces nie zależy wyłącznie od szczerego postanowienia lub pewności siebie, ale również od zaufania, którym darzą cię inni; ich zaufanie jednak w dużej mierze odzwierciedla twoją własną pewność siebie i stanowi skutek oddziaływania twojej osobowości. Narzędziem służącym do wzbudzenia ufności w innych jest więc twoje własne nastawienie. Determinacja jest zaraźliwa. Wpływa na wszystkie napotykane osoby, zwłaszcza te, nad którymi musisz panować, np. jako nauczyciel, mówca, prawnik, przedstawiciel handlowy, sprzedawca, kandydat na pracownika, czy odgrywając inną rolę. Oddziaływanie na innych ludzi poprzez aurę pewności siebie ma w sobie coś nieomal magicznego. Jeśli przejmiesz ją lub nabędziesz w inny sposób, zdziwisz się, jak szybko będzie promieniować na innych i zwiększy ich ufność w twoją zdolność do wykonania zadania.

Nigdy nie trać pewności siebie. Jeśli czasem zaczniesz wątpić w swoje zdolności i zalety, przeczytaj rozdział 2. niniejszej książki i wzmacniając potęgę swojego podświadomego umysłu, odbuduj pewność siebie.

5. *Wielcy liderzy nie boją się podejmować trudnych decyzji.* Niezależnie od tego, czy lider kieruje krajem czy korporacją, każdego dnia staje w obliczu trudnych decyzji. Niekiedy można znaleźć dość czasu na przemyślenie, analizę i ocenę wszystkich okoliczności dotyczących problemu, często jednak wymagana jest natychmiastowa decyzja. Dobry lider musi je podejmować.

Doskonałym przykładem jest wydarzenie z września 1982 r., kiedy to siedmioro ludzi zmarło po zażyciu Tylenolu. Ustalono, że ktoś otworzył kilka opakowań produktu, i wstrzyknął do tabletek cyjanek, śmiertelną truciznę. Firma McNeil Laboratories, oddział korporacji Johnson & Johnson, producent Tylenolu, podjęła natychmiastowe działanie. Cały produkt dostępny na rynku został wycofany i zniszczony, a przedstawiciele najwyższego kierownictwa firmy wystąpili w telewizji i wyjaśnili zaistniałą sytuację. Zapewnili opinię publiczną, że Tylenol nie zostanie ponownie wprowadzony na rynek przed podjęciem wszelkich środków ostrożności wymaganych do zapewnienia bezpieczeństwa produktu.

Bezpośrednie skutki tego posunięcia były katastrofalne. Udział firmy w rynku spadł z 35% do zaledwie 8%. Ze względu jednak na szybką i szczerą reakcję liderów firm McNeil i Johnson & Johnson w ciągu roku udział w rynku nie tylko został odzyskany, ale i przekroczony.

Kolejnym przykładem dyrektora, który podjął trudną i niepopularną decyzję, był Charles R. „Cork" Walgreen, który w 1975 roku przejął nadzór nad siecią drogerii Walgreens. W tym czasie w większości drogerii działały stoiska gastronomiczne przynoszące dochód stanowiący znaczny procent obrotów firmy. Cork Walgreen miał wrażenie, że wobec ekspansji sieci barów szybkiej obsługi spożywczy aspekt działalności drogerii jest już przeżytkiem. Doszedł do wniosku, że przyszłością firmy jest sprzedaż produktów, a nie usług gastronomicznych. Była to kontrowersyjna decyzja, ponieważ firma miała pięćset takich stoisk. Ponadto z tym aspektem biznesu była związana nie tyle finansowo, ile emocjonalnie. Dział gastronomiczny firmy Walgreens został założony jeszcze za czasów dziadka Corka, wymagało to więc dużej stanowczości ze strony nowego dyrektora, by położyć temu kres. Jego decyzja się opłaciła: Walgreens jest dzisiaj jedną z najbardziej dochodowych firm w tej branży, a stoiska gastronomiczne zniknęły praktycznie ze wszystkich drogerii.

6. *Wielcy liderzy mają wizję i mocno wierzą w swoją zdolność do jej urzeczywistnienia.* Wszyscy wielcy liderzy mieli swoje wizje. Wiedzieli, czego pragną dokonać. Wyobrażali sobie rezultat swej pracy i poświę-

163

cali całą energię i zasoby emocjonalne realizacji swojej wizji. Co najważniejsze, naprawdę wierzyli, że są zdolni temu podołać. Taka wiara dawała im siłę w dążeniu do celu. Dyrektor firmy American Express, Ken Chenault, nieraz musiał się zmagać z nieprzewidzianym obrotem spraw lub zbaczać z obranej drogi, nigdy jednak nie znalazł się w tak dramatycznej sytuacji jak ta, która zaistniała dokładnie naprzeciwko siedziby firmy 11 września 2001 roku. Wydarzenie to – jak twierdzi Chenault – było dla niego kształtującym doświadczeniem, które wzbogaciło jego już wspaniałe zdolności przywódcze. Chenault wyciągnął oczywistą lekcję z wydarzeń 11 września. Zdał sobie sprawę, że jest to kryzys, który wielu może uznać za wielką przeszkodę w rozwoju dalszego przywództwa. Chenault nie wahał się podjąć kluczowych decyzji. Zmobilizował swoje zdolności przywódcze, ponieważ był przekonany o własnych umiejętnościach. Chenault akceptuje prawdę, że większość cennych doświadczeń zawsze wydaje się przybierać postać kryzysów. Twierdzi on, że w takich czasach niezbędne jest wykorzystywanie naprawdę istotnych cech i skupienie się na tym, by robić z nich nie tyle nieświadomy, ile właśnie świadomy użytek. To daje liderowi przewagę. Chenault uważa, że każdy może podjąć świadomą decyzję o staniu się liderem. Opisuje wybitnych liderów, z którymi chciałby współpracować, jako „ludzi zaangażowanych intelektualnie i emocjonalnie".

7. *Wielcy liderzy pragną dokonań dla siebie, swojej firmy i swoich ludzi.* Niezależnie od tego, jak bardzo jesteś biedny i jak skromny los przypadł ci w udziale, podnieś głowę. Nie bój się mierzyć zbyt wysoko. Nie spuszczaj oka ze swojej gwiazdy. Niech inni się śmieją, jeśli to im odpowiada, ale niech to cię nie nakłoni do oderwania wzroku od swego celu. To właśnie koncentracja na jedynej gwieździe wyróżnia wielkich ludzi każdej epoki. Mary Kay Ash, założycielka firmy kosmetycznej Mary Kay, przypisywała swój sukces nieugiętej ambicji osiągania szczytów. Pierwsze kroki w karierze zawodowej stawiała w firmie Stanley Home Products, zajmującej się sprzedażą obwoźną. Mary Kay mówi często, że w pierwszym roku pracy wcale jej się nie wiodło i była bliska rezygnacji. To nastawienie zmieniło się podczas szkolenia dla sprzedawców firmy Stanley. Tak oto wspomina to wydarzenie: „Wtedy ujrzałam tę wysoką, szczupłą i ładną kobietę sukcesu, której właśnie przyznawano tytuł «królowej» w nagrodę za najlepsze wyniki w konkursie zorganizowanym przez firmę. Postanowiłam wtedy, że zostanę królową w następnym roku, co wydawało mi się niemożliwe. Zdecydowałam jednak podejść do prezesa firmy, porozmawiać z nim i powiedzieć mu, że zamierzam zostać królową w następnym roku. Nie wyśmiał mnie, lecz spojrzał mi w oczy, wziął za rękę i powiedział: «Coś mi podpowiada, że tak właśnie będzie». Tych parę słów było moją siłą napędową i w następnym roku zostałam królową".

Mary Kay w 1963 r. założyła własną firmę w Dallas, w lokalu o powierzchni pięciuset stóp kwadratowych, z pomocą rodziny i oszczędności całego życia wynoszących 5000 dolarów, mając do dyspozycji tylko dziewięciu sprzedawców. Z biegiem lat pod jej przewodnictwem firma się rozrastała. Dowodząc swego zaangażowania w sukces własny i swojej firmy, Mary Kay inspirowała sprzedawców do wyznaczania sobie wyższych celów oraz do ciężkiej pracy nad ich realizacją. W 2007 r. dla organizacji Mary Kay pracowało ponad milion niezależnych przedstawicieli handlowych, zapewniających firmie obrót ponad 2,4 miliarda dolarów.

Delegowanie

Jednym z kluczowych elementów działania skutecznego lidera jest zdolność i gotowość do udzielania swoim podwładnym pełnomocnictwa do podejmowania decyzji. Zbyt wielu menedżerów się przed tym wzdraga. Skuteczni liderzy zdają sobie sprawę, że nie mogą robić wszystkiego. Zatrudniają i szkolą najzdolniejszych ludzi, jakich mogą znaleźć, i pozwalają im podejmować decyzje w przydzielonym obszarze kompetencji, dzięki czemu sami mogą swobodnie poświęcać czas sprawom wyższej rangi.

Menedżerowie mają na ogół więcej pracy, niż są w stanie wykonać w ciągu normalnego dnia pracy. Aby zadania te zostały zrealizowane, muszą w części zostać przekazane podwładnym.

Delegowanie oznacza przekazywanie podwładnemu obowiązków lub zadań oraz przyznawanie mu uprawnień i pełnomocnictw niezbędnych do ich wykonania. Nie polega na przydzielaniu najmniej wymagających lub niemiłych części zadania. Skuteczne delegowanie wymaga przekazywania innym istotnych aspektów pracy. Dzięki temu członkowie wyższego kierownictwa znajdują czas na ważniejsze sprawy, a podwładni mają okazję do nauki.

Liderzy branży biznesu często mi mówią, że przywykli do wykonywania wielu czynności i są w nich tak skuteczni, iż niechętnie przekazują pracę innym. Jak powiedział mi pewien menedżer: „Przyłapuję się na tym, że zaglądam pracownikom przez ramię. Delegowanie obowiązków po prostu mi nie pasuje".

Pierwszym krokiem jest uznanie faktu, że choć potrafisz wykonać daną pracę szybciej i być może lepiej od swoich podwładnych, twój czas jest zbyt cenny, by marnować go na błahostki. Oto kilka wskazówek, które pozwolą ci nabrać większego zaufania do przekazywania obowiązków:

- *Wybieraj osoby zdolne do wykonania zadania.* Wybierając swoich kluczowych pracowników, upewnij się, że nie tylko są oni w stanie wykonać pracę, do której ich zatrudniasz, ale że mogą również po przeszkoleniu nadawać się do przeniesienia na stanowiska związane z większą odpowiedzialnością.
- *Informuj jasno i zwięźle o tym, jakie obowiązki delegujesz.* Aby się upewnić, że podwładny rozumie, czego od niego oczekujesz, nie pytaj po prostu: „Czy to jest zrozumiałe?", bo większość ludzi odpowie: „Tak". Być może tak jest w istocie, a może tylko tak im się zdaje, lecz odmiennie interpretują twoje polecenia. Niewykluczone jednak, że nic nie zrozumieli, lecz krępują się ci o tym powiedzieć. Zadawaj konkretne pytania, jak podwładny zamierza wykonać zadanie.
- *Ustal punkty kontrolne.* Punkt kontrolny jest miejscem, w którym zatrzymujesz się i sprawdzasz, co zostało zrobione, a jeśli popełniono błędy – poprawiasz je. To ważne, jeśli bowiem wykrywasz błędy w ostatniej chwili, możesz stracić panowanie nad sytuacją. Punkt kontrolny to nie to samo co nieoczekiwana inspekcja. Podwładny powinien dokładnie znać harmonogram punktów kontrolnych i zakres wymaganych prac. Wprowadzenie punktów kontrolnych nie oznacza braku zaufania do podwładnego. Od razu powiedz swoim ludziom, że masz do nich zaufanie, i podkreśl, że punkty kontrolne służą temu, aby im pomagać, a nie ich sprawdzać. Ponadto pozwa-

lają im na samodzielną ocenę dokonywanych postępów.

- *Przekaż podwładnym narzędzia i upoważnienia
  niezbędne do wykonania pracy.* Jeżeli zadanie wymaga wydatków finansowych, przekazując obowiązki, ustal budżet i upoważnij osobę wykonu-
  jącą zadanie do wydania wyznaczonej sumy bez
  konieczności pytania o twoją zgodę za każdym
  razem. Jeżeli praca wymaga wynajęcia dodatko-
  wego personelu lub pracy w godzinach nadlicz-
  bowych, udziel odpowiedniego pełnomocnictwa
  w ramach przekazywania obowiązków. W ten sposób twoi podwładni nie będą ci ciągle przeszkadzać w pracy, gdy trzeba będzie załatwić te sprawy.

- *Pomagaj w razie potrzeby.* To może się wydawać
  nielogiczne. W końcu delegujesz obowiązki po to,
  aby zmniejszyć swoją aktywność w danej dziedzinie. Jeśli oferujesz pomoc, czy nie zachęcasz
  podwładnych do zabierania twojego czasu? Aby
  jak najbardziej skrócić czas rozwiązywania takich problemów, domagaj się, by zgłaszając się
  do ciebie, podwładny miał przygotowaną propozycję rozwiązania. W ten sposób będzie musiał
  przemyśleć sprawę, a często sam wpadnie na rozwiązanie i wcale do ciebie nie przyjdzie. A jeśli
  rzeczywiście zjawi się u ciebie, czas poświęcony
  na rozwiązywanie problemu będzie dużo krótszy.

Znaj swoje atuty i ograniczenia

Zanim zdołasz stanąć do biegu i zostaniesz dopuszczony
na tor prowadzący do sukcesu, musisz przede wszystkim mieć określone zamierzenie, wzniosły, niezachwia-
ny cel. Musisz znaleźć w sobie odwagę, siłę i determina-

cję, by trzymać się obranego kierunku, niezależnie od tego, co się stanie po drodze lub co stawi ci opór.

Nie staniesz się liderem, dopóki naprawdę nie uwierzysz, że możesz nim zostać. Wpisz w swą podświadomość dwa proste warunki: uwierz, że twoje pragnienia m o g ą się ziścić, i uwierz, że z i s z c z ą s i ę naprawdę.

W słowach wypowiadanych na głos jest siła, której brakuje tym wypowiadanym w myśli. Wyartykułowane słowa działają na umysł przez dłuższy czas. Wielu ludzi bardziej porusza dobry wykład lub kazanie niż ta sama treść przeczytana w książce. Słowa zasłyszane zapadają w pamięć, podczas gdy nieczułe pismo, które ma przenosić myśli do mózgu, popada w zapomnienie. Słowo mówione sięga głębszych pokładów naszej jaźni.

Do swojego wewnętrznego, czyli podświadomego umysłu możemy przemawiać jak do dziecka. Wiemy z doświadczenia, że umysł ten będzie nas słuchać i działać zgodnie z naszymi wskazówkami. Nieustannie przekazujemy mu swoje polecenia. Być może nie mówimy tego na głos, lecz po cichu, w myślach. Nieświadomie doradzamy mu, podpowiadamy i próbujemy nadać określony kierunek.

Zwracając się do podświadomego umysłu rozmyślnie i głośno w szczerej rozmowie z samym sobą, przekonujemy się, że potrafimy silnie wpłynąć na swoje nawyki, motywy i sposób życia. W gruncie rzeczy możliwości wpływania na charakter i życie tymi środkami są praktycznie nieograniczone.

Na początek sporządź listę tych swoich cech, które charakteryzują człowieka silnego, odważnego i osiągającego sukcesy, oraz listę cech im przeciwstawnych, które kreują słabego i lękliwego nieudacznika. Przyjrzyj się sobie i oceń, jaki wynik uzyskujesz na każdej z tych list. Powiedz na głos nazwę każdej z tych cech: wiara, odwaga, pewność siebie, ambicja, entuzjazm, wytrwałość, koncentracja, inicjatywa, pogoda ducha, optymizm, sumienność itd. Zadaj sobie pytanie, czy posiadasz te wspaniałe własności, czy też skłaniasz się ku ich przeciwieństwom.

Nie bój się konfrontacji ze swoimi słabościami ani nazywania wad po imieniu. Ukaż je w pełnym świetle, zobacz je takimi, jakie są, a następnie stań z nimi do walki. Nie możesz sobie pozwolić na to, aby nie dorosnąć do roli, którą Bóg ci przeznaczył; aby być człowiekiem mniejszego kalibru w porównaniu z tym, kim twoim zdaniem powinieneś i możesz być; aby jakaś wada, którą możesz pokonać, niszczyła ci życie.

Kiedy już przeanalizujesz określone cechy charakteru, zadaj sobie te oto ogólniejsze pytania, zawsze wyobrażając sobie własną osobę i mówiąc do siebie po imieniu:

„Za czym się opowiadasz, Tomku? Co znaczysz dla świata? Jakie przesłanie niesie światu twoje życie i kariera? Co znaczysz dla swojej firmy, organizacji lub społeczności?"

„Za czym się opowiadasz, Aniu? Co sobą reprezentujesz? Czy dajesz to światu cierpliwie, wytrwale, z determinacją, bez marudzenia lub wymigiwania się?"

Zapytaj sam siebie: „Czy marzę o wielkiej sprawie przyszłości, czy jedynie wykonuję drobne rzeczy, które dzisiaj są w moim zasięgu?"

Zagłębiaj się w siebie w ten sposób, aż dobrze poznasz i ocenisz swoją osobę, zalety i wady, aż dostrzeżesz wyraźnie, co cię powstrzymuje i jakie wady charakteru cię upośledzają. Wady mogą ci odbierać średnio 10, 20, 50, a nawet 75 procent zdolności. Następnie ostro zaatakuj swoich wrogów, nieprzyjaciół twojego sukcesu, efektywności i szczęścia. Nieustannie i zdecydowanie utwierdzaj się w tym, że w pełni panujesz nad swoimi wrogami i że nie są oni w stanie zdominować twojego życia ani zrujnować kariery.

Zaangażuj podświadomy umysł

Prowadząc szczere rozmowy z samym sobą, możesz zmienić całą swoją istotę i zrewolucjonizować karierę. Niezależnie od tego, czy brakuje ci wiary, odwagi, inicjatywy czy optymizmu, przybierz cechę, którą pragniesz posiąść. Utrzymuj stanowczo, że już ją posiadasz, rób z niej użytek w każdym odpowiednim momencie i koncentruj się na niej, a zdziwisz się, jak prędko osiągniesz upragniony cel.

Musisz powiedzieć swojej podświadomości, czego dokładnie chcesz. Pokieruj nią tak, aby pomogła ci osiągnąć twoje cele. Jeżeli będziesz znał swoje prawdziwe pragnienie, twój podświadomy umysł nieomylnie popchnie cię w jego stronę. Musi on jednak wiedzieć, że pragniesz tego celu prawdziwie, żarliwie i niezachwianie i że nie poświęcisz go innym sprzecznym lub przeciwstawnym pragnieniom, koncepcjom i chwilowym kaprysom.

Moc rodzi się wewnątrz lub nigdzie. Bądź sobą. Słuchaj głosu dobiegającego z twojego wnętrza. W każdym zawodzie, branży czy biznesie jest miejsce na poprawę. Świat potrzebuje ludzi, którzy potrafią coś zdziałać w nowy i lepszy sposób. Nie sądź, że skoro twój plan lub pomysł nie miał precedensu, a ty jesteś młody i niedoświadczony, nie zyskasz posłuchu. Człowiek mający do zaoferowania światu cokolwiek nowego i cennego zostanie wysłuchany i znajdzie zwolenników. Jeżeli masz silną osobowość i odwagę, by snuć samodzielne myśli i tworzyć własne metody, jeśli nie lękasz się być sobą i nie jesteś kopią drugiego człowieka, szybko zyskasz uznanie. Dopóki nie usuniesz słów „los", „nie można" i „wątpliwość" ze swojego słownika, dopóty nie będziesz mógł piąć się w górę. Nie możesz się wzmocnić, jeżeli jesteś przekonany o swojej słabości, ani też być szczęśliwy, jeśli rozmyślasz o swoich nieszczęściach lub niepowodzeniach.

Angażuj się w to, czego chcesz dokonać

Jednym z najskuteczniejszych sposobów na znalezienie motywacji jest mocne zaangażowanie się w to, czego się pragnie dokonać. Zaangażowanie motywuje do kontynuowania walki w obliczu niepowodzenia, przeszkód pozornie nie do pokonania lub rosnącego zniechęcenia.

Jedynym sposobem wzbudzenia w sobie mocy jest powzięcie wcześnie w życiu postanowienia, że nigdy nie straci się okazji, by wzbudzić w sobie tę właśnie moc. Nigdy nie wzbraniaj się przed niczym, co może zapewnić ci większą dyscyplinę, lepsze wyszkolenie i nowe doświadczenia. Zmuś się do tego, jakkolwiek wydawałoby ci się to przykre. Nic tak nie służy zdolnościom jak odpowiedzialność. Nie przejmuj się, jeśli dane stanowisko okaże się bardzo wymagające; przyjmij je i postanów, że spełnisz swoją rolę lepiej niż którykolwiek z twoich poprzedników.

Liderzy muszą wyrąbywać sobie ścieżkę, wytyczać własną drogę – w przeciwnym razie nigdy nie odcisną swojego piętna w świecie. Tym, co przykuwa uwagę, jest uderzająca oryginalność. Aby być liderem, nie krocz za innymi. Nie naśladuj nikogo. Nie postępuj tak jak wszyscy dotychczas, lecz chwytaj się metod nowatorskich i pomysłowych. Pokaż ludziom w swojej branży, że twoi poprzednicy nie mogą się z tobą mierzyć i że stworzysz własny program.

Nie bój się zaufać sobie. Wierz w swoją zdolność do oryginalnego myślenia. Niezależnie od tego, czym się zajmujesz, kultywuj ducha niezależności.

Krótko mówiąc

- Nie staniesz się liderem, dopóki naprawdę nie uwierzysz, że możesz nim zostać. Musisz wpisać w swą podświadomość dwa proste warunki: uwierz, że twoje pragnienia m o g ą się ziścić, i uwierz, że z i s z c z ą s i ę naprawdę.
- Jednym z kluczowych elementów działania skutecznego lidera jest zdolność i gotowość do upoważniania podwładnych do podejmowania decyzji. Zbyt wielu menedżerów się przed tym wzdraga. Skuteczni liderzy zdają sobie sprawę, że nie mogą zrobić wszystkiego. Zatrudniają i szkolą najzdolniejszych ludzi, jakich mogą znaleźć, i pozwalają im podejmować decyzje w przydzielonym obszarze kompetencji, dzięki czemu sami mogą swobodnie poświęcać czas sprawom wyższej rangi.
- Nie sądź, że skoro twój plan lub pomysł nie miał precedensu, a ty jesteś młody i niedoświadczony, nie zyskasz posłuchu. Człowiek mający do zaoferowania światu cokolwiek nowego i cennego zostanie wysłuchany i znajdzie zwolenników.
- Nie bój się konfrontacji ze swoimi słabościami ani nazywania wad po imieniu. Ukaż je w pełnym świetle, zobacz je takimi, jakie są, a następnie stań z nimi do walki. Nie możesz sobie pozwolić na to, aby nie dorosnąć do roli, którą Bóg ci przeznaczył; aby być człowiekiem mniejszego kalibru w porównaniu z tym, kim twoim zdaniem powi-

nieneś i możesz być; aby jakaś wada, którą możesz pokonać, niszczyła ci życie.

- Aby być liderem, nie krocz za innymi. Nie naśladuj nikogo. Nie postępuj tak jak wszyscy dotychczas, lecz chwytaj się metod nowatorskich i pomysłowych. Pokaż ludziom w swojej branży, że twoi poprzednicy nie mogą się z tobą mierzyć i że stworzysz własny program.

Rozdział 12

Stwórz dynamiczny zespół

Życz innym tego, czego życzysz sobie. Oto klucz do harmonijnych relacji z ludźmi.

Świat pracy zmienił się radykalnie w ciągu ostatniego dziesięciolecia i nadal zmienia się szybciej niż kiedykolwiek od czasów rewolucji przemysłowej. W następnych kilku dziesięcioleciach zmiany będą jeszcze bardziej dramatyczne.

Dawniej to najwyższe kierownictwo podejmowało wszystkie decyzje, które następnie przenikały przez wiele poziomów aż do szeregowych pracowników. Byliśmy i jesteśmy świadkami zastępowania tego zjawiska przez model organizacji opartej głównie na współpracy, w której od osób na wszystkich szczeblach oczekuje się wkładu we wszystkie aspekty działalności organizacji. Załatwianiem spraw zajmują się teraz zespoły — grupy ludzi zwykle kierowane przez lidera — które razem planują, wdrażają i kontrolują pracę.

Istotą zespołu jest zaangażowanie się we wspólną sprawę. Bez zaangażowania członkowie grupy działają jak jednostki, a dzięki niemu stają się potężną całością funkcjonującą zbiorowo.

W idealnym zespole działanie każdej osoby współgra z działaniem pozostałych w sposób umożliwiający

175

osiągnięcie celów zespołu. Dzięki takiej współpracy całość staje się większa od sumy swoich części.

Doskonałym przykładem jest szpitalny zespół operacyjny. Każdy z członków zespołu – chirurg, anestezjolog, pielęgniarki i inni profesjonaliści – fachowo wykonuje własne zadania. W zgranym zespole operacyjnym interakcje pomiędzy członkami grupy przebiegają bez zakłóceń. Wszyscy są zaangażowani w jeden cel, którym jest dobro pacjenta. Przykłady skutecznie działających zespołów można wskazać w każdej dziedzinie życia: w sportach wyczynowych, w badaniach medycznych, w pożarnictwie, ratownictwie i w każdym aspekcie biznesu.

Kierowanie zespołem

Jeżeli kierujesz ludźmi zgodnie z polityką „zrób to po mojemu albo się pożegnamy", przygotuj się na radykalne zmiany. Lider zespołu nie powinien przypominać dawnych tyranów. Jest on raczej moderatorem, który w celu wykonania zadania formuje i koordynuje inteligentny i umotywowany zespół. Nacisk kładzie się na rozwój umiejętności i zgranie wysiłków zespołu złożonego z inteligentnych i zmotywowanych współpracowników.

Nie szefuj, lecz prowadź

Aby stworzyć dynamiczny, zmotywowany zespół, musisz przestać myśleć jak „szef". Szefowie podejmują decyzje i wydają polecenia. Liderzy koordynują działanie grup myślących, dorosłych ludzi, którzy wspólnie stawiają czoło napotkanym problemom i je rozwiązują. Skuteczni liderzy stwarzają atmosferę zachęcającą członków zespołu do samodzielnego analizowania problemów, proponowania rozwiązań i uczestniczenia w podejmowaniu decyzji. Zobaczmy, jak liderzy zespołu osiągają te cele:

- Dbają o to, by członkowie zespołu znali wizję i misję organizacji i samego zespołu oraz koncentrowali się na ich realizacji.
- Świetnie dogadują się z ludźmi i zdają sobie sprawę, że komunikacja odbywa się w obu kierunkach. Jest ważne, aby liderzy przekazywali swoje instrukcje i koncepcje członkom zespołu, jednak równie istotne jest, aby byli otwarci na pomysły i sugestie członków zespołu.
- Dążą do tego, aby członkowie zespołu rozwijali swoje zdolności i umiejętności. Skuteczni liderzy poświęcają czas na określenie mocnych i słabych stron poszczególnych członków zespołu i pracują z każdym nad poprawieniem wydajności. Zachęcają ich do stałego dokształcania się i polecają im odpowiednie źródła informacji – zarówno wewnątrz, jak i na zewnątrz organizacji – które pomogą im wzrastać jako jednostkom i wartościowym członkom zespołu.
- Wspólnie z członkami zespołu ustanawiają jasne, osiągalne i mierzalne standardy wydajności pracy i wprowadzają sposoby informowania pracowników o ich obecnej efektywności.
- Motywują i inspirują poszczególnych członków zespołu swoim uznaniem, pochwałami i nagrodami. Motywują i inspirują zespół, zagrzewając do wysiłku poszczególne osoby, wyrażając uznanie dla zespołu jako całości i stwarzając atmosferę entuzjazmu.

Stosuj „złotą regułę"

„Nie czyń drugiemu, co tobie niemiłe". Złota reguła występuje w takiej lub innej formie we wszystkich wielkich religiach świata. Często nazywana jest istotą religii. Poproszony o przedstawienie nauk Pisma w pigułce, wielki żydowski uczony Hillel, żyjący w wieku poprzedzającym czasy Chrystusa, odpowiedział: „Najważniejsze, abyś nie czynił bliźniemu tego, czego nie chciałbyś, aby on uczynił tobie". Współcześni psycholodzy stale powtarzają, że ta reguła jest głównym czynnikiem rozwoju zdrowych relacji międzyludzkich.

Co ma wspólnego złota reguła z osiągnięciem sukcesu w roli lidera zespołu? Hillel odpowiada i na to pytanie: „Jeśli nie stoję po swojej stronie, kto ujmie się za mną? Jeśli jednak stoję wyłącznie po swojej stronie, to kimże jestem?" To prawda, Bóg dał nam moc cieszenia się zdrowiem i obfitością. Powinniśmy jak najlepiej wykorzystać otrzymane talenty i możliwości, wiąże się z tym jednak obowiązek dbania nie tylko o samych siebie, ale również o innych.

Przekonasz się, że złota reguła przewija się niczym nić we wszystkich wielkich systemach filozoficznych i religijnych. Można ją ująć w innych słowach, jednak jej sens jest identyczny: powinniśmy pragnąć dla innych tej samej wolności przekonań, wierzeń, osiągnięć i dokonań, których pragniemy dla siebie.

Kiedy uznamy tę postawę za swój kodeks etyczny – zasadę przewodnią – nastawienie to stanie się czynnikiem napędowym i energią naszego codziennego życia. Jest skarbnicą mądrości w głębi naszej istoty – przewodnikiem, wewnętrznym zarządzeniem serca i duszy każdego człowieka.

Musimy odpowiednio zaprogramować swój podświadomy umysł i uzyskać jego zgodę na to, że będziemy działać nie tylko w swojej sprawie, lecz będziemy częścią zespołu, w którym każdy jest partnerem, osobą – kimś, kto przyjmuje i akceptuje odpowiedzialność za sukces całego zespołu i chce wnieść uczciwy wkład w postaci wysiłku i nastawienia psychicznego w jego osiągnięcie.

Kiedy dajemy innym pełną swobodę myślenia, wypowiadania się i podejmowania decyzji zgodnie z tym, co podpowiadają im umysł i serce, traktujemy ich jak siebie samych. Jest to partnerstwo, w którym dajemy z siebie przynajmniej tyle, ile spodziewamy się otrzymać.

Jak stać się idealnym członkiem zespołu

Jak wspomnieliśmy wcześniej, lider zespołu nie jest jego szefem, lecz pierwszym wśród równych. Wszyscy członkowie zespołu muszą razem pracować nad osiągnięciem wspólnych celów. Pierwszym krokiem na drodze do sukcesu w roli członka zespołu jest doskonałe wywiązywanie się ze swoich obowiązków. Od wszystkich oczekuje się sprawnego działania. Jednak nawet najwyższa sprawność sama w sobie nie wystarczy. Jeżeli chodzi o to, jak stać się doskonałym członkiem zespołu, w grę wchodzi o wiele więcej czynników. Oto kilka wskazówek, jak to osiągnąć:

- *Bierz udział w dyskusjach toczących się w łonie zespołu i aktywnie słuchaj.* Wnoś swój wkład w każdą rozmowę. Jeśli nawet nie masz oryginalnych pomysłów, komentuj propozycje innych członków zespołu i zadawaj odpowiednie pytania. Oferuj wsparcie. Zgłaszaj się do pomocy na ochotnika.
- *Motywuj samego siebie.* Wyznaczaj sobie cele zgodne z misją zespołu. Bierz udział w ustalaniu

celów zespołowych. Będziesz musiał pracować nad ich osiąganiem, powinieneś więc wyrazić swoje zdanie podczas ich określania.

- *Próbuj nowych rzeczy.* Nie bój się ryzyka. Jest to sposób na to, aby pójść do przodu. Wyobraź sobie żółwia. Jest całkiem bezpieczny, dopóki tkwi w skorupie, jeśli jednak chce dokądś iść, musi wysunąć głowę.
- *Sięgaj spojrzeniem poza zespół.* Poznawaj kulturę swojej organizacji. Zapoznaj się z jej misją i postaraj się ją zrozumieć. Oceń, w jakim stopniu twój zespół postępuje zgodnie z celami organizacji i działu. Zastanów się, jak twoja praca przystaje do szerszego obrazu rzeczy.
- *Bądź wrażliwy na inne punkty widzenia.* Słuchaj opinii innych członków zespołu. Nie bój się wyrażać swoich poglądów, nawet jeśli są odmienne lub sprzeczne z tym, co mówią wszyscy pozostali. Opowiadaj się za tym, w co wierzysz, ale nie upieraj się. Bądź gotów pójść na kompromis, który umożliwi zgodę.
- *Bądź graczem zespołowym.* Zamiast współzawodniczyć – współpracuj. Wspieraj kolegów z zespołu. Pomóż im się rozwijać, dzieląc się z nimi informacjami, biorąc na siebie trudne zadania oraz szkoląc nowych członków zespołu i będąc dla nich mentorem. Chwal współpracowników, którym dobrze idzie. Okazuj uznanie tym, którzy byli szczególnie pomocni tobie lub całemu zespołowi.
- *Poznaj innych członków zespołu.* Poznaj ich mocne punkty i ograniczenia, ambicje i cele osobiste, dziwactwa i antypatie. W ten sposób sprawisz, że wasza współpraca stanie się łatwiejsza i przyjemniejsza.

- *Buduj pewność siebie.* Przeczytaj ponownie rozdział 2. niniejszej książki i zastosuj w praktyce to, czego się nauczyłeś. Czytaj też książki i artykuły poświęcone samodoskonaleniu się. Przyglądaj się sobie. Zdaj sobie sprawę z obszarów wymagających poprawy. Jeśli na przykład jesteś nieśmiały, idź na szkolenie poświęcone asertywności; jeśli masz kłopoty z pisaniem lub wysławianiem się, zapisz się na kurs, dzięki któremu sobie z tym poradzisz.

- *Nie pozwól, by konflikty zahamowały rozwój twojego zespołu.* Jeżeli spierasz się z innym członkiem zespołu lub popadłeś w poważniejszy konflikt, rozwiąż ten problem jak najszybciej. Nie pozwól, żeby sprawa się zaogniła. Po rozwiązaniu problemu zapomnij o nim. Nie żyw urazy. „Zostaw umarłym grzebanie ich umarłych".

- *Ucz się wykonywania innych zadań w obrębie zespołu.* Wdrażaj się do wykonywania pracy innych członków zespołu. W ten sposób rośnie twoja przydatność, ponieważ będziesz mógł przejąć zadania innych pracowników w przypadku ich nieobecności, przeciążenia lub innych wypadków losowych.

- *Obserwuj swoje postępy.* Okresowo przeglądaj swoje osobiste i zespołowe cele. Oceń, ile cię dzieli od ich osiągnięcia. Bądź przygotowany na podjęcie kroków korygujących problemy, które hamują twój rozwój.

Koncepcja zespołu opiera się na zasadzie, że jego członkowie wspólnie pracują nad osiągnięciem pożądanych rezultatów. Oznacza to, że wszyscy robią to, co jest potrzebne do wykonania zadań, włącznie z tymi zajęciami, których nie lubią, wspomaganiem wolniejszych członków zespołu i odkładaniem na bok ulubionych projektów po to, by zespół mógł koncentrować się na zadaniach o najwyższym priorytecie.

Rola zaufania

Podstawą każdej relacji – czy to w miejscu pracy, czy poza nim – jest zaufanie. Jeżeli członkowie zespołu nie ufają swojemu liderowi lub choćby jednemu ze współpracowników, zespół nigdy nie ruszy z miejsca.

Sukces lub porażka lidera jest kwestią zaufania, którym darzy go zespół. Ludzie, którzy ci ufają, dadzą posłuch każdemu twojemu słowu. Jeśli jednak nie mają do ciebie zaufania, wówczas to, co powiesz, będzie im wpadać jednym uchem, a wypadać drugim.

Nie trzeba wiele, by stracić zaufanie drugiego człowieka. Lider zespołu składa obietnice, a następnie ich nie dotrzymuje – i traci zaufanie. Jeden z członków zespołu ukrywa potrzebne informacje przed pozostałymi; już więcej nikt mu nie zaufa.

Niełatwo jest odbudować zaufanie. Jeśli w zespole brakuje zaufania, lider może wkroczyć, aby rozwiązać ten problem. Jeśli jednak on sam stracił zaufanie członków zespołu, do odbudowania relacji konieczne będą szczególne wysiłki.

Ludzie, którzy zasługują na miano twoich współpracowników, muszą ufać samym sobie i wierzyć w swoją zdolność do oryginalnego myślenia. Jeśli mają w sobie potencjał, zostanie on wydobyty na powierzchnię przez ich zdolność do polegania na sobie.

Czymkolwiek się zajmujesz, zachęcaj członków swojego zespołu, aby podczas realizacji planów pielęgnowali ducha niezależności. Daj im sposobność wyrażenia siebie w swojej pracy. Zamiast być zwykłym kółkiem w maszynie, zachęcaj ich do samodzielnego myślenia i wcielania w życie własnych pomysłów, jeśli nawet nie pracują na własny rachunek.

Zmiana nie jest łatwa

Zmiana sposobu pracy bywa niełatwa. Wymaga gruntownej przemiany postrzegania swojej pracy – i samego siebie. Nikt w gruncie rzeczy nie lubi zmieniać własnego sposobu postępowania. Przywykłeś do wykonywania pracy w określony sposób i wygodnie ci dalej tak postępować. Zmiana zmusza cię do opuszczenia strefy komfortu. Nie można poczynić postępów, nie tracąc wygody. Trzeba mocno zagłębić się w swój podświadomy umysł, oczyścić go ze starych nawyków i wpoić mu nowe metody postępowania.

Jest to proces trudny, ale wart wcielenia w życie. Oto niektóre korzyści, jakie można osiągnąć:

1. *Praca.* To może się wydać banalne: jeśli twoja firma nie utrzyma się na rynku, zostaniesz bez pracy. Jeśli firma będzie prosperować, nie tylko zachowasz pracę, ale zwiększą się też możliwości działania w twojej firmie. W dzisiejszym świecie panuje zaciekła rywalizacja, jeśli więc firma ma dobrze prosperować – czy choćby przetrwać – musi się zmieniać. Żadna organizacja się jednak nie zmieni, dopóki wszyscy jej członkowie nie przyczynią się do tej zmiany. Jeśli zaakceptujesz zmianę, włożysz pewien wkład w przetrwanie swojej firmy. Jeśli będziesz entuzjastycznie popierać zmianę, zwiększysz zdolność firmy do sprostania konkurencji.

2. *Rozwój osobisty.* Środowisko zespołowe pobudza członków grupy do wykorzystywania swojej inteligencji, zdolności twórczych i innych umiejęt-

ności podczas rozwiązywania problemów. Może
się zdarzyć, że po raz pierwszy masz możliwość
przedstawienia w pracy swoich pomysłów i wnie-
sienia wkładu w sposób wykonywania zadań.
To pobudza twój umysł i zachęca cię do pogłębia-
nia wiedzy. Z każdym sukcesem twoja pewność
siebie rośnie. Jeżeli pojawią się niepowodzenia –
a tak się stanie na pewno – łatwiej nabędziesz
odporności psychicznej niezbędnej do zaakceptowania porażki i wyciągnięcia z niej nauki, jeśli skoncentrujesz się na sukcesach osiągniętych
w przeszłości, zamiast się denerwować obecną
sytuacją.

3. *Kariera*. Jeśli twoim celem jest wspiąć się wyżej
w hierarchii organizacyjnej, czynny udział w pracach zespołu zapewni ci niezbędne doświadczenie w przewodzeniu ludziom. Będziesz uczestni-
czyć w prowadzeniu zebrań, kierowaniu projek-
tami oraz w szkoleniu współpracowników i dora-
dzaniu im. Swoimi działaniami będziesz zwracać
na siebie uwagę menedżerów wyższego szczebla.
Kiedy powstaną nowe zespoły, będziesz przygotowany do objęcia funkcji lidera.

Jak przezwyciężyć opór przed zmianą

Prawdopodobnie nie tylko ty opierasz się zmianom; możliwe, że również inni członkowie twojej organizacji są
niechętni wszelkim działaniom mającym na celu przestawienie się z grup roboczych na zespoły. Większość ludzi nie cierpi zmian i gotowa jest wynajdywać preteksty,
które pozwolą im utrzymać dotychczasowy stan rzeczy.

Stojąc w obliczu zmian sposobu działania, ludzie
często reagują słowami: „Przecież zawsze robiliśmy to
w ten sposób". Aby zmienić metody pracy, członkowie

zespołu muszą być entuzjastycznie nastawieni do korzystnych następstw zmiany.

Kolejnym z uzasadnień dla zachowania status quo jest postawa: „Nie naprawiaj tego, co się nie zepsuło" lub pokrewna uwaga: „Lepsze jest wrogiem dobrego".

Bez wątpienia wiele procesów, procedur i metod okazało się skutecznych. Nie należy wprowadzać zmian tylko po to, by coś zmienić. Rzecz w tym, że jeśli nawet coś się „nie zepsuło" i działa sprawnie, należy się temu przyjrzeć i sprawdzić, jakie zmiany można poczynić, aby funkcjonowało jeszcze skuteczniej w skali zespołowej.

Przestawienie się na pracę zespołową nie przyniesie oczekiwanych skutków, jeżeli naczelne kierownictwo nie będzie przekonane o wartości tego posunięcia i nie udzieli mu pełnego poparcia.

Bezpośredni przełożeni mogą się obawiać umniejszenia swojej rangi lub zlikwidowania ich stanowisk, w związku z czym traktują zmianę roli jako degradację.

Przejście ze stanowiska przełożonego na pozycję lidera zespołu nie odbywa się z dnia na dzień. Zmiana wymaga czasu i bywa trudna. Bezpośrednim przełożonym osób, które utworzą nowy zespół, należy jasno pokazać, jak skorzystają na tej zmianie. Trzeba ich zapewnić, że przekazując część swoich funkcji, znajdą więcej czasu na ogólne usprawnienie procesów, nowe projekty i poszerzenie zakresu swojej pracy. Jeśli wpoisz tę pewność ich świadomemu umysłowi, podświadomy umysł przyswoi ją i dokona odpowiedniej korekty, co pomoże w zaakceptowaniu niezbędnych zmian.

Członkowie zespołu powinni wspólnie projektować swoją pracę

Zespół składa się z osób obdarzonych różnymi umiejętnościami, które można połączyć dla osiągnięcia wspólnych celów. To, czym się kto zajmuje, powinno być jasne i spójne z kierunkiem obranym przez zespół. Wszyscy członkowie powinni wiedzieć, w których punktach wpisują się w szerszą perspektywę i w jaki sposób poprzez wspólną pracę mogą dokonać o wiele więcej, niż zrobiliby indywidualnie. Planując zadania zespołu, lider powinien wykorzystać fachową wiedzę i doświadczenie wszystkich członków. Wiadomo, że cele zespołu realizowane są skuteczniej, jeśli wyznacza je cały zespół; to samo dotyczy planowania pracy – procesów i metod wykorzystywanych do urzeczywistniania celów.

Współpraca

Można zmodyfikować stare przysłowie „Co dwie głowy to nie jedna", ujmując je następująco: „Co trzy głowy to nie dwie" itd. Jeżeli zdołamy wykorzystać siłę mózgów innych ludzi w połączeniu z naszą mocą intelektualną, zwiększymy prawdopodobieństwo odniesienia sukcesu.

Ściśle współpracując z członkami zespołu i ze specjalistami w dziedzinach wykraczających poza twoje kompetencje, nie tylko uczysz się od nich (a oni od ciebie), ale także zostajesz zmuszony do myślenia przez interakcje zachodzące w obrębie grupy. Rozwijają one twoją inteligencję, poszerzają horyzonty i zwiększają kreatywność. Potęgują moc twojego podświadomego umysłu, umożliwiając ci podejmowanie bardziej innowacyjnych i mądrzejszych decyzji.

Często pomysły jednej osoby są inspiracją dla drugiej. Mózg ma potencjał generowania nieskończonej liczby myśli. Większa część siły umysłu leży w głębi podświadomości i jedynie czeka na ujawnienie. Kiedy grupa omawia jakąś sytuację, wypowiedzi jednych wydobywają pomysły z podświadomości innych członków zespołu. Każdy pomysł może zasiać w umyśle drugiego człowieka ziarno, które wykiełkuje w nową koncepcję; w miarę wyrażania myśli i pojęć przez poszczególne osoby każdy z pozostałych uczestników spotkania przyswaja sobie, adaptuje i kształtuje te koncepcje w swoim umyśle, a skutkiem tego zbiorowego wysiłku jest nowy sposób myślenia, który nie pojawiłby się samoistnie.

Współpraca podsyca entuzjazm

Ludzie, którzy biorą udział w podejmowaniu decyzji, angażują się w działania mające na celu jej skuteczną realizację. Sam fakt uczestniczenia w procesie decyzyjnym sprawia, że dany projekt staje się wspólną własnością. A nic nie budzi entuzjazmu tak mocno jak poczucie własności. Umysł powtarza ciągle: „To mój projekt, więc musi się okazać skuteczny".

Wynik działania zależy od tego, co się dzieje w umyśle. Prawdziwy entuzjazm można poznać po błyszczących oczach, żywotności człowieka i wigorze, sprężystym kroku i bijącej od niego energii. Entuzjazm decyduje o postawie wobec innych ludzi, wobec pracy i świata. Decyduje o radości i pasji istnienia.

Michelle Peluso, dyrektor naczelna firmy Travelocity, świetnie prosperującego biura podróży oferującego usługi przez Internet, lubi się opierać na zespołach entuzjastów i dlatego dba o to, by jej pracownicy angażowali się w pracę. Uważa, że człowiek idzie do pracy dlatego, że wierzy w ludzi ze swojego otoczenia i w to, za czym oni się opowiadają: w swoich kolegów, współpracowników i ich przekonanie, że firma robi dla klientów coś wielkiego.

Peluso wzbudza zaangażowanie pracowników na różne sposoby. Wysyła do nich co tydzień e-maile opisujące, jak Travelocity dąży do zapewnienia klientom pozytywnych doświadczeń. Prosi pracowników o typowanie kolegów, którzy wcielają w życie najważniejsze wartości firmy, a następnie przedstawia ich sylwetki i opisuje pracę. Zachęca pracowników do regularnego komunikowania się z innymi zamiast jedynie rozwiązywania problemów. Nawiązuje bezpośredni kontakt ze wszystkimi swoimi zespołami, urządzając co miesiąc składkowe lunche, na które każdy może przyjść, i zawsze chętnie uczestnicząc w przygodnych, nieskrępowanych rozmowach. Co kwartał odwiedza swoje biura i otwarcie mówi o stanie finansów firmy, o pozycji względem konkurencji i innych sprawach, co wywiera dobre wrażenie na pracownikach, którzy chcieliby poznać efekty swoich wysiłków.

Dbaj o kolegów z zespołu, przekazując im odpowiedzialność

Odpowiedzialność jest ważnym elementem nabywania władzy. Tam, gdzie jest odpowiedzialność, tam zachodzi rozwój. Ludzie, którym nigdy nie powierzono odpowiedzialnych stanowisk, nigdy nie rozwiną swojej rzeczywistej siły. Ponieważ nigdy nie zobowiązano ich do samodzielnego planowania, nie rozwinęli swoich mocy oryginalności, pomysłowości, inicjatywy, niezależności, polegania na sobie, charakteru i wytrwałości. Moc tworzenia, kojarzenia faktów, radzenia sobie w sytuacjach kryzysowych; moc wynikająca z ciągłej mobilizacji, by sprostać trudnym sytuacjom i dostosować środki do celów; wytrwałość lub moc, która umożliwia uporanie się z wielkimi przełomami w życiu kraju lub przedsiębiorstwa – rozwija się jedynie dzięki wieloletniemu praktycznemu ćwiczeniu na stanowisku związanym z wielką odpowiedzialnością.

Krótko mówiąc

- Istotą zespołu jest zaangażowanie się we wspólną sprawę. Bez zaangażowania członkowie grupy działają jak jednostki, a dzięki niemu stają się potężną całością opartą na zbiorowym działaniu.
- Nie szefuj, lecz prowadź. Musisz przestać myśleć jak „szef". Szefowie podejmują decyzje i wydają polecenia. Liderzy koordynują działanie grup myślących, dorosłych ludzi, którzy wspólnie stawiają czoło napotkanym problemom i je rozwiązują.
- Skuteczni liderzy stwarzają atmosferę zachęcającą członków zespołu do samodzielnego analizowania problemów, proponowania rozwiązań i uczestniczenia w podejmowaniu decyzji. Uczestnictwo jest kluczem do sukcesu.
- Zmiana zmusza do opuszczenia strefy komfortu. Nie można poczynić postępów, nie tracąc wygody. Trzeba mocno zagłębić się w swój podświadomy umysł, oczyścić go ze starych nawyków i wpoić mu nowe metody postępowania.
- Podstawą każdej relacji – czy to w miejscu pracy, czy poza nim – jest zaufanie. Jeżeli członkowie zespołu nie ufają swojemu liderowi lub choćby jednemu ze współpracowników, zespół nigdy nie ruszy z miejsca.

Rozdział 13

Szczerze wyrażaj uznanie

Każdy chce być kochany i doceniany. Każdy chce się czuć ważną cząstką świata. Zdaj sobie sprawę, że inni ludzie są świadomi swojej prawdziwej wartości. Tak jak ty, są dumni z tego, że stanowią przejaw jedynego Prawa Życia, które ożywia wszystkich. Wyrażając uznanie świadomie i z rozmysłem, podnosisz ludzi na duchu, a oni odwzajemniają twoją miłość i życzliwość.

W Księdze Przysłów Salomon mówi: „Niech inny cię chwali"*. Pochwała oznacza uznanie, takt i uprzejmość. Codziennie można spotkać przykłady braku tych cech u wielu osób i w wielu rodzinach. Konfucjusz słusznie powiedział: „Praktyka moralności zaczyna się od jednej osoby w jej własnym domu". Nierzadko słyszy się opinię: „Cokolwiek bym zrobił, to nigdy nie wystarczy. On (ona) nigdy tego nie docenia ani mi nie dziękuje".

Nasuwa się oczywiste pytanie: Jak często t y mówisz: „Dziękuję ci, doceniam to, co zrobiłeś. Uważam cię za cennego członka naszego zespołu"? Jeśli sam chcesz słyszeć te krzepiące słowa, postąpisz najlepiej, jeśli będziesz mówić je innym ludziom – codziennie, aż będzie ci to przychodzić bez trudności – i robić to szcze-

---

* Pismo Święte Starego i Nowego Testamentu, Pallottinum, Poznań-Warszawa 1989.

rze. Praktykowanie złotej reguły polega na wyrażaniu swojego uznania.

Jakże często uważamy obecność swoich podwładnych i współpracowników za rzecz oczywistą. Zakładamy, że wiedzą, iż ich doceniamy, i nie możemy otrząsnąć się ze zdumienia, kiedy składają wymówienie, by podjąć inną pracę.

Kiedy Tony E. odchodził z firmy Building Maintenance Company, podczas rozmowy kończącej okres zatrudnienia zadano mu pytanie, co najbardziej i najmniej podobało mu się w firmie. Tony odparł, że chociaż był zadowolony z pensji i dodatków, nigdy nie odniósł wrażenia, że jest częścią organizacji. „Zawsze wydawało mi się, że uważa się mnie jedynie za kółko w maszynie – powiedział. – W ciągu dziewięciu miesięcy przepracowanych w tym dziale wysunąłem kilka propozycji, podjąłem się wykonania dodatkowych zadań i próbowałem stosować twórcze metody w przydzielonej mi pracy. Mój szef nie doceniał tego, co mogłem z siebie dać".

Gdyby zdano sobie sprawę z umiejętności Tony'ego i okazano mu uznanie, omawiając jego propozycje i pokazując mu, jak ceni się jego pracę, firma zdołałaby zatrzymać bardzo wartościowego pracownika.

Okazuj uznanie

William James, wybitny psycholog amerykański, stwierdził, że najgłębszą potrzebą istoty ludzkiej jest pragnienie uznania. Na co dzień – zarówno w życiu osobistym, jak i zawodowym – często zapominamy okazywać uznanie tym, którzy umożliwili nam odniesienie sukcesu.

Bardziej skłaniamy się do wyszukiwania spraw, które można skrytykować, niż tych, które można pochwalić. Wyrażając uznanie, nie tylko umilamy relację z innymi w miejscu pracy, ale także wzmacniamy ducha współpracy w zespole. Dzięki temu inni chętniej nadstawiają ucha, kiedy przekonujemy ich do swojego sposobu myślenia.

Koniecznie staraj się pozostawać w co najmniej koleżeńskich relacjach ze wszystkimi współpracownikami, a najlepiej utrzymuj z nimi ciepłe, bliskie stosunki. Możesz tego dokonać, m.in. doceniając ich wkład we wszystko, co dla ciebie użyteczne. Wielu menedżerów wyższego stopnia ma wrażenie, że podwyżka pensji lub premia jest wystarczającą oznaką uznania dla dobrze wykonanej pracy. Oczywiście pracownicy oczekują konkretnych nagród za dobrą pracę, pieniądze jednak to nie wszystko.

Pewien przedsiębiorca ze stanu Maryland opowiedział mi, co jeszcze można zrobić. Jeden z jego pracowników stale dawał z siebie więcej, niż przewidywał to zakres jego obowiązków. Otrzymywał wyższą premię od innych, ale pieniądze nie wyrażały w pełni uczuć dyrektora firmy. Dyrektor napisał zatem do pracownika list, w którym wyraził uznanie dla jego zasług, i dołączył dodatkowy czek. Okazał mu wdzięczność i dał do zrozumienia, jak wiele jego osoba znaczy dla firmy. Kiedy później pracownik dziękował dyrektorowi za list, powiedział, że wzruszył się do łez, że będzie strzegł tego listu jak oka w głowie i zachowa go do końca życia.

W okresie gorączkowych zakupów poprzedzających Święto Dziękczynienia niektórzy pracownicy biurowi w hipermarkecie spożywczym Stew Leonard w Norwalk (stan Connecticut) zwrócili uwagę na długie i wolno postępujące kolejki do kas i — bez zachęty ze strony kierownictwa — zostawili swoje zwykłe obowiązki, aby pomóc kasjerom, dzięki czemu kolejki posuwały się szybciej.

Stew, właściciel sklepu, postanowił zrobić coś specjalnego dla pracowników, którzy zaoferowali pomoc.

Kiedy minęła już świąteczna gorączka zakupowa, kupił każdemu z nich po pięknej koszulce z wyhaftowanym napisem „Laureat Nagrody WPSO Stew Leonard" (dla Wykraczających Poza Swoje Obowiązki). Wyrażając w ten szczególny sposób uznanie pracownikom, którzy dali z siebie więcej, niż od nich oczekiwano, nie tylko to docenił, ale także dał do zrozumienia wszystkim – nagrodzonym pracownikom, ich kolegom i przełożonym, nie licząc klientów – że ceni sobie ich dodatkowy wkład w pracę.

Dlaczego nie okazujemy uznania innym?

Często przyjmujemy, że oczywistym wyrazem naszego uznania jest słowo „dziękuję". Czasami wydaje nam się to zbędne, bo przecież ten człowiek „po prostu wykonuje swoją pracę". Nie okazujemy innym uznania, jeżeli poczytujemy to za oznakę słabości lub sądzimy, że doceniając innych, zwrócimy uwagę na własne braki. Możemy podświadomie myśleć: „Jeśli powiem, jak dobrze jej poszło, ona (i inni) mogą odnieść wrażenie, że jestem od nich gorszy". Taki wniosek jest bezpodstawny. Wszyscy wielcy ludzie nieustannie wyrażają wdzięczność tym, od których uzyskują pomoc. W rzeczywistości taka postawa wzmacnia ich wizerunek silnego człowieka i nakłania zwolenników do jeszcze większej lojalności.

Uznania nie należy okazywać zbyt wylewnie. Wystarczy szczerze opisać swoje uczucia co do wykonanej pracy lub usługi albo powiedzieć, że określone dokonania są dla ciebie powodem do dumy. Przyjmowanie wyrazów uznania nie znudzi się nikomu. Zakładając, że twoja wdzięczność jest oczywista i nie musisz jej okazywać, pozbawiasz drugiego człowieka tego, co mu się należy. Powiedz mu, że doceniasz to, co zrobił, i dlaczego. Wyraź swoje uznanie jak najszybciej po zakończeniu konkretnego działania, które przyniosło określone skutki. Tak jak lukier na torcie, tak twoje wyrazy uznania osłodzą radość z samego dokonania.

Uznanie musi być szczere

Trzeba naprawdę czuć i wierzyć w to, co się mówi, aby druga strona uwierzyła w szczerość tych słów. Nieszczerości nie da się ukryć pod pięknymi słówkami. Prawdziwe odczucia wyrażają się w głosie, spojrzeniu i mowie ciała. Nie należy okazywać fałszywej wdzięczności. W naszym życiu jest wiele spraw, które należy docenić, i wielu ludzi, którzy zasługują na niekłamaną wdzięczność.

Powinniśmy dostrzegać dodatkowy wysiłek wkładany w pracę przez naszych podwładnych lub członków zespołu, przejawy szczególnego zrozumienia dla naszej sytuacji ze strony naszych przyjaciół i krewnych oraz zachętę, której udzielają nam współpracownicy. Sama świadomość tego, ile tym ludziom zawdzięczamy, powinna wystarczyć do odblokowania źródła prawdziwej i szczerej wdzięczności w głębi naszego serca. Daj jej płynąć swobodnie. Nie powstrzymuj jej, kiedy ciśnie ci się na usta. Niech dotrze do uszu tych, którzy na nią zasługują, a ich życie – podobnie jak twoje – będzie tego dnia odrobinę lepsze.

Pozytywne wzmocnienie

Szef-autokrata ciągle krytykuje, potępia, narzeka i nigdy nie zapomina o błędach swoich pracowników. Zawsze jednak uważa, że właściwe wykonywanie zadań jest rzeczą oczywistą. Dzisiejsi menedżerowie odkryli, że aby zwiększyć odporność psychiczną i produktywność pracowników, warto raczej wzmacniać w nich dobre cechy, niż czepiać się błędów i nieefektywności.

Ludzie spotykający się z ciągłą krytyką czują się dotknięci i zaczynają mieć wrażenie, że są głupsi i gorsi od innych. Jeśli czyjeś postępowanie cię nie zadowala, staraj się je raczej skorygować, zamiast przyprawiać daną osobę o złe samopoczucie.

Sławny psycholog B. F. Skinner zauważył, że krytyka często wzmacnia niewłaściwe zachowanie (jeżeli winowajca przyciąga uwagę innych tylko wtedy, gdy jest krytykowany). Zgodnie z zaleceniami Skinnera należy ograniczać swoje reakcje na złe zachowanie innych ludzi i wyrażać w jak największym zakresie uznanie dla ich właściwego postępowania. Ludzie stale krytykowani budują wzorzec porażki, który przenika do ich podświadomego umysłu. Czują oni, że do niczego się nie nadają, i w ten sposób przegrywają jeszcze częściej. Aby tego uniknąć, nie krytykuj ich, lecz stań się ich przewodnikiem.

Zamiast wrzeszczeć na współpracownika, który popełnił błąd, powiedz mu spokojnie: „Robisz postępy w pracy, ale ciągle wiele musisz się nauczyć. Pozwól, że ci powiem, jak można przyśpieszyć ten proces". Kiedy wydajność pracownika rzeczywiście wzrośnie, zrób z tego wielką sprawę. W ten sposób do jego podświadomego umysłu będą docierać raczej pozytywne niż negatywne myśli.

Niektórzy przełożeni obawiają się, że pochwały świadczą o ich nadmiernej wyrozumiałości: „Nie chcemy rozpieszczać podwładnych". Pochwała nie oznacza pobłażliwości – jest to pozytywne podejście, które służy właściwemu wywiązywaniu się z obowiązków. Kiedy przestaniesz traktować członków personelu jak podwładnych, a zaczniesz uważać ich za partnerów, którzy wraz z tobą dążą do osiągnięcia tych samych celów, udzielanie odpowiednich pochwał stanie się naturalnym elementem twojego zachowania.

Nie chwal bez zastanowienia

Pochwały służą ludziom. Choć każdy człowiek potrzebuje uznania, aby mieć o sobie lepsze zdanie, nie można rozdzielać pochwał na prawo i lewo. Należy je rezerwować dla dokonań wartych szczególnego uznania. Jak zatem radzić sobie z ludźmi, którzy nigdy nie robią niczego godnego pochwały?

Z tym problemem Maria C. zmagała się w swojej grupie pracowników obsługujących edytory tekstu. Kilku z nich cechowało nastawienie, że dopóki wyrabiają normy, niczego nie można im zarzucić. Chwaląc ich za to, tylko utwierdziła ich w przekonaniu, że niczego więcej od nich nie oczekuje. Krytyka za nieprzekraczanie normy spotkała się z odpowiedzią: „Robię, co do mnie należy".

Maria spróbowała inaczej udzielić pracownikom pozytywnego wzmocnienia. Przydzieliła jednemu z nich specjalne zadanie, dla którego nie ustalono normy wydajności. Po ukończeniu zadania Maria pochwaliła pracownika. Postępowała tak samo ze wszystkimi nowymi zadaniami i w ten sposób stworzyła sposobność do szczerego pochwalenia każdej osoby obsługującej edytory tekstu.

Czasami jesteśmy bardziej skłonni doszukiwać się powodów do krytyki, niż szukać tego, co zasługuje na pochwałę. Ponieważ oczekujesz od swojego personelu dobrej pracy, możesz się skoncentrować na skorygowaniu ich słabych punktów. Douglas P., regionalny kontroler kalifornijskiej sieci supermarketów, regularnie wizytował osiem podlegających mu sklepów. Wchodził do nich z nastawieniem wyłapywania p r o b l e m ó w. Krytykował kierowników za sposób eksponowania produktów, za powoli posuwające się kolejki i wszystko inne, co wpadło mu w oko. „Na tym polega moja praca –

twierdził. – Muszę dopilnować, aby wszystko szło jak należy".

Jak łatwo zgadnąć, pracownicy sklepów drżeli na myśl o jego wizytach. Szef Douglasa przyznał, że poprawianie niedociągnięć jest ważne. Podkreślił jednak, że skoro w sklepach przekraczano zaplanowane obroty i ograniczano wydatki, kierownicy powinni usłyszeć gratulacje z powodu odnoszonych sukcesów. Szef zaproponował, aby Douglas poszukiwał tego, co dobre, i wyrażał swoją aprobatę. Zachęcił go również do wskazywania punktów wymagających poprawy, ale radził, aby nie koncentrował się na tym podczas wizyt. Choć nie było to łatwe, Douglas zastosował się do rady szefa. Po kilku miesiącach kierownicy sklepów zaczęli się cieszyć na myśl o nadchodzącej wizycie Douglasa. Zaczęli przedstawiać mu nowe pomysły i zwracali się do niego po radę w kwestiach związanych z funkcjonowaniem sklepu. Kasjerzy i inni pracownicy wkrótce przezwyciężyli obawę przed „ważnym szefem" i z wdzięcznością przyjmowali jego uwagi i propozycje.

Pięć skutecznych sposobów chwalenia

Pochwała jest ważnym, ale nie zawsze skutecznym narzędziem motywującym. Część przełożonych chwali każde drobne osiągnięcie, zmniejszając tym samym wartość pochwały odnoszącej się do rzeczywistych dokonań. Inni udzielają pochwał tak, że wydają się one wydumane. Aby twoje pochwały znaczyły więcej, stosuj się do następujących wskazówek:

1. *Nie przesadzaj.* Pochwały mają słodki smak. Podobnie jest z cukierkami; im więcej się ich je, tym mniej słodkie się wydają i tym łatwiej przyprawiają o ból brzucha. Chwalenie w nadmiarze

zmniejsza korzystny efekt poszczególnych pochwał; jeśli zostaną przedawkowane, całkiem stracą wartość.

2. *Bądź szczery.* Nie da się udawać szczerości. Jeśli sam nie wierzysz w to, co mówisz, nie przekonasz do tego również swojego współpracownika.

3. *Przedstaw konkretny powód udzielenia pochwały.* Zamiast mówić: „Świetna robota!", dużo lepiej powiedzieć: „Twój raport w sprawie XYZ pozwolił mi lepiej zrozumieć zawiłości tej kwestii".

4. *Zapytaj współpracownika o radę.* Jednym z największych pochlebstw jest zwrócenie się do kogoś po radę. Metoda ta może spalić na panewce, jeśli porada nie zostanie przez ciebie przyjęta. Jeśli musisz ją odrzucić, zadawaj swojemu rozmówcy pytania na temat niewłaściwej odpowiedzi, której ci udzielił, aż sam dostrzeże błąd w swoim rozumowaniu i przedstawi dobrą radę.

5. *Chwal publicznie.* Ganić należy zawsze na osobności, ale pochwał (w miarę możliwości) należy udzielać publicznie. Doceniona kwestia może być sprawą prywatną, czasami jednak warto poinformować całą grupę o tym, co wymaga pochwały. Kiedy inni członkowie personelu zorientują się, że jeden ze współpracowników otrzymał pochwałę, mają ochotę starać się o podobne uznanie.

Nagłaśniaj dokonania innych osób
Niektóre z istotnych osiągnięć należy chwalić publicznie np. podczas zebrań lub imprez firmowych. Nagłaśnianie wartościowych dokonań i udzielanie pochwał w obliczu kolegów z pracy zachęca pozostałych do naśladowania chwalonego sposobu postępowania.

W rozdziale 11. mówiliśmy o Mary Kay. Jednym ze sposobów motywowania w jej firmie jest wyrażanie uznania dla pracowników osiągających szczególnie dobre wyniki. Nie tylko otrzymują oni nagrody i pamiątkowe plakietki, ale ich sukcesy są fetowane podczas firmowych zjazdów i publikowane w gazetce firmowej. Każdy zjazd firmy Mary Kay przypomina świętowanie zwycięstwa. Osoby nagrodzone są wywoływane na scenę i przedstawiane, co wywołuje okrzyki uznania i aplauz widowni. Zdobywcy nagród twierdzą, że uznanie wyższego kierownictwa i oklaski kolegów dają taką samą satysfakcję jak sama nagroda.

Daj pracownikom coś na pamiątkę

W większości firm przyznaje się różne nagrody: od niedrogich plakietek lub bonów po nagrody pieniężne, luksusowe towary lub egzotyczne wycieczki. Największą i najbardziej pożądaną nagrodą w firmie Mary Kay są jej słynne różowe cadillaki, które daje się pracownikom osiągającym najlepsze wyniki podczas firmowej ceremonii wręczania nagród. Aby otrzymać tę nagrodę, sprzedawcy muszą spełnić szereg kryteriów i sprostać wielu wyzwaniom. Zwycięstwo nie jest łatwe, lecz z każdym rokiem coraz więcej współpracowników Mary Kay „osiąga szczyt".

Mary Kay nie rozdaje samochodów. Firma daje samochód zwycięzcy w użytkowanie na jeden rok. Aby zatrzymać samochód lub otrzymać w kolejnym roku nowszy model auta, sprzedawca musi się utrzymać na wymaganym poziomie. Czyż to nie wspaniała zachęta do zachowania dobrej jakości pracy? W rezultacie niewielu zwycięzców musi się rozstawać ze swoimi samochodami.

Upominki nie muszą być tak wyszukane jak cadillaki Mary Kay. Niezależnie od tego, jakiego rodzaju nagrody będziesz wręczać pracownikom – duże czy małe – warto wydać kilka dolarów więcej, aby dołączyć dyplom lub plakietkę. Pracownicy lubią wieszać takie pamiątki w swoich biurach, przy stanowiskach pracy, nad biurkami lub we własnym domu. Pieniądze zostają wydane, towary się zużywają, wycieczka staje się tylko wspomnieniem, ale dyplom, plakietka lub zwykły list będą przypominać o wyrazach uznania.

Teczki sukcesu

Hillary M., kierowniczka działu sprzedaży dużego biura obrotu nieruchomościami na Florydzie, ma w zwyczaju wysyłać listy gratulacyjne do agentów, którzy zrobią coś szczególnego: sprzedadzą posiadłość trudną do zbycia, uzyskają prawo sprzedaży dochodowego budynku lub przeprowadzą transakcję w twórczy sposób.

Wraz z pierwszym z takich listów Hillary wysyła do agenta teczkę na dokumenty opatrzoną napisem „Teczka sukcesu", do której dołącza następującą propozycję: „Włóż do teczki załączony list i umieszczaj w niej wszelkie listy pochwalne otrzymywane ode mnie, od innych menedżerów, klientów lub kogokolwiek innego. Ponadto odnotowuj tu wszystkie swoje szczególne osiągnięcia, np. nagrody uzyskiwane za rekordowe obroty, przekroczenie normy sprzedaży, pozyskanie istotnego nowego klienta itd. Po pewnym czasie możesz doznać niepowodzenia, przeżyjesz rozczarowanie lub nie będziesz miał dobrego zdania na swój temat. Przeczytaj wówczas ponownie te listy. Dowodzą one, że jesteś człowiekiem sukcesu, masz zdolności i jesteś kimś szczególnym. Zrobiłeś to w przeszłości, zatem potrafisz dokonać tego ponownie!"

Korespondenci Hillary zgodnie twierdzą, że ponowna lektura listów pomaga im przetrwać czasy zastoju w branży, okresy depresji i ogólnego niezadowolenia oraz inne trudne chwile. Listy te pozwalają im „przeprogramować" psychikę, wzmocnić poczucie własnej wartości i stawiać czoło problemom z nowym zapasem sił i nadziei.

Zachęcaj pracowników do okazywania sobie nawzajem wdzięczności

Kolejnym sposobem motywowania jest wzajemne docenianie swoich działań przez współpracowników. Firmy zachęcają pracowników do udzielania pochwał lub oficjalnego wyrażania wdzięczności kolegom i koleżankom, którzy ułatwili im pracę lub sprawili, że stała się bardziej satysfakcjonująca. Jedną z metod jest traktowanie innych pracowników jak wewnętrznych klientów lub wewnętrznych dostawców.

Przełożeni, kierownicy i liderzy zespołów nie są jedynymi osobami, które dostrzegają szczególne starania pracowników. Wszyscy pracownicy codziennie stają się świadkami wysiłków pozostałych członków zespołu. Mogąc wyrazić uznanie dla pracy kolegów, nie tylko stawiają w pełnym świetle osiągnięcia niedocenione przez kierownictwo, ale również sprawiają, że zarówno osoba nominowana, jak i nominująca czuje się częścią zintegrowanej, powiązanej i nieobojętnej organizacji.

Jedną z firm, która osiągnęła wspaniałe wyniki na tym polu, jest Minicircuit Labs, posiadająca zakłady produkcyjne w nowojorskim Brooklynie i w Hialeah na Florydzie. Firma ta dostarcza wszystkim swoim pracownikom formularze zatytułowane „Masz u mnie plus", na którym każdy z nich może wyrazić wdzięczność współpracownikowi, podwładnemu lub członkowi personelu, który zasłużył tego dnia na szczególne uznanie.

W firmie A&G Merchandising Company w Wilmington (stan Delaware) liderzy zespołów otrzymują pakiety kart okolicznościowych; na pierwszej stronie karty wydrukowano ozdobnymi czcionkami słowo „Dziękuję", a środek pozostawiono pusty. Kiedy ktoś zrobi coś zasługującego na szczególne uznanie, lider szczegółowo opisuje na karcie to osiągnięcie i składa pracownikowi gratulacje. Pracownicy cieszą się, dostając te karty, i pokazują je przyjaciołom i członkom rodziny.

Krótko mówiąc

- Przyjmowanie wyrazów uznania nie znudzi się nikomu. Zakładając, że twoja wdzięczność jest oczywista i nie musisz jej okazywać, pozbawiasz drugiego człowieka tego, co mu się należy. Powiedz mu, że doceniasz to, co zrobił, i dlaczego.

- Ludzie spotykający się z ciągłą krytyką czują się dotknięci i zaczynają mieć wrażenie, że są głupsi i gorsi od innych. Jeśli czyjeś postępowanie cię nie zadowala, staraj się raczej je skorygować, zamiast przyprawiać daną osobę o złe samopoczucie.

- Ludzie stale krytykowani budują wzorzec porażki, który przenika do ich podświadomego umysłu. Czują oni, że do niczego się nie nadają, i w ten sposób przegrywają jeszcze częściej. Aby tego uniknąć, nie krytykuj ich, lecz stań się ich przewodnikiem. Zamiast wrzeszczeć na współpracownika, który popełnił błąd, powiedz mu spokojnie: „Robisz postępy w pracy. Pozwól, że ci powiem, jak można przyśpieszyć ten proces". Kiedy wydajność pracownika rzeczywiście wzrośnie, zrób z tego wielką sprawę. W ten sposób do jego podświadomego umysłu będą docierać raczej pozytywne niż negatywne myśli.

- Pochwała nie oznacza pobłażliwości – to pozytywne podejście, które służy właściwemu wywiązywaniu się z obowiązków. Kiedy przestaniesz traktować członków personelu jak podwładnych, a zaczniesz uważać ich za partnerów, którzy wraz z tobą dążą do osiągnięcia tych samych celów, udzielanie odpowiednich pochwał stanie się naturalnym elementem twojego zachowania.

- Pochwały należy rezerwować dla dokonań wartych szczególnego uznania.

- Koncentrując się na sprawach pozytywnych – obdarzając uwagą i uznaniem właściwe postępowanie innych ludzi – wzmacniasz w nich pragnienie takiego postępowania.

- Nagłaśniając wyczyn godny uznania i publicznie chwaląc osobę, która go dokonała, zachęcasz innych do jej naśladowania.

- Zachęcaj współpracowników do udzielania pochwał lub formalnych wyrazów uznania kolegom lub koleżankom, którzy ułatwili im pracę lub sprawili, że stała się bardziej satysfakcjonująca.

Rozdział 14

Porozumiewaj się efektywniej

Ludzie, którzy potrafią się wysławiać, posiedli sztukę atrakcyjnego przedstawiania spraw i umieją natychmiast wzbudzić zainteresowanie innych ludzi, mają olbrzymią przewagę nad tymi, którzy być może więcej wiedzą, lecz nie potrafią się wyrażać z łatwością i elokwencją.

Aby wykonać swoje obowiązki, trzeba się porozumiewać ze współpracownikami. Bez słów, wyrażonych w mowie czy na piśmie, nie można wykonać żadnej pracy. Jednak to, czy słowa doprowadzą do podjęcia pożądanych działań, zależy nie tylko od nich samych, ale i od tego, jak zostaną wyartykułowane (lub napisane). Musimy się upewnić, że ludzie, do których się zwracamy, nie tylko rozumieją nasze słowa – składające się na polecenie, propozycję lub pomysł – lecz także je akceptują.

W dzisiejszych czasach porozumiewanie się – treść i sposób wypowiedzi – może decydować o sukcesie lub porażce. Przypomnijmy sobie postać Ronalda Reagana. Wielu Amerykanów jest zdania, że główną cechą jego charakteru była zdolność skutecznego porozumiewania się z wyborcami i dobra prezencja na ekranie. Tę umiejętność, wspólną dla większości skutecznych profesjonalistów wyższego kierownictwa przedsiębiorstw i wysokich urzędników państwowych, ty również możesz sobie przyswoić. Potrzebujesz tylko woli i determinacji. Kiedy udoskonalisz umiejętności porozumiewania się, będziesz mógł skuteczniej przedstawiać swoje pomysły szefowi, współpracownikom, klientom, członkom zespołu, a nawet przyjaciołom i krewnym.

Słowo ma większą moc niż bomba atomowa z tej prostej przyczyny, że to słowa decydują o tym, czy broń ta zostanie użyta czy nie. Potęgę słów można wykorzystać, by użyć energii atomowej do napędzania statków lub do zniszczenia miasta czy kraju. Uczestnicy pewnego warsztatu doskonalącego umiejętności porozumiewania się zostali poinformowani, że dzięki słowom mogą osiągnąć bajeczne rezultaty. Zaproponowano im, aby znaleźli słowa, które do nich przemawiają, i powtarzali je ciągle na głos przez co najmniej dziesięć minut dwa razy dziennie. Mogli też zapisać to, czego chcieli dokonać, i od czasu do czasu przywoływać w myśli swoje plany, w ten sposób stopniowo torując tym koncepcjom drogę do swojego podświadomego umysłu. Jeden z uczestników seminarium, agent ubezpieczeniowy, śmiało wypowiedział takie oto słowa: „Przyciągam do siebie tylko tych ludzi, którzy są zainteresowani moją ofertą i mają pieniądze do zainwestowania w kształcenie swoich dzieci i własną pomyślność". Stałe powtarzanie tej afirmacji pozwoliło mu przyciągnąć więcej zainteresowanych osób niż kiedykolwiek wcześniej, a oferty zaczęły do niego napływać nie wiadomo skąd. Mężczyzna ten wspiął się wysoko po drabinie życia i czynił postępy na różnych etapach swojej drogi.

Komunikacja wymaga przygotowań

Niezależnie od tego, czy zwracasz się do grupy, czy rozmawiasz z kimś na osobności, powinieneś przemyśleć swój przekaz i zastanowić się zawczasu, jak go przedstawić. Czasami będziesz musiał myśleć na bieżąco, nie mając wcale lub mając niewiele czasu na przygotowania, częściej jednak będziesz mógł się przygotować do wypowiedzi, choćby w ostatniej chwili.

Poznaj temat

W pracy zwykle porozumiewasz się z innymi na tematy dobrze ci znane, dotyczące np. wykonywanego zadania, spraw mieszczących się w obszarze twoich kompetencji lub problemów związanych z działaniem firmy. Jednak również w tej sytuacji powinieneś przeanalizować fakty i upewnić się, że dysponujesz wszystkimi dostępnymi informacjami i jesteś przygotowany na wszystkie pytania.

Możesz niekiedy zostać poproszony o zajęcie stanowiska w sprawach ci nieznanych. Twoja firma może np. planować zakup nowego oprogramowania komputerowego i powierzyć ci zadanie jego sprawdzenia. Oto, jak przystępować do takich zleceń:

- Dowiedz się jak najwięcej na dany temat.
- Zdobądź znacznie więcej informacji, niż potrzeba do prezentacji.
- Wynotuj wady i zalety proponowanego produktu, rozwiązania itd.
- Niezależnie do tego, czy będziesz składać sprawozdanie jednej osobie (np. szefowi) czy grupie menedżerów lub specjalistów, przygotuj się na pytania na każdy temat.

Poznaj swoich słuchaczy

Skuteczna komunikacja w połowie zależy od tego, czy rozumiesz swoich słuchaczy. Nawet najwprawniejszy mówca nie będzie mógł się skutecznie porozumieć ze słuchaczami, jeżeli nie będą oni w stanie go zrozumieć. Dobieraj słowa jasne i czytelne. Jeżeli ludzie, do których się zwracasz, mają wykształcenie techniczne, możesz posługiwać się specjalistyczną terminologią, łatwą do zrozumienia dla tych osób. Jeśli jednak omawiasz sprawy techniczne z laikami, nie uciekaj się do specjalistycznego żargonu. Jeśli twoi słuchacze nie zrozumieją używanych przez ciebie słów, nie dotrzesz do nich ze swoim przekazem.

Inżynier Dennis K. miał objaśnić swoją koncepcję grupie finansistów, od których spodziewał się uzyskać fundusze na projekt wdrażany przez jego firmę. Zwrócił się do swojego szefa: „Nie mam trudności z przekazywaniem swoich pomysłów innym inżynierom – powiedział. – Mówimy tym samym językiem, ale ci bankowcy żyją w innym świecie. Strasznie się boję, że w ogóle mnie nie zrozumieją". Szef odrzekł, że to Dennis, a nie bankowcy, jest odpowiedzialny za czytelność swojego wystąpienia. Musiał zatem ująć sprawy techniczne w zwykłych słowach. Jeżeli specjalistyczne słownictwo było konieczne, Dennis musiał znaleźć czas na wyjaśnienie danego terminu, gdy używał go po raz pierwszy, i co najmniej jeszcze raz powtórnie, gdyby odniósł wrażenie, że wymaga to powtórzenia.

Dennis zastosował się do tej rady i otrzymał gratulacje od szefa i kolegów z pracy po wystąpieniu, dzięki któremu pozyskali fundusze od bankowców.

Nie traktuj jednak nikogo z góry. Bernard R., specjalista do spraw stosunków międzyludzkich, został wynajęty przez dużą firmę, aby przeszkolić osoby nadzorujące produkcję w zakresie nowych przepisów co do równouprawnienia w miejscu pracy. Bernard wyszedł z założenia, że uczestnicy kursu nie mają pojęcia o takich przepisach, i poświęcił całe przedpołudnie na sprawy elementarne. Zauważył, że uczestnicy wyglądają na znudzonych i niespokojnych. Dopiero w czasie przerwy na lunch dowiedział się, że ostatnio wzięli udział w seminarium na ten temat i spodziewali się, że Bernard wprowadzi ich w bardziej złożone zagadnienia interpretacji i stosowania przepisów. Oczywiście menedżer, który go zatrudnił, powinien był mu o tym powiedzieć, jednak dobry mówca powinien dowiedzieć się jak najwięcej o swoich słuchaczach i ich wiedzy, aby mógł skutecznie do nich dotrzeć.

Bądź świadomy mowy ciała

Środkiem przekazu są nie tylko słowa, ale i mowa ciała. Ludzie komunikują się także za pomocą wyrazu twarzy i ruchów ciała. Gdyby istniał słownik mowy ciała, można by z łatwością interpretować jej przejawy.

Na mowę ciała wywiera wpływ nasze pochodzenie kulturowe i etniczne, niewerbalna komunikacja naszych rodziców oraz inne indywidualne doświadczenia. Każdy człowiek ma inną mowę ciała. Niektóre gesty – skinięcie głową lub uśmiech – mogą się wydawać uniwersalne, jednak nie wszyscy używają mowy ciała jednakowo. Nie ma pewności, że dana osoba wysyła do ciebie sygnały, których mógłbyś oczekiwać.

Na przykład twój rozmówca, słuchając cię, potakuje skinieniem głowy. To dobrze – zakładasz, że zgadza się z tobą. Niekoniecznie. Niektórzy ludzie kiwają głową tylko dla potwierdzenia faktu, że słuchają. Ktoś inny przysłuchuje ci się z założonymi rękami. Możesz dojść do wniosku, że to podświadoma oznaka niezgody, choć być może tej osobie jest po prostu zimno! Istnieje zagrożenie, że sygnały niewerbalne zostaną błędnie odczytane.

Poświęć czas na naukę mowy ciała każdego człowieka. Obserwuj mowę ciała osób, z którymi pracujesz.

Możesz zauważyć, że kiedy John uśmiecha się w pewien sposób, ma to określone znaczenie, natomiast inny uśmiech oznacza coś innego. Być może Jane marszczy czoło, kiedy się na coś nie zgadza. Włóż w tę naukę świadomy wysiłek i naucz się mowy ciała poszczególnych osób.

Czy zdajesz sobie sprawę z własnej mowy ciała? Jednym ze sposobów na to, aby się przekonać, jak przedstawiasz swoje przesłanie, jest próba przed lustrem. Możesz wtedy dostrzec gesty, miny i ruchy, które zakłócają twój przekaz lub nawet przeczą temu, co mówisz. Jeszcze lepiej jest poprosić kogoś o sfilmowanie twojego rzeczywistego wystąpienia. Uważnie analizując film, zdołasz zidentyfikować i skorygować niewłaściwe zachowania i uwypuklić gesty, które podkreślają to, co masz do powiedzenia.

Czy naprawdę słuchasz?

Przypuśćmy, że jeden z twoich współpracowników przychodzi do ciebie z problemem i prosi cię o pomoc. Zaczynasz uważnie słuchać, ale zanim się zorientujesz, twój umysł zaczyna błądzić. Myślisz o stercie spraw do załatwienia piętrzącej się na twoim biurku, o spotkaniu, które wyznaczyłeś sobie z wiceprezesem spółki, o bójce, w którą twój syn wdał się w szkole. Słyszysz słowa wypowiadane przez kolegę, ale naprawdę nie słuchasz.

Czy to ci się zdarza? Oczywiście – zdarza się to wszystkim. Dlaczego? Umysł potrafi przetwarzać myśli dziesięć razy szybciej w porównaniu z tempem wypowiadania słów. Kiedy ktoś mówi, twój umysł wybiega naprzód. Kończysz w myślach zdanie wypowiadane przez twojego rozmówcę – często nieprawidłowo – na długo przedtem, zanim on sam to zrobi. „Słyszysz" to, co podpowiada ci twój umysł, a nie to, co rzeczywiście zostało powiedziane. Taka jest ludzka natura. Nic jednak nie usprawiedliwia tego, że się jest złym słuchaczem.

Przypuśćmy teraz, że twój umysł pobłądził i nie usłyszałeś fragmentu wypowiedzi kolegi. Krępujesz się przyznać, że nie słuchałeś, więc udajesz, że nadążasz za tokiem jego rozumowania. Podchwytujesz kilka ostatnich słów i je komentujesz. Jeśli twoja odpowiedź będzie miała sens, to masz szczęście. Możliwe jednak, że całkiem odszedłeś od sedna sprawy.

Jeżeli przestałeś słuchać, nie musisz przyznawać: „Przepraszam, ale oddałem się marzeniom". Jednym ze sposobów na to, aby wrócić na właściwy tor, jest zadać pytanie lub poczynić uwagę co do ostatnio usłyszanej kwestii: „Czy możemy jeszcze wrócić do tej sprawy?" Można też powiedzieć: „Chciałbym lepiej zrozumieć twoje poglądy w tej kwestii. Czy możesz rozwinąć ten temat?"

Słuchaj aktywnie
Oczywiście dużo lepiej jest zdyscyplinować swój umysł, tak by nie oddawał się marzeniom i odpychał to, co nas rozprasza.

Agnes Gund była prezesem Muzeum Sztuki Nowoczesnej, największej takiej placówki w Stanach Zjednoczonych, gdy sporządzano plan przebudowy budynku wymagającej nakładów 800 milionów dolarów. Musiała współpracować z każdym działem, aby się upewnić, że wszyscy zaakceptowali ten pomysł, nawet jeśli z początku mieli inne zdanie. Gund musiała rozwinąć swoje zdolności perswazji, aby przekonać ludzi do własnego punktu widzenia i zaakceptowania tego, co jej zdaniem było najlepszym wyborem. Uświadomiła sobie, że ma skłonność do nieuważnego słuchania, i zdała sobie sprawę, że chociaż doskonale zna się na sztuce, brakuje jej doświadczenia w budownictwie. Wiedząc, jaką moc ma podświadomość, Gund medytowała nad potrzebnymi umiejętnościami: nad poświęcaniem innym pełnej uwagi i koncentrowaniem się na informacjach otrzymywanych od konstruktorów. W rezultacie doprowadziła projekt do szczęśliwego zakończenia, unikając zarazem napiętych stosunków pomiędzy pracownikami.

Oprócz programowania swojego podświadomego umysłu na otwieranie się na słowa innych ludzi, możesz też poprawić swoje umiejętności słuchania. Zamiast po prostu siedzieć lub stać „z otwartymi uszami", stosuj się do tych wskazówek:

- *Patrz na rozmówcę.* Kontakt wzrokowy jest jednym ze sposobów okazywania zainteresowania, nie należy z tym jednak przesadzać. Zamiast po prostu wpatrywać się w oczy rozmówcy, spoglądaj na całą jego osobę.

- *Odpowiednią mimiką okazuj swoje zainteresowanie.* Stosownie do sytuacji uśmiechaj się lub okazuj troskę.

- *Gestami lub skinieniem głowy pokaż, że nadążasz za rozmową.*

- *Pytaj o to, co usłyszałeś.* Możesz używać parafrazy – „Rozumiem to następująco..." – lub zadawać konkretne pytania o niektóre kwestie. Ta metoda nie tylko pozwala wyjaśnić nieoczywiste sprawy, ale także pozwala zachować czujność i pełną uwagę.

- *Nie przerywaj.* Nie zakładaj, że skoro rozmówca zrobił pauzę, możesz zacząć mówić. Poczekaj.

Bądź empatyczny

Jednym z powodów zanikania umiejętności prowadzenia konwersacji jest niedostateczne wczuwanie się w położenie drugiego człowieka. Zanadto zajmujemy się sobą, dbamy o własne dobro, tkwimy we własnym małym światku i skupiamy się na autopromocji, żeby zainteresować się losem innych. Nie może być dobrym rozmówcą ten, kto nie wczuwa się w sytuację innych. Aby dobrze słuchać lub mówić, trzeba umieć postawić się w położeniu drugiego człowieka, przez krótką chwilę żyć jego życiem, dotrzeć do obszaru jego zainteresowań. Choćbyś znał dany temat na wylot, jeśli nie wzbudzisz zainteresowania rozmówców, twoje wysiłki pójdą na marne.

Ułatwiaj porozumiewanie się

Wiele firm zainwestowało w złożone i kosztowne systemy komunikacji, umożliwiające szybszą i skuteczniejszą obsługę klientów. W dużej mierze technika doprowadziła jednak do odczłowieczenia biznesu i sprawiła, że kontaktowanie się z firmami stało się nie tylko nieprzyjemne, ale wręcz denerwujące. Przeczy to głównemu celu komunikowania się, którym jest szybkość, łatwość i przyjemność relacji z klientami i społeczeństwem.

Większość klientów ma po uszy automatycznych systemów przekazywania połączeń telefonicznych, które każą im czekać, a niekiedy odprawiają ich z kwitkiem. Przedsiębiorstwa działające pod presją konkurencji wydają miliony na reklamę, lecz tracą okazję, gdy dzwoni potencjalny klient. Niechęć firm do otwierania kanałów komunikacyjnych łączących ich z klientami sugeruje, że klienci się nie liczą.

Niestety niewiele firm kiedykolwiek próbowało rozwiązać ten problem. Dominuje przekonanie, że pozytywne aspekty – obniżenie kosztów i możliwość załatwiania rutynowych spraw w bardziej metodyczny sposób – przeważają nad negatywnymi. Jednym z menedżerów wyższego szczebla, który przywiązuje dużą wagę do podtrzymywania kontaktów z klientami przez członków personelu, jest Bob Kierlin, założyciel i prezes firmy Fastenal, wiodącego w Stanach Zjednoczonych dystrybutora artykułów przemysłowych. Kierlin sam odpowiada na telefony i podczas rozmowy na bieżąco wyznacza terminy spotkań. Nie ucieka się do pomocy portierów, opryskliwych sekretarek ani specjalistów od public relations, a jednak zdołał zbudować firmę wartą 2 miliardy dolarów i posiadającą 2 tysiące sklepów. Pytany o tajemnicę tego sukcesu, mówi o kwestiach uważanych przez niektórych za „drobiazgi", takie jak komunikowanie się i dostępność. W swojej firmie Kierlin nie jest jedyną osobą nastawioną na komunikację. Prasa branżowa donosi, że dokładnie tak samo zachowują się członkowie jego personelu: rzeczywiście oddzwaniają do klientów.

Jak odrzucać propozycje, nie wywołując urazy

Kolejną barierą w dobrej komunikacji jest strach przed poniżeniem, jakie może spowodować odrzucenie propozycji przez przełożonego. Nie chcąc się spotkać ze sprzeciwem, pracownicy zachowują swoje pomysły dla siebie. Z drugiej strony, niektórzy szefowie nie chcą podważać nawet kiepskich pomysłów podwładnych z obawy, że mogliby ich tym zniechęcić.

Nie należy rozumować w ten sposób. Musisz zachęcać osoby, z którymi pracujesz lub się kontaktujesz, do przedstawiania swoich pomysłów i propozycji. Musisz też jednak się nauczyć, jak dyplomatycznie odrzucać kiepskie propozycje, bez urażania ich autorów. Oto kilka pomysłów, jak odrzucać złe propozycje w pozytywny sposób:

- *Rozmawiaj w cztery oczy.* Nigdy nie odrzucaj propozycji w obecności innych ludzi. W ten sposób dana osoba straci twarz i zostanie publicznie zawstydzona. Podziękuj jej za propozycję i powiedz, że wrócisz do tego tematu. Przyjrzyj się propozycji, nawet jeśli wyda ci się niewykonalna. Możesz się przecież mylić. I rzeczywiście wróć do tematu, przedstawiając swoją opinię.

- *Podaj powód i słuchaj odpowiedzi.* W odpowiedzi na propozycje, które wydają się z gruntu niewłaściwe, mówi się zazwyczaj: „Próbowaliśmy już tego i nie zadziałało" – jeśli tak było w rzeczywistości. Lepiej jest to ująć następująco: „Próbowaliśmy czegoś podobnego dwa lata temu i mieliśmy z tym pewne problemy". Zwróć uwagę na dobór słów. Pierwsza uwaga – „To nie zadziałało" – zamyka temat i nie daje rozmówcy możliwości udzielenia odpowiedzi. Natomiast drugi sposób – „Mieliśmy z tym pewne problemy" – pozostawia otwartą furtkę. Najbardziej prawdopodobne pytanie brzmi: „Na czym polegały te problemy?" Kiedy dana osoba pozna przyczyny poprzedniego niepowodzenia, może odpowiedzieć: „Nie pomyślałem o tym. Powinienem się nad tym zastanowić". Zamiast tłumić inicjatywę rozmówcy, zachęcasz go do dalszego myślenia. Możliwe też, że pracownik wpadnie na cenny pomysł: „Zastanawiałem się nad tymi problemami i wiem, jak je rozwiązać". Jedną z zalet współpracy jest uznanie faktu, że nie znasz wszystkich odpowiedzi i że inni w tej samej sytuacji mogą widzieć rzeczy, które tobie umknęły.

- *Metoda sokratyczna.* Zamiast otwarcie odrzucać propozycję, wypytaj jej autora. W ten sposób Sokrates pobudzał swoich uczniów do myślenia. Nigdy nie wytykał im błędów. Jeżeli uczeń przedstawiał złą odpowiedź, Sokrates zadawał mu kolejne pytanie. Odpowiednio formułując pytania, ten wielki nauczyciel nakłaniał uczniów do rozważenia problemu i szukania rozwiązania poprzez odpowiednie rozumowanie.

Sposób ten nadal nazywany jest „metodą sokratyczną". Uważnym wypytywaniem możesz nakłonić pomysłodawcę do ponownego przemyślenia i przeanalizowania swojej koncepcji oraz do opracowania bardziej realnej propozycji. Stosując tę metodę, nigdy nie będziesz musiał odrzucać niczyich pomysłów. Nie rozbudzisz urazy i nakłonisz pracowników do myślenia. Jak wspomniałem wcześniej w tym rozdziale, dzięki zadawaniu pytań można również stać się lepszym słuchaczem.

Jak się sprzeciwiać, nie stając się przeciwnikiem

Niektórzy ludzie są bardzo wrażliwi. Nie potrafią się pogodzić z krytyką, kiedy więc ktoś odrzuci ich pomysł, zajmują pozycję obronną. Wyobraź sobie, że jeden z twoich współpracowników przez kilka dni pracował nad nowym projektem i chciałby ci go przedstawić, spodziewając się nie tylko twojej aprobaty, ale i gratulacji. Stwierdzasz, że projekt ma wiele plusów, jednak w kilku obszarach wymaga znacznych przeróbek.

Jak przekazać taką opinię wrażliwemu rozmówcy,

nie powodując u niego wybuchu złości, urazy lub na-
dąsania?

Zamiast wskazywać kwestie, z którymi się nie zga-
dzasz, najpierw doceń pozytywne aspekty projektu. Następnie nie wysuwaj zastrzeżeń, lecz zadawaj konkretne pytania o każdy punkt budzący twoje wątpliwości.
Na twoje pytania możliwe są trzy odpowiedzi.

Odpowiedź pierwsza: „Nie pomyślałem o tym. Powinienem się nad tym zastanowić i wymyślić coś lepszego". Taka reakcja świadczy o tym, że nakłoniłeś współpracownika do podjęcia działań zmierzających do ure-
alnienia projektu.

Kolejna możliwa odpowiedź: „Nie pomyślałem o tym.
To co mam teraz zrobić?" Tego rodzaju reakcja wskazuje na to, że współpracownik uznaje wadliwość swojej koncepcji, zamiast jednak próbować rozwiązać problem, zrzuca go na twoje barki. Istnieje pokusa, żeby
powiedzieć mu wprost, co ma zrobić. Jeśli sytuacja wymaga szybkiej interwencji, może się to okazać konieczne, aby praca została wykonana na czas. Najlepiej jednak zachęcać pracowników do samodzielnego rozwiązywania problemów. Należy odrzec: „Może zastanowisz
się nad tym i porozmawiamy później".

I wreszcie możliwość trzecia: współpracownik odpowiada na twoje pytanie, a ty zdajesz sobie sprawę, że
miał słuszność, a twój sprzeciw okazał się nieistotny.
W takim wypadku podziękuj za wyjaśnienie i przejdź
do następnego pytania. Pytając raczej, niż krytykując,
można wydobyć z ludzi to, co najlepsze, nie wywołując
urazy. Wtedy sami odrzucają własne złe pomysły i czują się zachęceni do przedstawiania lepszych. To potęguje ich twórcze zdolności i skłania do prezentowania
bardziej innowacyjnych pomysłów, które zwiększą efek-
tywność twojego działu.

Komunikacja odbywa się w obie strony

Wysyłamy informacje do innych, ale także otrzymujemy informacje od nich. Musimy się nauczyć zachęcania ludzi do przedstawiania swoich pomysłów i, co najważniejsze, musimy naprawdę słuchać tego, co do nas mówią. Aby komunikacja była skuteczna, od jednej strony do drugiej muszą ciągle przepływać informacje zwrotne. Nadawca musi stale się upewniać, że jego przekaz jest zrozumiały i akceptowany przez odbiorcę. W tym celu musi zadawać pytania, obserwować, a w razie ewentualnych nieporozumień musi je wyjaśniać i upewniać się, że poprawki zostały przyjęte. Powinien dążyć do tego, aby odbiorca zaakceptował otrzymane informacje i szczerze chciał wykonać czynności, których nadawca od niego oczekuje.

Jeśli będziesz się stosować do tych fundamentalnych zasad dobrej komunikacji, twój przekaz będzie łatwiej docierać do celu, a praca będzie częściej wykonywana w wyznaczonym terminie.

Krótko mówiąc

- Osoby, które opanowały sztukę komunikowania się, nauczyły się czerpać ze swojego podświadomego umysłu siłę i umiejętności wymagane do przekazywania swoich myśli, pragnień i ważnych zainteresowań innym ludziom, co umożliwiło im sukces w podejmowanych przedsięwzięciach.

- Skuteczna komunikacja w połowie zależy od zrozumienia słuchaczy. Należy dobierać słowa jasne i czytelne. Jeśli słuchacze nie zrozumieją używanych przez ciebie słów, nie dotrzesz do nich ze swoim przekazem.

- Każdy człowiek ma inną mowę ciała. Nie ma pewności, że dana osoba wysyła do ciebie sygnały, których mógłbyś oczekiwać. Podejmij świadome starania, aby poznać i nauczyć się mowy ciała poszczególnych ludzi.

- Słuchaj aktywnie. Zamiast po prostu siedzieć lub stać „z otwartymi uszami", stosuj się do tych wskazówek:
  - Patrz na rozmówcę.
  - Odpowiednią mimiką okazuj zainteresowanie. Gestami lub skinieniem głowy pokaż, że nadążasz za rozmową.
  - Pytaj o to, co usłyszałeś.
  - Nie przerywaj.
  - Bądź empatyczny. Aby być dobrym słuchaczem lub mówcą, trzeba umieć postawić się w sytuacji drugiego człowieka, przez krótką chwilę żyć jego życiem.
- Człowiek, który potrafi się komunikować, zjednuje sobie innych. Otwiera przed nimi serce i ukazuje swoją głęboką naturę i otwarty umysł.
- Jeżeli odrzucasz czyjąś propozycję, nie krytykuj ani nie potępiaj, lecz wykorzystaj metodę sokratyczną: zadawaj odpowiednie pytania, a twój rozmówca sam dostrzeże własne błędy.
- Aby komunikacja była skuteczna, od jednej strony do drugiej muszą ciągle przepływać informacje zwrotne. Nadawca musi stale się upewniać, że jego przekaz jest zrozumiały i akceptowany przez odbiorcę.

Rozdział 15

Postępowanie z trudnymi ludźmi

Umysł podświadomy jak magnetofon odtwarza nawykowy sposób myślenia. Myśl dobrze o innych, a będziesz myśleć dobrze o sobie.

Nie ma takiego problemu w stosunkach międzyludzkich, którego nie dałoby się rozwiązać harmonijnie i z korzyścią dla wszystkich zainteresowanych. Kiedy twierdzisz, że twój kolega z biura jest przykry w obejściu, kłótliwy, złośliwy, zaczepny i trudny do zniesienia, czy zdajesz sobie sprawę, że najprawdopodobniej odzwierciedla to wewnętrzne stany twojego umysłu? Pamiętaj też, że podobieństwa się przyciągają. Czy nie jest możliwe, że narzekanie, drażliwość i krytyczne nastawienie twojego kolegi są odbiciem twoich frustracji i stłumionej złości? To, co ten człowiek mówi lub robi, naprawdę nie może cię zranić, jeśli nie pozwolisz mu namącić sobie w głowie. Jedyną drogą do tego, aby ów człowiek wytrącił cię z równowagi, są twoje myśli.

Dzieje się tak dlatego, że jesteś jedyną osobą myślącą w swoim wszechświecie. Tylko ty odpowiadasz za to, co sądzisz o innych ludziach. Nie oni są odpowiedzialni, lecz ty. Kiedy na przykład na kogoś się zdenerwujesz, twoja reakcja psychiczna będzie przebiegać w czterech fazach. Najpierw zaczynasz rozważać słowa drugiej osoby. Postanawiasz się rozzłościć i kreujesz nastrój wściekłości. Następnie postanawiasz działać. Być może odpłacisz jej podobnym słowem i działaniem. Do kłótni trzeba dwojga. Zauważ, że zarówno myśli, emocje, reakcje, jak i działania zachodzą w twoim umyśle. Tylko ty jesteś za nie odpowiedzialny.

Wszystko, co uznasz za prawdę w swoim świadomym umyśle, zostanie bez żadnych pytań zaakceptowane przez umysł podświadomy. Dokładaj wszelkich starań, żeby akceptować to, co prawdziwe, godne i boskie.

„Wszyscy mnie denerwują"

Henry F. nie miał pojęcia, dlaczego wszyscy wokół go denerwują. Rozmawiał o tym ze swoim terapeutą, który zauważył, że Henry nieświadomie działa wszystkim na nerwy. Henry nie lubił siebie i był pełen samopotępienia. W jego głosie wyczuwało się napięcie i irytację. Zgryźliwymi uwagami grał wszystkim na nerwach. Źle myślał o sobie i bardzo krytycznie wyrażał się o innych.

Terapeuta wyjaśnił mu, że choć jego przykre doświadczenia wydają się związane z innymi ludźmi, jego relacje z nimi są determinowane przez jego myśli i uczucia na temat własnej osoby i innych ludzi. Skoro pogardzał sobą, nie mógł traktować innych życzliwie i z szacunkiem. Było to niemożliwe, prawo umysłu bowiem stanowi, iż ludzie zawsze projektują swoje myśli i uczucia na współpracowników i inne osoby w swym otoczeniu.

Henry zaczął sobie uświadamiać, że dopóki będzie projektować na innych swoje uprzedzenia, urazę i potępienie, właśnie to będzie otrzymywał, ponieważ świat jest jedynie echem jego postaw i nastrojów.

Terapeuta doradził mu, żeby wyrył w podświadomości poniższe słowa. Pamiętaj, że świadomy umysł jest piórem, którym możesz zapisać wszystko, co zechcesz, w podświadomym umyśle. Oto słowa zapisane przez Henry'ego:

Od tej chwili będę wcielał w życie złotą regułę: będę myślał, mówił i działał na rzecz innych tak, jak bym sobie życzył, aby inni myśleli, mówili i postępowali wobec mnie. Szczerze życzę wszystkim pokoju, pomyślności i sukcesu. Jestem zawsze zrównoważony, pogodny i spokojny. Inni doceniają mnie i szanują tak samo, jak ja doceniam siebie. Życie przynosi mi wielkie zaszczyty i obdarowuje mnie w obfitości. Drobne problemy nie irytują mnie ani nie złoszczą. Kiedy strach, zmartwienie, zwątpienie lub krytyka innych przychodzą do mnie i pukają do drzwi mojego umysłu, otwiera im wiara, dobro, prawda i piękno. Okazuje się wtedy, że za drzwiami nie ma nikogo. Sugestie i twierdzenia innych nie mają mocy. Wiem już, jak leczyć zranione uczucia. Mocą obdarzone są tylko moje myśli.

Henry afirmował te prawdy rankiem, w południe i wieczorem i nauczył się całej modlitwy na pamięć. Tchnął w nią życie, miłość i sens. Drogą osmozy myśli te przeniknęły warstwy jego podświadomego umysłu i Henry stał się innym człowiekiem. Oto, jak to podsumował: „Próbuję teraz nie ograniczać się do prawa średniaków. Dobrze sobie radzę, dostałem awans. Znam prawdę słów: «Jeśli umocnię się w duchu, przyciągnę ku sobie wszystkie jego przejawy»".

Henry zrozumiał, że problem tkwił w nim samym. Postanowił zmienić swoje uczucia, myśli i reakcje. Każdy może zrobić to samo. Wymaga to podjęcia decyzji, wytrwałości i usilnego pragnienia wewnętrznej przemiany.

Dobrem za zło odpłacaj

Nie powinien budzić zdziwienia fakt, że niektórzy ludzie są rzeczywiście trudni. Codziennie spotykamy wiele osób kłótliwych, niechętnych do współpracy, marudnych, cynicznych i zgorzkniałych. Niektórzy mają zaburzenia psychiczne. Ich umysły zostały zdeformowane i zniekształcone, być może wskutek doświadczeń z przeszłości. Inni mogą być ofiarami stresu w życiu zawodowym lub osobistym.

Co robić, jeśli musisz obcować z takimi osobami? Chcesz wtedy zwrócić im ich negatywną energię w postaci własnej antypatii. To jednak wymaga przyjęcia ich negatywnego nastawienia, ze wszystkimi jego szkodliwymi konsekwencjami. Próbuj raczej „za zło dobrem odpłacać". Dzięki temu przygotujesz sobie zbroję, która uchroni cię przed ich trudną i nieprzyjemną postawą, a przekazując im swoje współczucie i zrozumienie, uruchomisz w nich proces przemiany.

Pani Nietrafna zazdrościła swojej szefowej i jej nienawidziła. Urazą, którą do niej żywiła, doprowadziła się do choroby wrzodowej i nadciśnienia. Kiedy poznała duchową zasadę wybaczania i życzliwości, zdała sobie sprawę, że nagromadziła w sobie wiele urazy i zazdrości i dopuściła do tego, by te negatywne i szkodliwe postawy panoszyły się w jej podświadomym umyśle. Próbowała porozmawiać z szefową, aby ułożyć sobie relacje z nią, została jednak odepchnięta. Próbując dalej naprawić sytuację, pani Nietrafna każdego wieczoru i ranka, przed pójściem do pracy, utwierdzała się w zasadach harmonii i dobrej woli. W tym celu wypowiadała następującą afirmację: „Otaczam swoją szefową harmonią, miłością, pokojem, radością i dobrą wolą".

To nie są żadne czary. Ta kobieta wiedziała, co robi i dlaczego. Takie myśli lub idee przesiąkają do podświadomości. Istnieje tylko jeden podświadomy umysł, a drugi człowiek dostraja się do niego. Kobieta mówiła: „Między nami panuje harmonia, pokój i zrozumienie. Kiedykolwiek pomyślę o swojej szefowej, mówię: «Boża miłość przepełnia twój umysł»".

Kilka tygodni później pani Nietrafna udała się w podróż służbową do San Francisco. W samolocie odkryła, że jedyne wolne miejsce znajduje się obok jej przełożonej. Pani Nietrafna powitała ją serdecznie i spotkała się z równie serdeczną odpowiedzią.

Spędziły podróż do San Francisco w zgodzie i radości. Zaprzyjaźniły się, a ich relacje w pracy poprawiły się do tego stopnia, że obydwie otrzymały awans.

Nieskończona Inteligencja zaaranżowała takie okoliczności rozwiązania tego konfliktu, których pani Nietrafna i jej przełożona w ogóle się nie spodziewały. Kiedy pani Nietrafna zmieniła swój sposób myślenia, w jej życiu zmieniło się wszystko, włącznie z zagojeniem się wrzodów i unormowaniem ciśnienia. Krzywdziła samą siebie. Nikt inny nie jest odpowiedzialny za twoje myśli lub uczucia, prócz ciebie, ty bowiem jesteś w swoim świecie jedyną myślącą osobą. Tylko ty odpowiadasz za to, co myślisz o innych ludziach.

Zmień swoją mentalność

Lee Y., kelner w restauracji luksusowego hotelu na Hawajach, wspomina, jak sobie poradził z pewnym wyjątkowo niemiłym klientem. Był to ekscentryczny milioner, który co roku odwiedzał ten hotel. Nie znosił dawania napiwków kelnerom i boyom hotelowym. Był to nieobyty gbur o przykrym usposobieniu. Nie sposób było go zadowolić. Ciągle się skarżył na kuchnię i obsługę i powarkiwał na obsługujących go kelnerów.

„Zdałem sobie sprawę, że mam do czynienia z cho-

rym człowiekiem – powiedział Lee. – Kahuna (hawaj-
ski kapłan) powiedział mi, że takich ludzi coś zżera
od środka. Postanowiłem więc, że zamęczę go swoją
uprzejmością". Lee nieodmiennie traktował gościa miło,
grzecznie i z szacunkiem, afirmując w myślach: „Bóg go
kocha i dba o niego. Widzę w nim Boga, a on widzi Boga
we mnie". Ćwiczył tę metodę mniej więcej przez miesiąc, a pod koniec tego okresu milioner po raz pierwszy
powiedział: „Dzień dobry, Lee. Jaką dziś mamy pogodę? Jesteś najlepszym z kelnerów, którzy kiedykolwiek
mnie obsługiwali". Lee nie mógł się otrząsnąć ze zdumienia. „Nieomal zemdlałem – powiedział. – Spodzie-
wałem się przykrych słów, a otrzymałem pochwałę. Na
odchodne dał mi 500 dolarów napiwku".

Słowo jest wyrażoną myślą. Lee kierował swoje słowa i myśli do podświadomego umysłu gderliwego i kłó-
tliwego gościa. Stopniowo roztapiały one lód w jego sercu i spowodowały jego miłą i życzliwą reakcję.

„Mój zmiennik to flejtuch"

Sandy L., zatrudniona w niepełnym wymiarze godzin
na stanowisku dyrektora artystycznego, dzieliła biurko
z inną osobą pracującą na pół etatu, która miała zwyczaj nie sprzątać po sobie. Poprosiła o radę kierownika działu kadr, jak nakłonić swojego zmiennika do zachowania porządku. Kierownik wysunął taką propozycję: „Jasne, że powinnaś go o to poprosić. Jeśli jednak
chcesz to zrobić profesjonalnie i nakłonić go do współpracy, nie zostawiaj mu kartki na biurku, ale raczej
porozmawiaj z nim osobiście, nawet gdyby wymagało
to pojawienia się w pracy w dzień wolny. Spróbuj powiedzieć: „Naprawdę byłoby mi łatwiej, gdybyś sprzątał biurko przed wyjściem. Obawiam się, że w przeciwnym razie
mogę gdzieś zawieruszyć któryś z twoich dokumentów".

Ta metoda rozwiązywania problemów bez tworzenia następnych okazała się niezwykle skuteczna: zmiennik Sandy założył dla siebie i dla niej oddzielne segregatory na dokumenty i codziennie sprzątał biurko. Problem, który mógł wywołać urazę, został załatwiony po koleżeńsku, co wprawdzie wymagało trochę więcej czasu i wysiłku, ale było warte zachodu.

Jak sobie radzić z ludźmi o negatywnym nastawieniu

Jeżeli przewodzisz innym ludziom, tak jak każdy lider zespołu lub przełożony, bez wątpienia w pewnym momencie zetkniesz się z ich negatywnymi postawami. Mogą one uprzykrzyć ci życie lub stać się wyzwaniem. Nie możesz ignorować negatywizmu – musisz sobie z nim radzić.

Negatywna osobowość nie jest zarezerwowana dla osób na stanowiskach kierowniczych. Prawie w każdej organizacji, na każdym szczeblu, można spotkać jakąś Negatywną Ninę lub Negatywnego Nikodema. Mogą to być twoi współpracownicy, ważni klienci, przedstawiciele urzędów państwowych lub inni, z którymi musisz mieć do czynienia. Kiedy ty opowiadasz się za czymś, oni są przeciwko temu. Zawsze znajdą powód, dla którego twoje zamierzenia są niewykonalne. Mogą zarażać pesymizmem innych członków zespołu.

Negatywizm danego człowieka może być spowodowany przez rzeczywisty lub wyimaginowany przypadek złego potraktowania tej osoby przez twoją firmę. Jeśli tak było, zbadaj tę kwestię. Jeśli osoba ta ma uzasadnione powody do negatywnego nastawienia, spróbuj ją przekonać, że przeszłość minęła i że należy patrzeć w przyszłość. Jeśli malkontent błędnie postrzega sytuację, spróbuj to wyjaśnić.

Mając do czynienia z osobą o negatywnym nastawieniu, okaż, że rozumiesz jej argumenty. Nakłoń ją do wspólnej pracy nad przezwyciężeniem tego, co w jej mniemaniu stanowi problem, a dzięki temu posuniesz sprawę do przodu. Spraw, by osoba ta stała się raczej częścią rozwiązania niż dodatkowym problemem. Jedną z osób o negatywnym usposobieniu jest Opal. Problem nie polega na tym, co mówi, lecz co robi. Traktuje wszelkie uwagi jak osobisty afront i podejmuje wszystkie nowe zadania z taką niechęcią i złością, że innym opadają ręce.

Ludzie tacy jak Opal często nie zdają sobie sprawy z tego, jak są odbierani przez innych. Prawdopodobnie postępują tak samo w pracy, jak w życiu osobistym. Nie układa im się w rodzinie, mają niewielu przyjaciół i zawsze się z czymś nie zgadzają. Jeżeli masz kogoś takiego w swoim zespole, porozmawiaj z nim szczerze i powiedz, jak jego postawa wpływa na morale innych. Co zadziwiające, wielu ludzi o negatywnym usposobieniu nie ma pojęcia, że ich zachowanie źle wpływa na innych. Muszą się nauczyć, jak wbudowywać pozytywne myśli w swój świadomy umysł i w ten sposób oczyszczać z negatywizmu podświadomość.

Przeczytaj ponownie rozdział 3., a następnie pomóż ludziom, takim jak Opal, stosować zamieszczone tam wskazówki, dzięki którym przezwyciężą negatywizm i przybiorą nastawienie pozytywne i nacechowane pewnością siebie w sprawach zawodowych i w całym swoim życiu.

Program wspierania pracowników
Program wspierania pracowników (PWP) polega na finansowaniu przez firmę usług doradców lub terapeutów. Wiele firm wprowadziło takie programy, aby po-

móc pracownikom radzić sobie z problemami osobisty-mi, które rzutują na wydajność pracy. Doradcy nie są pracownikami firmy, lecz zewnętrznymi ekspertami, którzy w miarę potrzeby oferują swoje usługi. Program wspierania pracowników można zainicjować na dwa sposoby.

Niekiedy sam zainteresowany wychodzi z inicjaty-wą skontaktowania się z przedstawicielami programu. Firma informuje pracowników o programie pocztą elek-troniczną, w biuletynach, ogłoszeniach w gazetce fir-mowej na spotkaniach i w listach wysyłanych na ad-res domowy. Często zapewnia się telefoniczną linię in-formacyjną.

Jedną z osób, które uznały, że potrzebują pomocy, była Gerty. Ciągłe utarczki z nastoletnią córką spra-wiły, że Gerty stała się napięta, zagniewana i sfrustro-wana. Nie mogła się skoncentrować na pracy, a czasem wybuchała gniewem wobec współpracowników.

Postanowiła skorzystać z PWP i zadzwoniła na in-folinię. Doradca, którego zadaniem była wstępna kwa-lifikacja uczestników, wysłuchał problemu Gerty i skie-rował ją do terapeuty rodzinnego. Umówiła się na wi-zytę po pracy, gdyż udział w PWP nie usprawiedliwia nieobecności. Ponieważ cała procedura miała charak-ter poufny, firma nie została powiadomiona o terapii, której poddała się Gerty. W większości przypadków nie ujawnia się nawet nazwisk osób korzystających z po-rad specjalistycznych.

Proces ten może zainicjować również przełożony. Wy-obraźmy sobie, że jeden z naszych najlepszych pracow-ników ostatnio pracuje mniej wydajnie. Bezczynnie sie-dzi przy biurku, bez wątpienia myślami błądzi daleko od pracy. Nagabywany przez szefa, zbywa go, mówiąc: „Wszystko w porządku. Po prostu jestem zmęczony".

Po kilku rozmowach wreszcie się przyznaje, że ma problem. W tym momencie przełożony może doradzić pracownikowi skorzystanie z firmowego PWP. Jeśli przełożony poleca udział w programie, a pracownik zastosuje się do jego rady, nie wypełnia się w związku z tym żadnych sprawozdań. Od tej chwili sprawa jest poufna. Ewentualną informację zwrotną stanowi poprawa wydajności pracy danej osoby, jeśli doradztwo zaowocuje skutecznym rozwiązaniem problemu.

Programy wspierania pracowników są kosztowne, lecz organizacje, które od kilku lat z nich korzystają, donoszą, że są też opłacalne. PWP pozwalają przyjść z pomocą wykwalifikowanym i doświadczonym pracownikom, którzy bez wsparcia mogliby opuścić firmę.

Radzenie sobie z wybuchami złości

Terry jest dobrym pracownikiem, jednak od czasu do czasu traci panowanie nad sobą; krzyczy wówczas i złości się na swoich współpracowników. Szybko się uspokaja, lecz jego zachowanie wpływa na pracę całego zespołu; ponowne osiągnięcie poprzedniej wydajności wymaga czasu.

Niełatwo pracować pośród wrzasków. Przeszkadza to nie tylko osobom bezpośrednio zaangażowanym, lecz wszystkim obecnym. Może się zdarzyć, że przez kilka godzin osoby te nie będą w stanie pracować w pełni wydajnie. Takich sytuacji nie można tolerować. Radzenie sobie z takimi problemami zwykle należy do obowiązków przełożonego lub lidera zespołu, czasami jednak – aby niepotrzebnie nie uciekać się do kroków formalnych – interweniować może zaufany członek zespołu.

Oto kilka wskazówek, jak sobie radzić sobie z kimś, kto traci panowanie nad sobą:

- Kiedy złośnik już się uspokoi, powinien z nim szczerze porozmawiać jego bezpośredni przełożony lub – jeśli to możliwe – doświadczony współpracownik lub przedstawiciel działu kadr. Należy okazać zrozumienie dla faktu, że nie zawsze jest łatwo zapanować nad sobą, trzeba jednak podkreślić, że wybuchy gniewu są nie do przyjęcia w miejscu pracy.

- W razie kolejnego napadu złości należy wyprosić daną osobę, do chwili, gdy się uspokoi. Powiadom ją, że w przypadku kolejnych takich zachowań podjęte zostaną kroki dyscyplinarne.

- Jeżeli skrytykowana osoba zaczyna krzyczeć lub traci panowanie nad sobą, wyjdź. Poczekaj dziesięć minut, a potem spróbuj jeszcze raz. Zapewnij pracownika, że to nie jest osobisty atak, lecz próba naprawienia sytuacji. Uwaga: prywatne gabinety nie są odpowiednim miejscem do takich spotkań. Lepiej nie zostawiać zdenerwowanej osoby samej. Zdarzały się przypadki demolowania biur przez rozzłoszczonych pracowników. Wykorzystaj w tym celu raczej salę konferencyjną. Oczywiście pracowników, którzy uciekają się do rękoczynów, należy usuwać z terenu firmy i podejmować wobec nich kroki dyscyplinarne.

- Wypowiedzenie pracy to ostateczność. Ludzie, którzy często tracą panowanie nad sobą, nie powinni zabierać chleba innym. W tej sytuacji kierownictwo musi się stosować do przepisów zakładowych, a w odpowiednich przypadkach również uwzględniać porozumienia ze związkami zawodowymi.

Zabawa w „mam cię"

Czy miałeś kiedyś współpracownika, którego największą rozrywką było przyłapywanie innych na błędach. Poprzez taką zabawę ludzie ci chcą okazać swoją wyższość. Ponieważ zwykle nie mają własnych oryginalnych pomysłów ani konstruktywnych propozycji, czerpią energię z wytykania błędów innym – tak kolegom z pracy, jak i przełożonym. Próbują wprawić ich w zakłopotanie i postawić w niezręcznej sytuacji. Jeżeli ktoś cię wystawia na taką próbę, nie dawaj mu satysfakcji i nie przyłączaj się do gry. Obróć to w żart („Co za wpadka!") lub uśmiechnij się i powiedz: „Dziękuję, że zwróciłeś mi na to uwagę, zanim doprowadziło to do prawdziwych problemów". Jeżeli „przyłapywacz" zobaczy, że jego gra nie doprowadza cię do wściekłości, przestanie ją prowadzić i zacznie szukać rozrywki gdzie indziej.

Praca z ludźmi wiecznie niezadowolonymi

Najprawdopodobniej w twoim zespole jest przynajmniej jeden malkontent. Wszystkim czasem nie układa się w domu lub w sprawach zawodowych, co odbija się na pracy i interakcjach z pozostałymi członkami zespołu. Przełożeni powinni mieć to na uwadze i znaleźć czas na rozmowę z osobą, która ma taki problem. Możliwość porozmawiania o kłopotach często zmniejsza napięcie. Jeśli nawet problem nie zostanie rozwiązany, atmosfera się oczyszcza, a pracownik może normalnie funkcjonować.

Niektórzy ludzie są jednak zawsze z czegoś niezadowoleni. Często nie odpowiadają im przydzielone obowiązki służbowe. Jeśli nawet spełnisz ich prośbę i uwzględnisz skargi, nie zadowolą się tym. Będą okazywać swoje uczucia poprzez negatywną postawę. Jeśli na przykład nie zgodzisz się, żeby pracownik przesunął termin urlopu, może on wpaść w złość i przejawiać negatywne nastawienie jawnie lub skrycie.

Nie da się uszczęśliwić wszystkich. Odbudowa morale ludzi przekonanych o tym, że zostali niesprawiedliwie potraktowani, wymaga taktu i cierpliwości. Menedżerowie mogą uniknąć niektórych krzywdzących sytuacji, upewniając się – już w czasie podejmowania decyzji – że wszystkie kwestie zostały wyjaśnione. W przykładzie z urlopem można by wytłumaczyć, że plany urlopowe są układane z kilkumiesięcznym wyprzedzeniem i że w tym samym czasie bierze urlop dwóch innych pracowników. Można dodać, że zespół nie może sobie pozwolić na nieobecność więcej niż jednego pracownika. Można nawet podpowiedzieć malkontentowi, żeby zamienił się na termin urlopu z innym członkiem zespołu.

Postępowanie z niezadowolonym kolegą jest dużo bardziej skomplikowane od radzenia sobie z podwładnym, ponieważ nie dysponuje się wtedy rzeczywistą władzą naprawienia problemu, który może być przyczyną niezadowolenia. Aby załagodzić sytuację, można być uważnym i wrażliwym słuchaczem, pomocnym w zaakceptowaniu sprawy. W większości wypadków najlepsze skutki przynosi szczera rozmowa. Dotyczy to zwłaszcza sytuacji, gdy osoba podejmująca rozmowę jest dobrym przyjacielem lub kolegą wrażliwym na potrzeby innych ludzi.

Taką właśnie osobą była Eva S., którą cały zespół traktował jak zastępczą matkę. To do niej zwracano się z kłopotami zarówno osobistymi, jak zawodowymi. Umiała słuchać i choć nie zawsze znajdowała rozwiązanie problemu, potrafiła sprawić, że współpracownicy, podzieliwszy się swoimi obawami, dokładniej zastanawiali się nad sprawą.

Niektórzy ludzie znajdują pociechę i inspirację w medytacji lub modlitwie. Tysiącom ludzi przyniosła pomoc modlitwa dr. Reinholda Niebuhra o pogodę ducha: „Boże, użycz mi pogody ducha, abym godził się z tym, czego nie mogę zmienić; odwagi, abym zmieniał to, co zmienić mogę; i mądrości, abym odróżniał jedno od drugiego".

Niezadowolenie, podobnie jak negatywizm, bierze się z niedostatecznego poczucia własnej wartości. Możesz pomagać innym – zarówno przełożonym, jak i kolegom – pomagając im podbudowywać pewność siebie. Wiele odpowiednich pomysłów znajdziesz w rozdziale 2. Jako menedżer możesz pomóc pracownikom, koncentrując się raczej na ich sukcesach niż porażkach. Ludzie na ogół nie czują do siebie pogardy, większość jednak od czasu do czasu czuje się mniej warta i potrzebuje podniesienia na duchu. Jeśli nie wyjdą z dołka, może dojść do groźniejszych następstw. Większość ludzi nie potrzebuje fachowej pomocy i potrafi poradzić sobie sama.

Spadek poczucia własnej wartości jest skutkiem niepowodzeń. Wszystkim nam zdarzają się porażki i sukcesy w życiu zawodowym i prywatnym.

Kiedy się koncentrujesz na porażce, cierpi na tym twoje poczucie własnej wartości. Skup się raczej na osiągniętych sukcesach. Oto kilka propozycji:

- Prowadź dziennik lub teczkę sukcesu (patrz rozdział 13.). Namów malkontenta do wpisywania w tym dzienniku wszelkich dokonań, z których jest szczególnie dumny – rzeczy, za które został pochwalony. Te zdarzenia stanowią dowód, że powiodło mu się w przeszłości, i zapewniają go, że może odnieść sukces ponownie.

- Pozytywnie wzmacniaj wszystkie dokonania pracowników mających niskie poczucie własnej wartości i chwal ich postępy w pracy. Równie ważne jest docenianie ich dobrych pomysłów lub ważnego wkładu w dyskusje i działania zespołu. Musisz ciągle im przypominać, że ty – ich przełożony – szanujesz ich i w nich wierzysz.
- Powierzaj im zadania, które w twoim przekonaniu potrafią wykonać, i zapewnij im dodatkowy instruktaż i wsparcie, by zagwarantować im sukces. Zakosztowanie powodzenia jest pewną drogą do odbudowania poczucia własnej wartości.
- Doradź im udział w kursach służących rozwijaniu pewności siebie lub asertywności. Zapewnij dostęp do inspirujących nagrań lub książek.

Wskazówki te utrwalą w podświadomym umyśle pracownika pozytywne nastawienie do własnej osoby i zdziałają cuda, jeśli chodzi o przezwyciężanie defetyzmu.

Krótko mówiąc

- Dopóki będziesz projektować na innych swoje uprzedzenia, urazę i potępienie, to właśnie będziesz otrzymywał, ponieważ świat jest jedynie echem twoich postaw i nastrojów.
- Ludzie, którzy wiecznie się skarżą, mogą po prostu chcieć zwrócić na siebie uwagę. Aby zapobiec niektórym skargom, daj takim osobom możliwość regularnego wyrażania siebie.
- Bądź empatyczny. Jeżeli kierujesz ludźmi, daj im do zrozumienia, że jesteś gotów wysłuchać wszystkiego, co ich zaprząta. Jeżeli nie zajmu-

jesz stanowiska kierowniczego, również możesz pomagać współpracownikom, otwierając serce na ich troski.

- Jeżeli ktoś ma poważny problem, któremu nie umiesz zaradzić, skieruj go do kogoś, kto mógłby mu pomóc. Jednym ze źródeł pomocy są programy wspierania pracowników.
- Kiedy masz do czynienia z ludźmi trudnymi, może cię kusić, by oddać im ich negatywną energię w postaci antypatii. To jednak wymagałoby przejęcia ich negatywnego nastawienia, ze wszystkimi jego szkodliwymi konsekwencjami.
- Mając do czynienia z osobą o negatywnym nastawieniu, okaż jej, że rozumiesz jej argumenty. Nakłoń ją do wspólnej pracy nad przezwyciężeniem tego, co w jej mniemaniu stanowi problem, a dzięki temu posuniesz sprawę do przodu. Spraw, by ta osoba stała się raczej częścią rozwiązania niż dodatkowym problemem.

Rozdział 16

Gospodarowanie czasem

Przestań mówić rzeczy niemające pokrycia w rzeczywistości, na przykład: „Nie mam dość czasu, by sobie ze wszystkim poradzić" lub „Mam za wiele do zrobienia" itd. Takie stwierdzenia tylko wyolbrzymiają istniejące braki.

Wyobraź sobie, że ktoś podchodzi do ciebie i mówi: „Będę ci dawać 86 400 dolarów dziennie, dzień po dniu, ale musisz je wszystkie wydać tego samego dnia". Codziennie otrzymasz tylko tyle – ani mniej, ani więcej. Nie możesz tej sumy zaoszczędzić. Czy to nie wspaniały dar? Bóg obdarowuje nas podobnie, przydzielając nam codziennie 86 400 sekund przez całe nasze życie. Musimy je zużyć w danym dniu, ponieważ nie możemy ich zachować na później. Możemy je roztrwonić na zachcianki lub pozwolić im uciec, jeśli będziemy oddawać się lenistwu. Mamy jednak możność przeznaczyć je na rozwój naszego umysłu, na pracę lub rozrywkę, na przebywanie z naszymi przyjaciółmi i rodziną, na pomoc innym ludziom. Zrób dobry użytek z tego podarunku. To dar Boga.

Jak panować nad czasem

Wielu z nas nie zdaje sobie sprawy, że ma władzę nad własnym sposobem użytkowania czasu. Przypominamy w tym pewną ubogą kobietę, która przez całe życie mieszkała na zapadłej prowincji. Kiedy się przeprowadziła do dość nowocześnie urządzonej wioski, była zaskoczona, że w jej nowym domu założono elektryczne oświetlenie. Nie miała pojęcia o elektryczności i nie widziała dotąd elektrycznego światła, więc żarówki o mocy 60 W, którymi oświetlony był dom, wydały jej się cudem. Pewnego dnia kobietę odwiedził sprzedawca handlujący żarówkami. Poprosił gospodynię, by pozwoliła mu zastąpić jedną ze starych żarówek nową o mocy 100 W. Kobieta się zgodziła i kiedy mężczyzna zapalił światło, stanęła jak urzeczona. Wydało jej się magiczną sztuką to, że mała żarówka mogła promieniować tak cudownym blaskiem, przypominającym niemal światło słoneczne. Nie miała pojęcia, że źródło tego blasku istniało w jej domu przez cały czas i że ten sam prąd, który zasilał żarówki o mocy 60 W, może wytworzyć tak różne światło.

Można się śmiać z niewiedzy tej biednej kobieciny, jednak większość z nas wie jeszcze mniej o własnej mocy. Idziemy przez życie, używając sześćdziesięciowatowych żarówek, przekonani, że uzyskujemy całą dostępną moc, że to już wszystko, co potrafimy wyrazić lub co los może nam dać, przeświadczeni, że jesteśmy skazani na takie właśnie żarówki. Nie mamy pojęcia, że nieskończony prąd, który stale przez nas przepływa, mógłby zalać nasze życie światłem niewyobrażalnie jasnym i pięknym, gdybyśmy tylko wkręcili silniejszą żarówkę, związali się silniej z nieskończonym prądem, który nas zaopatruje. Przewód doprowadzający, z którego korzystamy, jest tak cienki, że może przepływać przez niego jedynie cząstka tego potężnego prądu, dostarczająca nam zaledwie trochę światła, podczas gdy ogromna jasność przepływa obok nas. Bezgranicz-

ne zasoby nieograniczonego prądu należą do nas, gotowe, by z nich czerpać.

Nasz czas jest jak prąd. Wielu z nas zadowala się wy-
korzystywaniem go do zapalania żarówek o mocy 60 W,
chociaż dysponuje potencjałem dużo efektywniejszego
pożytkowania swojego czasu. Tak jak wymiana żarówki pozwala uzyskać jaśniejsze światło, tak zmieniając
swój sposób gospodarowania czasem, można dużo więcej zdziałać w życiu.

Wyznaczaj cele w określonym czasie

Pierwszym krokiem na drodze do właściwego gospodarowania czasem jest ustalenie celów – określenie,
co pragniesz wykonać w wyznaczonym czasie. Niestety, wielu ludzi jest zorientowanych raczej na działanie
niż na cele. Zamiast się skupiać na pożądanych rezul-
tatach, rozumują jedynie w kategoriach czynności do
wykonania w najbliższej chwili. Cel określony w czasie to taki, który pozwala powiązać ważność zamierzeń
z odpowiednim harmonogramem pracy.

Gdy już jednoznacznie określisz swoje cele, zaplanuj
czas, traktując priorytetowo te sprawy, które pomogą
ci w realizacji zamierzeń. Jeżeli nie będziesz wiedział,
do czego zabrać się najpierw, priorytet powinna mieć
czynność prowadząca do spełnienia twoich celów (chyba że coś jest tak pilne, że trzeba podjąć natychmiastowe działanie).

Wyznacz priorytety i trzymaj się ich

Charles Schwab, którego Andrew Carnegie wyznaczył
do kierowania zakładami Carnegie Steel, późniejszy
dyrektor Bethlehem Steel Company, lubił opowiadać
o tym, jak nauczył się gospodarować czasem. Zasięgnął
porady Ivy'ego Lee, jednego z pionierów konsultingu

w zarządzaniu. Wśród klientów Lee były takie sławy, jak J. P. Morgan, John D. Rockefeller, spółki zależne firmy DuPont i wiele wielkich korporacji. Schwab powiedział do niego: „Mój dzisiejszy sposób zarządzania nie może się równać z wiedzą. Musimy nie tyle więcej w i e d z i e ć, ile więcej r o b i ć. Jeśli dałby pan nam coś, co by nam pomogło wykonywać to, co zgodnie z naszą wiedzą powinno być zrobione, chętnie pana wysłucham i zapłacę każdą żądaną cenę".

„Dobrze – odrzekł Lee. – Mogę panu od razu pokazać, jak d z i a ł a ć o 50% skuteczniej". Lee poprosił Schwaba o sporządzenie listy sześciu najważniejszych zadań do wykonania nazajutrz, a następnie o ponumerowanie ich od najważniejszego do najmniej istotnego. Następnie powiedział: „Kiedy jutro rano przyjdzie pan do pracy, proszę spojrzeć na pozycję numer 1 i zacząć pracować nad tym punktem. Proszę nie zabierać się do niczego innego, dopóki to nie zostanie ukończone. Następnie proszę tak samo postąpić z punktem drugim, trzecim i tak dalej aż do końca dnia pracy. Proszę się nie martwić, jeśli doprowadzi pan do końca tylko dwie lub trzy pozycje, albo zaledwie jedną. Pracuje pan nad sprawami najważniejszymi, a inne mogą poczekać. Proszę przeznaczyć ostatnie pięć minut każdego dnia pracy na sporządzenie podobnej listy na następny dzień. Proszę zapisać nieukończone punkty i dodawać nowe sprawy, które się pojawią. Proszę znowu uszeregować je według ważności. Może się okazać, że niektóre nowo dodane punkty są ważniejsze od niezałatwionych spraw z poprzedniej listy; wówczas wczorajsze zadania przesuwają się na dalszą pozycję na liście. Jeśli ta sytuacja będzie się powtarzać, oznacza to, że te sprawy nie są dość ważne, by się nimi zajmować. Należy je wówczas porzucić lub przekazać komuś innemu.

Być może po kilku dniach stwierdzi pan, że tą metodą nie da się załatwić wszystkiego. Nie jest to też jednak możliwe w żaden inny sposób, a bez takiego czy innego systemu zapewne nie umiałby pan nawet orzec, co jest najważniejsze. Kiedy przekona się pan o wartości tego systemu, proszę go polecić swoim pracownikom. Proszę wypróbowywać tę metodę dowolnie długo, a następnie przysłać mi czek na sumę, której pana zdaniem jest ona warta". Cała rozmowa trwała 25 minut. Po dwóch tygodniach Lee otrzymał czek na 25 tysięcy dolarów – tysiąc dolarów za minutę. Schwab często opowiadał, że była to najbardziej pouczająca lekcja w jego życiu. Czy się sprawdziła? W ciągu pięciu lat Schwab doprowadził do tego, że jego nowa firma, Bethlehem Steel, stała się największym niezależnym producentem stali na świecie, przysparzając Schwabowi majątku o wartości ponad 100 milionów dolarów.

Sporządź listę nadrzędną

Zastosuj się do rady Ivy'ego Lee: wyznacz sobie priorytety i trzymaj się ich. Jest to kluczowy element skutecznego gospodarowania czasem. Korzystaj z list. Zacznij od stworzenia listy nadrzędnej, na której zapiszesz wszystko, co chciałbyś zrobić. Wpisuj swoje pragnienia na listę w takiej kolejności, w jakiej o nich pomyślałeś. Nie bierz pod uwagę kryterium ważności. Zamiast używać luźnych kartek, zapisuj w notatniku każdą rzecz, którą pragniesz wcielić w życie.

Przeglądaj swą nadrzędną listę codziennie. Dziel duże projekty na elementy możliwe do zrealizowania. Ustalaj priorytety: które sprawy trzeba załatwić dzisiaj, które można odłożyć, a które przekazać komuś innemu. Sporządzaj dzienne listy czynności do wykonania oraz listy wstępne na pozostałą część tygodnia. Pozycje odkładane na później wpisuj do kalendarza.

Analizuj zadania z list dziennych pod kątem ważności dla realizacji twoich celów. Wyznaczaj czas na wykonanie poszczególnych punktów, biorąc pod uwagę ich pilność oraz przydatność dla twoich zamierzeń.

Sumiennie przeprowadzając tę procedurę, nauczysz swój podświadomy umysł traktować codzienne zajęcia z uwzględnieniem czynnika czasu.

Bądź świadom swoich sił

Zasoby energetyczne każdego człowieka zmieniają się w ciągu dnia. Ustal, kiedy masz najwięcej sił. Niektórym praca idzie najlepiej rano, innym zaś w późniejszej porze dnia. Niektórzy pracują najlepiej tuż po posiłku, a inni przez godzinę po lunchu są ospali. Przeznaczaj na trudne i złożone zadania pory dnia, w których masz dużo sił.

Prowadź dziennik wykorzystywania czasu

Czy wiesz, jak wykorzystujesz swój czas? Większość ludzi ma jedynie mgliste wyobrażenie o tym, na co go przeznaczają. Pytałem o to wielu ludzi. Niektórzy niewiele się nad tym zastanawiali, ale mieli niezwykłą, wrodzoną zdolność efektywnego gospodarowania czasem. Byli też tacy, którzy prowadzili dziennik wykorzystywania czasu, umożliwiający obserwację sposobu spędzania godzin pracy.

Możesz wątpić, czy człowiek zajęty znajdzie czas na prowadzenie takiego dziennika. Jest to rzeczywiście uciążliwe, a niekiedy można być tak zaangażowanym w jakąś czynność, że przerywanie jej i zapisywanie czegoś w notatniku nie jest ani możliwe, ani wskazane. Patrząc realnie, najlepiej jest starać się odnotowywać swoje postępy, jeśli jednak nie uda się opisać jakiegoś odcinka czasu, trzeba to zrobić potem jak najszybciej.

Dziennika nie trzeba prowadzić w nieskończoność. Aby uzyskać dobry wgląd w sposób spędzania czasu, należy sporządzać zapiski przynajmniej trzy lub cztery dni w tygodniu przez około dwóch do trzech tygodni. Następnie można przeanalizować notatki i określić, czemu poświęca się większość czasu. Kiedy dowiesz się, jak marnujesz czas, możesz podjąć działania naprawcze. W niektórych sprawach można łatwo dokonać poprawy, inne kwestie zaś są bardziej złożone.

Złodzieje czasu

Zaplanowałeś sobie cały dzień pracy. Każda rzecz ma swoje miejsce w harmonogramie. Oto zbliża się koniec dnia, a ty wykonałeś tylko cząstkę swojego planu. Gdzie podział się cały ten czas?

Najprawdopodobniej zabrałeś się do załatwiania spraw ze swojej listy nadrzędnej w szczerej intencji ich wykonania. Jednak wkrótce dopadł cię jeden ze złodziei czasu. Są ich dziesiątki. Przejrzyj swój dziennik, a zobaczysz, jacy złodzieje czasu nękają cię najczęściej i co można zrobić, aby złagodzić skutki ich działania.

Natrętność podwładnych

Prawdopodobnie najczęściej przeszkadzają nam w pracy nasi podwładni, przychodzący do nas z problemami, które ich zdaniem wymagają naszej natychmiastowej uwagi. Zamiast samodzielnie szukać rozwiązania, zgłaszają się do ciebie z każdą drobnostką. Jednym ze sposobów wskazania takich osób jest prowadzenie rejestru swoich przerw w pracy. Zanotuj nazwisko osoby, typ problemu lub pytania i ile czasu zabrało ci załatwienie sprawy. Przeglądając swoje zapiski, zobaczysz, kto zabiera ci czas i jakie problemy ci zgłasza.

Czasami są to sprawy ważne, które wymagają twojej rady, opinii lub instrukcji, aby można było kontynuować pracę. Częściej jednak przedstawiane kwestie mogą być samodzielnie rozwiązane przez pracowników.

Podwładni Jacka Welcha, genialnego dyrektora wykonawczego firmy General Electric, mieli zwyczaj przychodzić do niego z problemami, które w jego przekonaniu powinni sami rozwiązać. Na ich pytania odpowiadał pytaniem: „A co twoim zdaniem należy zrobić?" Zrzucając problem z powrotem na ich barki, zmuszał ich do głębszego przemyślenia sprawy. Po pewnym czasie przestawali go nachodzić, chyba że jego osobista decyzja była bezwzględnie wymagana. Postępuj tak jak Welch. Poinformuj pracowników, że jeśli przychodzą do ciebie z problemem, powinni również przedstawić przynajmniej jedną propozycję jego rozwiązania. To ich zmusi do przemyślenia sprawy, a często również do samodzielnego uporania się z nią bez zawracania ci głowy. A jeśli rozmowa z tobą będzie konieczna, potrwa dużo krócej.

Dyrektor pewnej firmy znajdującej się na liście „Fortune 500" powiedział mi, że tak denerwowały go pytania i problemy, z którymi ciągle przychodzili do niego pracownicy, iż wydał następujące zarządzenie: jeśli sprawa nie jest tak pilna, że zwłoka spowodowałaby nieodwracalne szkody, powinni powstrzymywać się z pytaniami do godziny 17. Codziennie o tej porze otwierał drzwi i załatwiał zgłaszane sprawy. Wkrótce pracownicy starali się samodzielnie rozwiązywać własne problemy, zamiast czekać z nimi na koniec dnia.

Telefon

Siedzisz przy biurku pochłonięty pracą, kiedy dzwoni telefon. To jeden ze współpracowników zwraca się do ciebie z pytaniem w sprawach zawodowych. Ale czy od razu przechodzi do rzeczy? Zazwyczaj nie. Zanim rozpocznie rozmowę służbową, najpierw rozprawia o pogodzie, o swoich zajęciach w ostatni weekend, o planach na wakacje. Większość służbowych rozmów można by znacznie skrócić, gdyby rozmówcy koncentrowali się na sprawie do załatwienia. Jednakże wyeliminowanie wszystkich osobistych pogaduszek również mogłoby mieć negatywne skutki. Krótka rozmowa towarzyska poprawia relacje międzyludzkie i sprawia, że miejsce pracy staje się bardziej przyjazne, co ułatwia współpracę i działanie zespołu.

Jednakże towarzyskie wątki rozmowy powinny zabierać jak najmniej czasu. Jeśli druga osoba kontynuuje rozmowę nie na temat, powiedz grzecznie: „Chętnie posłuchałbym więcej o tym przyjęciu, ale mam tu stertę papierów, do których muszę się teraz zabrać" i przejdź do służbowej sprawy.

Staraj się, by rozmowy trwały krótko. Zanim podniesiesz słuchawkę, zaplanuj, co masz do powiedzenia. Wynotuj najważniejsze punkty, którymi chcesz się zająć, i odkreślaj je, kiedy do nich dochodzisz. Jeden z dyrektorów pewnego przedsiębiorstwa zwykle zaczyna rozmowę od uwagi, że ma tylko pięć lub dziesięć minut przed wyjściem na zebranie, i domaga się, żeby druga strona jak najbardziej skróciła rozmowę. W odpowiednich przypadkach zamiast telefonu korzystaj z poczty elektronicznej.

Goście

Jeżeli pracujesz w biurze, inni członkowie personelu prawdopodobnie będą przychodzili do ciebie porozmawiać. Zazwyczaj mają do załatwienia sprawy służbowe, często jednak wpadają w celach towarzyskich. Takie wizyty są miłe, ponieważ przerywają monotonię dnia pracy, a niekiedy pomagają nawiązać bliższe stosunki z innymi członkami personelu, mogą jednak zabierać sporo czasu.

Staraj się jak najbardziej skracać wizyty towarzyskie. Jeśli jeden ze współpracowników ma zwyczaj wpadać na pogawędkę, dyplomatycznie kończ ją jak najszybciej.

Jeśli zjawi się u ciebie nieproszony gość, na przykład przedstawiciel handlowy, spotkaj się z nim raczej na korytarzu niż w biurze. Nie zapraszaj go do swojego gabinetu, chyba że naprawdę interesuje cię oferowany produkt lub usługa. Spotkanie odbywające się na korytarzu można zakończyć w kilka minut. Kiedy już wpuścisz przedstawiciela handlowego do gabinetu, pozbycie się go może być trudniejsze. Kolejna wskazówka: rozmawiaj z gośćmi na stojąco. Zapraszaj ich, by usiedli, tylko wtedy, gdy chcesz ich zatrzymać.

Kolejnym sposobem zminimalizowania takich przerw w pracy jest wyznaczenie jednej godziny przed południem na swój czas „prywatny". Umieść na drzwiach wywieszkę „Proszę nie przeszkadzać". Powierz odbieranie telefonów automatycznej sekretarce. Poinformuj personel, że ta godzina należy do ciebie i że – jeśli coś nie wymaga rzeczywiście nagłej interwencji – nie wolno ci przeszkadzać. Upewnij się, że twój szef o tym wie i zgadza się na to, tak żeby również nie przeszkadzał ci w twoim prywatnym czasie. Zdziwisz się, jak wiele można zdziałać w godzinę.

Zarezerwuj trochę czasu dla siebie

Nie samą pracą człowiek żyje. Każdy z nas potrzebuje czasu dla siebie i rodziny, czasu, który mógłby poświęcić różnym zajęciom pozazawodowym. Nie pozwól, by praca zdominowała twoje życie.

Jeff Weinstein z Santa Monica w Kalifornii założył dobrze prosperującą firmę Counter, sieć barów szybkiej obsługi, gdzie klienci sami decydowali o składzie zamawianych hamburgerów. Sieć się rozrastała, a Jeff pracował 24 godziny na dobę, 7 dni w tygodniu, nie poświęcając w ogóle czasu sobie ani swojej rodzinie. Próbował planować pracę i robić bilans czasu. Starał się nie przynosić pracy do domu. Próbował tego wszystkiego, lecz nic nie działało, dopóki nie dotarł wreszcie do sedna problemu. Zdał sobie sprawę, że skoro mógł sam decydować o składzie hamburgerów, mógł się sam wykazać podobną inwencją przy gospodarowaniu swoim czasem.

Sekret polegał na płynnym przechodzeniu od jednego obszaru życia do drugiego. Pierwszym punktem jego planu dnia jest czas dla siebie. Jeff chodzi przed pracą na siłownię. Zjawia się w firmie później, ale w bardziej pogodnym nastroju i lepiej traktuje współpracowników, co sprzyja ich produktywności. Udaje mu się więcej zrobić i ma więcej czasu, by cieszyć się towarzystwem swojej rodziny.

Jednym ze sposobów znalezienia czasu dla siebie jest delegowanie niektórych zadań. Przeanalizuj swój zakres obowiązków, a zapewne się okaże, że zajmujesz się tym, co mogliby zrobić twoi podwładni. Chociaż możesz naprawdę lubić daną czynność, będziesz działać dużo efektywniej, jeżeli pozwolisz wykonać ją innym. W rozdziale 11. znajdziesz wskazówki, jak skutecznie delegować obowiązki.

Nie bój się odmawiać

Wielu ludzi skarży się na przeciążenie pracą. „Pracuję ponad siły, a szef przydziela mi kolejny projekt. Co mam robić?" Nie musisz przyjmować każdego zadania. Być może szef nie wie dokładnie, nad czym teraz pracujesz. Powiedz o tym otwarcie. Nie denerwuj się i nie trać panowania nad sobą. Spokojnie wyjaśnij, co robisz, i poproś szefa o pomoc w wyznaczeniu priorytetów poszczególnych zadań. Szef może ci doradzić wstrzymanie pracy nad mniej ważnymi sprawami lub przydzielić nowe zadanie komuś innemu.

Prośby o zrobienie czegoś, na co nie masz czasu, nie muszą wychodzić tylko od przełożonych. O pomoc mogą się zwracać do ciebie również twoi współpracownicy. Możesz zostać poproszony o udział w komisji lub pracę na rzecz organizacji społecznej, której jesteś członkiem. Zanim się zgodzisz lub odmówisz, dobrze się zastanów, ile to będzie wymagało czasu. Jeśli naprawdę masz dużo pracy nad ważnymi sprawami, grzecznie odmów.

Bądź cierpliwy

Gospodarowanie czasem nie oznacza wiecznego pośpiechu. Wiele rzeczywistych dokonań jest skutkiem długotrwałych i cierpliwych dążeń. Zbyt wielu ludziom brakuje cierpliwości. Nie wszystko można zrobić natychmiast. „To nie może czekać" – to typowe hasło naszych czasów, z którym możemy się spotkać wszędzie: w placówkach handlowych, szkołach, organizacjach środowiskowych i Kościołach.

Krótko mówiąc
- Sporządź nadrzędną listę, uporządkuj ją zgodnie z priorytetami i trzymaj się jej.
- Wyznacz sobie godzinę czasu tylko dla siebie – porę, w której nikt nie będzie ci przeszkadzał ani cię rozpraszał. Przeznacz ten czas na przegląda-

nie swojego planu i dostosowywanie go do bieżących priorytetów.

- Planuj dzień tak, aby zajmować się najtrudniejszymi sprawami wtedy, kiedy masz najwięcej energii, a bardziej błahymi – wtedy, kiedy nie jesteś już w najlepszej formie.
- Deleguj obowiązki. Przekazując mniej istotne zadania innym, zyskujesz swobodę zajmowania się sprawami o wyższym priorytecie.
- Naucz się odmawiać. Znaj swoje ograniczenia czasowe i naucz się taktownie odmawiać, jeżeli to pomoże ci w osiąganiu twoich celów.

Rozdział 17

Sprzedawaj swoje pomysły

Zwiększysz obroty swojej firmy, jeśli będziesz wciąż na nowo powtarzać następujące stwierdzenie: „Z każdym dniem sprzedaję coraz więcej; z każdym dniem rozwijam się, robię postępy i staję się bogatszy".

W pracy i innych dziedzinach życia często trzeba namawiać innych do przyjęcia naszych koncepcji. Aby odnieść sukces, musisz myśleć jak sprzedawca. Ucząc się metod stosowanych przez skutecznych handlowców i stosując je, zwiększysz swoje zdolności wykonania własnych zadań.

Z wielu elementów naukowej metody sprzedaży żadna nie dorównuje perswazji. Handlowcy często stwierdzają, że potencjalni klienci mają całkiem odmienne zdanie. Nie chcą oferowanego im towaru – lub przynajmniej tak im się zdaje – i są zdecydowani nie kupować. Bronią się rękami i nogami przed wszystkimi argumentami, bojąc się, że zostaną namówieni do tego, czego postanowili nie robić.

Niemniej po chwili z radością kupują dany produkt, płacą za niego i są pewni, że naprawdę go chcą. Ich postawa zmieniła się diametralnie dzięki sztuce perswazji – umiejętności pozyskiwania innych osób dla swojej sprawy w logiczny sposób i drobnymi krokami, z których każdy może zaważyć na udanej transakcji.

Możesz się nauczyć sztuki perswazji

Są ludzie, którzy mają wrodzony talent muzyczny lub plastyczny; są też tacy, którzy zostali hojnie wyposażeni w naturalne zdolności przekonywania innych do swojego sposobu myślenia.

Niektórzy przejawiają w tym kierunku większe naturalne zdolności, niemniej większość ludzi może dzięki odpowiedniemu szkoleniu nabyć umiejętności potrzebnych do skutecznej perswazji. Ponadto, jeśli osoba bez wyszkolenia może się wykazywać w wielu dziedzinach, takich jak sport, krasomówstwo lub handel, inni ludzie dzięki szkoleniu mogą osiągnąć ten sam poziom.

Nie przypisuj „pechowi" nieudanych transakcji lub złych interesów. Ich przyczyną jest nieznajomość technik sprzedaży lub zarządzania. Biznes przypomina dyscyplinę naukową, w której każda uczciwa, sumienna i zdeterminowana osoba może stać się ekspertem, jeśli tylko jest gotowa się jej poświęcić.

Przyjrzyjmy się teraz profesji, w której umiejętność przekonywania jest kluczowym elementem: sztuce sprzedaży. Jeśli nawet nie handlujesz towarami ani nie świadczysz usług, to przecież sprzedajesz innym ludziom swoje pomysły, powinieneś więc uważać się za sprzedawcę.

Aby ustalić, czy masz umiejętność perswazji, musisz się przyjrzeć swoim zdolnościom. Trzeba tu jednak pamiętać, że natura ludzka jest plastyczna, możemy więc być kształtowani przez innych i możemy kształtować siebie samych, zwłaszcza w młodym wieku.

Jeśli nawet nie masz bezspornych umiejętności handlowych, możesz je nabyć. Dzięki właściwemu treningowi sprzedaży, tzn. odpowiednim lekturom, obserwacjom, przysłuchiwaniu się i ćwiczeniom praktycznym, możesz wspomóc swoje zdolności i stać się dobrym sprzedawcą.

Zwróć na siebie uwagę

Aby namówić kogoś do nabycia oferowanego przez ciebie produktu lub usługi bądź do zaakceptowania twojego pomysłu, musisz najpierw skupić na sobie pełną uwagę; w przeciwnym razie ani jedno twoje słowo nie zostanie wysłuchane. Najczęściej trudno jest pozyskać uwagę kogoś, kto wcale nie jest zainteresowany tym, co masz do powiedzenia, a w najgorszym wypadku osoba ta może się bronić przed tym rękami i nogami. Zanim jednak kogokolwiek przekonasz do swoich zamiarów, musisz zwrócić na siebie uwagę.

Jeżeli chodzi o współpracowników, możesz to zrobić, wypowiadając się na temat, który twoim zdaniem powinien ich zainteresować. Nie musisz mówić o sprawach trywialnych ani poruszać ubocznych wątków. Warto zacząć od pytania lub komentarza bezpośrednio związanego z sytuacją.

Jeśli na przykład chcesz namówić kolegę do pracy w komisji oceniającej nowy sprzęt, twoja uwaga o częstych awariach obecnych urządzeń z pewnością zwróci uwagę twojego współpracownika.

Aby pozyskać uwagę ludzi niechętnych do zaakceptowania twoich produktów lub usług, nieraz trzeba podjąć dramatyczne kroki. Na początku lat dziewięćdziesiątych firma Continental Airlines zajmowała ostatnie miejsce w kategorii obsługi klienta w dziesiątce największych linii lotniczych. Wszystkie aspekty działania firmy, od koloru biletów po sposób składania formularzy, były sztywno określone przez wewnętrzne przepisy. Przestrzeganie zasad określonych w regulaminie – rzeczywiście funkcjonował taki dokument – uważano za ważniejsze od podejmowania kreatywnych decyzji. Sytuacja była zła, nie było czasu do stracenia. Aby dać pracownikom do zrozumienia, że epoka regulaminu zbliża się ku końcowi, dyrektor firmy Gordon Bethune zaprosił ich na parking. Wrzucił regulamin do beczki, polał go benzyną i podpalił. Wiadomość rozniosła się po całej firmie niczym pożar... a tym samym Continental Airlines była już na drodze do odbudowania morale pracowników i do sukcesu.

Zwykle uwagi innych ludzi nie trzeba przyciągać w tak spektakularny sposób. Czasami wystarczy zadać kluczowe pytanie. Formułując je tak, aby zasugerować, że znasz rozwiązanie problemu, z pewnością zwrócisz na siebie uwagę drugiej strony. Kiedy Darlene D. chciała sprzedać szefowi pomysł wprowadzenia w swoim dziale elastycznego czasu pracy, zagadnęła go w taki sposób: „Dave, wiem, jak bardzo martwi cię obniżenie produktywności, które obserwujemy w ostatnim czasie. Jedną z przyczyn tego stanu rzeczy są trudności w pozyskaniu dobrych urzędników. Gdyby istniał sposób przyciągnięcia większej liczby wykwalifikowanych osób, chyba chciałbyś go poznać?" Dave mógł tylko przytaknąć. Darlene zwróciła więc jego uwagę i mogła przedstawić argumenty.

Można też skupić na sobie uwagę w bardziej twórczy sposób. Natalie Carson, kierowniczka działu konfekcji damskiej w firmie TravelSmith handlującej sprzętem podróżniczym, w następujący sposób zwróciła na siebie uwagę szefa: „Jeśli zapytasz jakąkolwiek kobietę o jedną rzecz, którą koniecznie musi mieć w szafie, prawdopodobnie odpowie: mała czarna sukienka". Scott Sklar, jeden z dyrektorów firmy TravelSmith, nie sądził, by należało eksponować suknie w katalogu firmy. Natalie była jednak innego zdania. Spędziła wiele weekendów w Paryżu, gdzie pracował jej mąż, i była pewna swojej racji. Poszukiwała wtedy idealnej, niegniotącej się czarnej sukienki z dzianiny, w której mogłaby się czuć swobodnie pośród modnie ubranych kobiet na wieczornych przyjęciach. Ponieważ nie mogła znaleźć nic odpowiedniego, sama zaprojektowała i uszyła „małą czarną" sukienkę podróżną i wykazała, że to rozwiązało jej problem. Sklar wysłuchał jej i dał się przekonać. W rezultacie mała czarna, niegniotąca się sukienka podróżna stała się odtąd produktem nr 1 w katalogu. To doprowadziło Natalie na stanowisko wiceprezesa działu sprzedaży.

Wzbudź pragnienie

Kiedy już zwrócisz na siebie uwagę drugiego człowieka, kolejnym krokiem jest zainteresowanie go twoją propozycją. Musisz wzbudzić w nim chęć zaakceptowania twojego pomysłu. Kiedy to się uda, zgodę masz prawie w kieszeni. W tym celu musisz się odwołać do emocji – raczej do serca niż głowy.

Nigdy nie wzbudzisz pragnienia u drugiej osoby, mówiąc o tym, czego sam chcesz. Musisz najpierw określić, czego naprawdę pragnie ów człowiek. Co jest dla niego ważne? Co go kręci? W tym celu musisz naprawdę słuchać jego odpowiedzi na twoje pytania. Słuchaj uważnie. Bądź przygotowany na wychwytywanie subtelności, które mogą naprowadzić cię na to, co rzeczywiście go interesuje. Kiedy później dostosujesz do jego pragnień swoje komentarze, znajdziesz się na dobrej drodze do przeforsowania swojej kwestii.

Rozmawiałem niedawno z przyjaciółmi o szybkiej karierze pewnego młodego sprzedawcy, zaskakującej dla wszystkich, którzy go znali. Jeden z moich przyjaciół stwierdził, że tajemnicą tego człowieka jest jego niezwykła moc nakłaniania innych do zmiany zdania – sprawiania, aby potencjalny klient przyjął inny punkt widzenia. Mój znajomy nie spotkał dotąd nikogo, kto by tak skutecznie umiał zmienić sposób myślenia innej osoby. „A to właśnie – dodał – jest esencją czy nawet kwintesencją, jeśli wolisz tak to ująć, sztuki sprzedaży: moc przekonywania drugiego człowieka, by spojrzał na sprawy z naszego punktu widzenia".

Jak on to robił? Szukał i znajdował to, co potencjalny klient nosił w swoim sercu. Co tak naprawdę mogło zmienić sposób myślenia potencjalnego klienta? Uważnie słuchając i bacznie obserwując wyraz jego twarzy i mowę ciała, ów sprzedawca dążył do znalezienia kluczowego czynnika. „Najczęściej – powiedział mi – był to czynnik natury raczej emocjonalnej niż praktycznej".

Najlepszymi i najskuteczniejszymi nauczycielami nie zawsze są ludzie najlepiej wykształceni, lecz ci, którzy potrafią pozyskać serca swoich uczniów, ludzie uprzejmi, zainteresowani innymi i współczujący. To właśnie, oprócz formalnego wykształcenia, decyduje o tym, kto jest najlepszym nauczycielem. Te same cechy są podstawowymi składnikami sztuki przekonywania.

Chociaż wykształcenie i inteligencja są nieodzowne, popularność i sukces nie zależą tak bardzo od bystrości umysłu, jak od ciepłych cech osobowości.

Bądź szczery

Niektórzy ludzie dysponują mocą, którą można pomylić z darem przekonywania, a która pozwala im początkowo uzyskiwać to, czego pragną. Nie jest jednak oparta na szczerości, na dłuższą metę zaś przynosi poważne szkody w interesach. Dobrym przykładem może być przedstawiciel handlowy o urzekającej osobowości, który często uzyskuje większe zamówienia niż inni, jednak w końcu traci klientów i szarga dobre imię firmy. Lepszym handlowcem jest ten, któremu początkowo sprzedaż nie idzie równie dobrze, lecz który zaznajamia się z większą liczbą osób i pozyskuje stałych klientów. Chce bowiem działać w ich interesie i próbuje im sprzedawać tylko to, co okaże się dla nich korzystne. Badając ich potrzeby i zdobywając ich zaufanie i życzliwość, nawiązuje długofalowe, owocne relacje. Umiejętność nakłaniania innych do postępowania zgodnie ze swoją wolą ma olbrzymią moc i wiąże się z wielką odpowiedzialnością. Jeżeli nie wykorzystuje się tego daru z uprzejmością i uczciwością, zamieni się w bumerang, który najbardziej zrani tego, kto się nim posługuje. Tacy ludzie szybko zostaną nazwani „bajerantami" odstręczającymi innych ludzi.

Dzisiaj najbardziej cenimy sobie fakty i prawdę mówioną prosto w oczy. Jednak sprzedawca obdarzony darem perswazji może przedstawiać rzeczywistość tak, by potencjalny klient odniósł wrażenie, że jest on jego przyjacielem i działa wyłącznie w jego interesie. Nikt nie chce, by nim manipulowano, niezależnie od tego, jak bardzo lubi pochlebstwa. Jeśli spróbujesz tak postępować, twoje motywy zostaną podane w wątpliwość. Natomiast bardzo taktowna i uczciwa pochwała może znacznie pomóc twojej sprawie. Pamiętaj, że osoba, z którą masz do czynienia, będzie zawsze czujna wobec wszelkiego oszustwa i będzie szukać dowodów nieszczerości. Nikt nie życzy sobie być naciągany ani nie chciałby, aby usypiano jego czujność. Przede wszystkim pamiętaj, że w żadnej dziedzinie nic nie zastąpi szczerości.

Uwzględniaj interes drugiej osoby

W życiu bardzo ważne są przejrzystość, prostota, uczciwość i uprzejmość. Jedyną zasadą postępowania, która pozwala odnieść prawdziwy sukces w każdej branży, jest złota reguła.

Kiedy nie jesteś pewien, jak twoje działania wpłyną na inną osobę, po prostu zadaj sobie pytanie: „Czy chciałbym, żeby ktoś inny zrobił to mnie?"

Nathan Straus, jeden ze współwłaścicieli domu handlowego Macy's w początkach działalności firmy, znany filantrop, zapytany o to, co najbardziej w jego niezwykłej karierze pomogło mu odnieść sukces, odpowiedział: „Byłem zawsze sympatyczny wobec człowieka po drugiej stronie stołu negocjacyjnego". Dodał, że potrafi sobie poradzić z nieudaną transakcją, nawet gdyby miał ponieść ciężkie straty, jednak nigdy nie pozwalał sobie na to, by na interesach źle wyszedł jego klient. Zawsze rozpatrując transakcje z punktu widzenia swoich partnerów, Straus koncentrował się na tym, co ich zdaniem mogło przynieść im korzyść.

Naucz się oceniać drugiego człowieka

Ważnym krokiem na drodze do opanowania sztuki perswazji jest nauka wnikliwego odczytywania ludzkich charakterów. Postaw sobie za zadanie przyglądanie się ludziom i badanie motywów, które pobudzają ich do działania.

Sprawne odczytywanie charakterów jest dla adepta sztuki perswazji narzędziem tak istotnym jak umiejętność prowadzenia sporów dla prawnika czy zdolność diagnozowania chorób dla lekarza. Ludzie, którzy potrafią rozszyfrować ludzką naturę, „zmierzyć" innych w mgnieniu oka i trafnie ocenić czyjeś usposobienie, niezależnie od wykonywanego zajęcia mają wielką przewagę nad innymi.

Zdolność głębokiego wnikania w naturę innych można rozwijać. Dobrą sposobnością po temu jest obcowanie z wieloma ludźmi. Nabywanie nawyku oceniania, „mierzenia i ważenia" różnych napotykanych osób jest swoistą formą edukacji, umożliwiającą doskonalenie zmysłu obserwacji, wyostrzenie percepcji i wprawę w ocenie sytuacji.

Ludzie sukcesu przypisują postępy swojej kariery takiemu właśnie zrozumieniu mentalności i motywacji innych ludzi. Pozwala im to skutecznie radzić sobie z szefami, podwładnymi, współpracownikami, klientami, dostawcami i odbiorcami.

Każdy ma inną mentalność i do każdego należy dotrzeć po linii najmniejszego oporu. Dowiedz, się co interesuje drugiego człowieka. Jeśli jest pasjonatem muzyki, maniakiem gry w golfa lub znawcą sztuki, może ci to podsunąć odpowiedni sposób postępowania.

Najlepsi sprzedawcy przywiązują wielką wagę do poznawania zainteresowań, hobby i przedmiotu trosk potencjalnych klientów. Dowiadują się na przykład o ulubione zespoły sportowe, wiek ich dzieci itp., a następnie uwzględniają te informacje w swoich ofertach handlowych. Metoda ta sprawdza się też w kontaktach z osobami z twojej organizacji, z którymi musisz nawiązać dobre stosunki, jeżeli chcesz się piąć po szczeblach kariery.

Nie spiesz się z osądem ani nie decyduj zbyt szybko, kiedy oceniasz innych ludzi. Powstrzymaj się z tym, dopóki nie odczytasz hieroglifów charakteru wypisanych na twarzy danej osoby, w całej jej postaci i sposobie bycia, ponieważ każdy z nich jest istotny i ma znaczenie. Innymi słowy, zamiast działać pod wpływem pierwszego wrażenia, odczytaj wszystkie charakterystyczne cechy i znaki i zdobądź wszelkie informacje, ponieważ od trafności twojego osądu bardzo wiele zależy. Przeczytaj ponownie omówienie języka ciała w rozdziale 14.

Twarz przypomina tablicę ogłoszeniową. Jest programem sztuki wystawianej we wnętrzu danego człowieka, programem, który należy przeczytać szybko i dokładnie. Wyraz twarzy, postawa, sposób bycia, język i spojrzenie są literami alfabetu psychicznego, którymi zapisana jest osobowość danego człowieka.

Wszystko, co naturalne, spontaniczne i nieumyślne, wskazuje na pewne cechy danej osoby. Jeśli jednak twój rozmówca przybiera minę lub pozę, możesz przeniknąć tę maskę i nie brać pozorów pod uwagę.

Poznaj ich życie

Łatwiej przekonać do swojego zdania osobę znajomą niż obcą. Jednym z kluczowych elementów perswazji jest uzmysłowienie drugiemu człowiekowi wartości tego, do czego chcemy go nakłonić. Nie zawsze łatwo określić, co jest ważne dla nieznajomych, na przykład potencjalnych klientów. Powinieneś jednak już znać uczucia, pragnienia i postawy swoich pracowników lub dobrych znajomych.

Pamiętaj, że ludzie są różni i że to, co przemawia do jednych, może nie mieć żadnego wpływu na drugich. Dowiedz się, jacy są twoi podwładni, współpracownicy i osoby spoza twojego działu i firmy, z którymi masz do czynienia. Każdy z nich ma życie osobiste, które zwykle ceni bardziej od pracy. Rozmawiając ze współpracownikami o tym, co naprawdę ich obchodzi poza pracą, okazujesz im zainteresowanie jako ludziom, nie tylko jako pracownikom.

Rozmowa to dopiero początek. Nie musisz wścibiać nosa w czyjeś prywatne życie, lecz słuchając innych, wczuwając się w ich położenie i obserwując reakcję – możesz wiele się dowiedzieć o tym, jak się czują, jacy naprawdę są i co ich motywuje.

Dyplomacja i takt umożliwiają skuteczną perswazję

Takt jest jedną z cech, które najbardziej ułatwiają odniesienie życiowego sukcesu. Wielu wybitnych menedżerów wyższego szczebla twierdzi, że to najważniejszy składnik recepty na sukces (pozostałymi są osobowość, entuzjazm i znajomość branży).

Takt pozwala ominąć straże, bramy i bariery, znajduje dojście do sanktuarium, do którego osoba pozbawiona tej cechy nie ma dostępu. Takt znajduje posłuch tam, gdzie nie udaje się to geniuszowi; jest przyjmowany tam, gdzie nie dopuszcza się talentu; zostaje wysłuchany tam, gdzie same zdolności – bez jego pomocy – nie znajdują posłuchu.

Alex był błyskotliwym inżynierem. Mało kto mógł się z nim równać wiedzą. Choć jego prezentacje dla kierownictwa były technicznie bez zarzutu, zrażał słuchaczy swoją arogancją. Jak skomentował to jeden z menedżerów: „Kiedy odpowiada na moje pytania, czuję się głupi, bo w ogóle je zadaję". Kiedy skrytykowano go za brak taktu, odpowiedział: „Tym gorzej dla tych, którzy są zbyt tępi, żeby mnie zrozumieć".

Kiedy kilkakrotnie nie otrzymał awansu, dał się namówić na rozmowę z konsultantem dla wyższej kadry zarządzającej. Zanim Alex przezwyciężył skłonność do wbijania ludziom do głowy swoich pomysłów zamiast ich sprzedawania, upłynęło wiele tygodni. Dzięki ćwiczeniom i medytacjom jego podświadomy umysł zgodził się w końcu, że doskonała wiedza fachowa nie wystarczy do poczynienia upragnionych postępów w karierze. Alex zaczął akceptować słabości innych ludzi i szukać raczej ich mocnych punktów, zamiast drwić z ograniczeń. Z czasem zmienił swoje podejście do ludzi i nauczył się prezentować informacje z większym taktem i z uwzględnieniem uczuć innych, co z kolei pomogło mu osiągnąć cele zawodowe.

Jak się uporać z zastrzeżeniami i sfinalizować transakcję

Kiedy przedstawiasz innym swoje pomysły, pewne aspekty twoich koncepcji mogą budzić zastrzeżenia. Potraktuj to nie jako problem, lecz jako wyzwanie. Sprzedawcy lubią wyzwania. Dzięki zastrzeżeniom co do oferty mogą łatwiej określić rzeczywiste pragnienia potencjalnego klienta, spojrzeć mu prosto w oczy i zwiększyć szanse dokonania transakcji. Dobrzy sprzedawcy przewidują ewentualne wątpliwości i przygotowują się do ich rozwiania. I ty powinieneś postępować tak samo.

Jeżeli chcesz nakłonić innych do przyjęcia twojej koncepcji, przyjrzyj się wszystkim negatywnym aspektom, które mogliby wskazać. Przygotuj się do odparcia ich zarzutów lub – jeśli są słuszne – do udowodnienia przewagi korzyści nad wadami. Przygotuj fakty i liczby, które uzasadniają twoje stanowisko, bierz jednak pod uwagę również aspekty niematerialne i odwołuj się do emocji rozmówców. Tak jak finalizacja transakcji, czyli uzyskanie ostatecznej akceptacji, jest kulminacyjnym punktem sprzedaży dla przedstawiciela handlowego, tak w twoim przypadku pożądanym rezultatem jest uzyskanie zgody na to, do czego chciałeś przekonać innych ludzi.

Kiedy uporasz się już ze wszystkimi zastrzeżeniami, będziesz gotowy do sfinalizowania transakcji. Przed postawieniem tego ostatniego kroku dodaj sobie animuszu: „Wiem, że to dobry pomysł, który okaże się bardzo korzystny dla organizacji. Jestem przygotowany na wszystko, aby przekonać szefa, żeby wyraził zgodę". W ten sposób twoja podświadomość umocni cię w pewności odniesienia sukcesu. Następnie przystąp do zamknięcia transakcji.

Jedną z najskuteczniejszych metod sprzedania pomysłu drugiej osobie jest poproszenie jej o wspólną jego ocenę. Podziel kartkę na dwie kolumny. Zatytułuj pierwszą „minusy", a drugą „plusy". Od razu wpisz główne zastrzeżenia, które wysunięto wcześniej, w pierwszej kolumnie, a obok podaj argumenty je neutralizujące. Wpisz w kolumnie „plusy" wszystkie dodatkowe korzyści, które zostały już omówione. Jeżeli odrobiłeś swoją pracę domową, powinieneś wyliczyć dużo więcej plusów niż minusów. Następnie powiedz: „Zobaczmy teraz, co może powodować, że obawiasz się przyjąć ten pomysł, i porównajmy te powody z czynnikami przemawiającymi za jego wdrożeniem. Twoim zdaniem, które argumenty biorą górę?" Twój rozmówca musi się opowiedzieć za pozytywnymi aspektami sprawy.

Kiedy już uzna, że twoja koncepcja jest wykonalna, powiedz: „Skoro uznajesz, że to dobry pomysł, chciałbym omówić kolejny krok prowadzący do jego realizacji".

Jeżeli wcześniej trzeba przekonać szefa lub inne osoby z kierownictwa, zaproponuj, że z chęcią weźmiesz udział w prezentacji pomysłu.

Jeżeli starannie się przygotujesz i będziesz stosować metody skutecznych sprzedawców, będziesz potrafił przedstawiać i sprzedawać innym swoje pomysły oraz czerpać wielką satysfakcję z tego, że są one akceptowane i wcielane w życie.

Krótko mówiąc

- W pracy i innych dziedzinach życia często musisz nakłaniać innych do przyjęcia twoich koncepcji. Aby odnieść sukces, musisz myśleć jak sprzedawca.

- Aby namówić kogoś do nabycia oferowanego przez ciebie produktu lub usługi bądź do zaakceptowania twojego pomysłu, musisz najpierw skupić na sobie uwagę; w przeciwnym razie ani jedno twoje słowo nie zostanie wysłuchane.
- Musisz wzbudzić w rozmówcy chęć zaakceptowania twojego pomysłu. Kiedy to się uda, zgodę masz prawie w kieszeni. W tym celu musisz się odwołać do emocji – raczej do serca niż głowy.
- Niezależnie od tego, jak jesteś inteligentny lub kompetentny, twoja kariera zawodowa zależy od dobrych stosunków z innymi ludźmi – twoimi przełożonymi, kolegami i koleżankami, podwładnymi, klientami i innymi, z którymi musisz się stykać.
- Pamiętaj, że ludzie są różni i że to, co przemawia do jednych, może nie mieć żadnego wpływu na drugich. Dowiedz się, jacy są twoi podwładni, współpracownicy i osoby spoza twojego działu i firmy, z którymi masz do czynienia.
- Jeżeli chcesz nakłonić innych do przyjęcia twojej koncepcji, przyjrzyj się wszystkim jej negatywnym aspektom, które mogliby wskazać. Przygotuj się do odparcia ich zarzutów lub – jeśli są słuszne – do udowodnienia przewagi korzyści nad wadami.
- Przed postawieniem ostatniego kroku dodaj sobie animuszu, wypowiadając krzepiące słowa. W ten sposób twoja podświadomość umocni cię w pewności odniesienia sukcesu.

Rozdział 18

Przyspiesz swoją karierę

Możesz wspiąć się wyżej tylko wtedy, gdy będziesz miał wzrok utkwiony w swojej gwieździe. Stwórz wizję tego, kim pragniesz się stać; pamiętaj o tym stale i pracuj na to ze wszystkich sił. Musisz zawsze mieć za sobą motywację pobudzającą cię do pracy, a przed sobą inspirujący cel – coś wielkiego i wzniosłego, czego mógłbyś oczekiwać, co pobudzałoby twoją ambicję i zaspokajało aspiracje.

Czy chcesz wyrosnąć ponad to, kim jesteś? Czy pragniesz być wielkim i wspaniałym człowiekiem? Jeśli tak, przygotuj się do odrzucenia strachu, urazy, irytacji i samopotępienia. Aby otrzymywać, trzeba dawać. Musisz porzucić negatywny sposób myślenia i oddać się myśleniu konstruktywnemu. Musisz pokochać człowieka, którym pragniesz się stać, i odrzucić tego, którym jesteś teraz. Musisz być gotów pozwolić odejść temu, co stare, by móc doświadczać nowego.

Możesz pokochać muzykę, sztukę lub prawo. Możesz usiąść i kontemplować zdrowie, szczęście, pokój umysłu, obfitość, bezpieczeństwo, właściwe działanie, harmonię, inspirację i przewodnictwo. Możesz kontemplować karierę, która nie tylko przyniesie ci korzyści finansowe, ale również da ci radość i satysfakcję z wykonywania tego, co kochasz i co warto robić. Możesz to rozpamiętywać, okazywać temu uwagę, oddanie i lojalność. Ty również możesz dać się urzec, zafascynować i pochłonąć, a prawo twojej podświadomości cię wysłucha. Jak myślisz w swoim sercu (podświadomości), tak będziesz działać i taki się staniesz.

Liczy się to, co myślisz sercem, a nie głową, ponieważ takie sprawy trzeba poczuć i doznać ich prawdziwości. Każda myśl lub pomysł, który rozpamiętujesz, wywołuje określoną reakcję emocjonalną. Z czasem zapadnie ona w twoją podświadomość, przesyci ją i stanie się koniecznością. Dlatego musisz być tym, robić i wyrażać to, co stanowiło przedmiot twojej medytacji.

Jeżeli twoja ambicja nie jest stale żywa, jeśli ujawnia się zrywami, jeśli niekiedy słabnie, zwłaszcza w chwilach zniechęcenia, powinieneś ją podbudowywać i wzmacniać, jak tylko potrafisz. Jeśli na przykład pracujesz w jakiejś firmie, zdecyduj, że zostaniesz grubą rybą z wyższego kierownictwa, lub przygotuj się do przyjęcia udziałów w firmie swojego pracodawcy. Jest to uzasadniona ambicja, którą udało się zrealizować wielu ludziom zaczynającym od najniższego szczebla drabiny. Wówczas sama myśl o twoim nazwisku widniejącym nad wejściem do instytucji, w której teraz jesteś urzędnikiem, da ci wspaniałą motywację do pracy. Nie ma znaczenia to, czy twoje nazwisko istotnie tam się pojawi, ponieważ będziesz przygotowany i wyszkolony do wykonywania innych zajęć – równie dobrych lub nawet lepszych. Cokolwiek się zdarzy, ambicja i przygotowanie do partnerstwa z twoim szefem będą dla ciebie najlepszymi z możliwych stymulatorami rozwoju.

Larry W., przedsiębiorca, który zyskał sławę i poczesne miejsce w świecie biznesu, od dzieciństwa rozbudzał swoją ambicję, codziennie szczerze rozmawiając z samym sobą i stale „wywindowując się" – jak to określa – na najwyższy z możliwych poziomów.

Larry jest pewien, że większość jego dokonań ma związek z wcześnie nabytym zwyczajem nieustępliwego poganiania samego siebie, nakłaniania się do wykonywania najważniejszych rzeczy. Twierdzi, że gdyby stale nie rozbudzał swojej ambicji i nie narzucał sobie szybkiego tempa, po kilku miesiącach obniżyłby standardy, doświadczył niedoboru energii, zaniku ideałów i spadku poziomu życia.

Trzy kroki do sukcesu

Aby postawić pierwszy, najistotniejszy krok na drodze do sukcesu, znajdź to, co uwielbiasz robić, a następnie to rób. Jeżeli nie kochasz swojej pracy, nie możesz w żadnej mierze uznać się za człowieka odnoszącego sukcesy zawodowe, choćby nawet cały świat uważał, że wiedzie ci się wspaniale. Jeśli kochasz swoją pracę, będziesz pragnął ją wykonywać. Jeżeli chcesz zostać psychiatrą, nie wystarczy, że zdobędziesz dyplom i powiesisz go na ścianie. Będziesz śledził osiągnięcia w tej dyscyplinie, brał udział w konferencjach i nieprzerwanie badał umysł i jego działanie. Będziesz odwiedzał kliniki i ślęczał nad ostatnim numerem czasopisma naukowego. Innymi słowy, będziesz dążył do poznania najbardziej zaawansowanych metod łagodzenia ludzkich cierpień, ponieważ w głównej mierze będzie cię interesować dobro twoich pacjentów.

Jeśli czytając te słowa, myślisz: „Nie mogę uczynić tego kroku, ponieważ nie wiem, co chcę robić. Jak znaleźć dziedzinę bliską mojemu sercu?" – odmawiaj następującą modlitwę o przewodnictwo:

Nieskończona Inteligencja mojego podświadomego umysłu ukazuje mi prawdziwe miejsce w życiu.

Powtarzaj sobie to zdanie w myśli, przekazując jego treść z uczuciem i pozytywnym nastawieniem swojemu głębokiemu umysłowi. Jeśli wytrwasz w wierze i ufności, otrzymasz odpowiedź w postaci wrażenia, przeczucia, intuicji lub skłonności do podążania w pewnym kierunku. Odpowiedź ta ukaże ci się jasno i w spokoju jako wewnętrzna, milcząca świadomość.

Drugim krokiem do sukcesu jest specjalizowanie się w określonej dziedzinie i dążenie do osiągnięcia doskonałości na tym polu. Załóżmy, że wybrałeś zawód chemika. Powinieneś skoncentrować się na jednej z wielu gałęzi tej dyscypliny i poświęcić jej cały czas i uwagę. Twój entuzjazm powinien cię skłaniać do zbierania wszelkich dostępnych informacji z tej dziedziny. Powinieneś żywo interesować się tą pracą i pragnąć ją wykonywać dla dobra świata.

Trzeci krok jest najważniejszy. Musisz być pewien, że to, czego pragniesz, nie służy wyłącznie twojemu powodzeniu. Twoje pragnienie nie może być egoistyczne. Musi przynosić korzyść ludzkości. Twoja ścieżka musi zataczać pełny krąg. Innymi słowy, twoja myśl musi wyjść na zewnątrz, aby nieść błogosławieństwo światu i mu służyć. Wtedy powróci do ciebie zwielokrotniona i napełniona błogosławieństwami. Jeśli działasz tylko dla własnej korzyści, nie domykasz tego ważnego kręgu. Wydaje się, że dobrze ci się wiedzie, lecz krótkie spięcie, do którego doprowadziłeś w swoim życiu, z czasem sprowadzi na ciebie ograniczenia lub choroby.

Kiedy będziesz rozważać owe trzy kroki wiodące do sukcesu, nie zapominaj nigdy o sile leżącej u podłoża twórczych mocy twojego podświadomego umysłu. Jest to energia, która daje ci napęd na wszystkich etapach twojego planu odniesienia sukcesu. Twoja myśl ma charakter twórczy. Myśl zespolona z uczuciem staje się subiektywną wiarą lub przekonaniem.

Jak pójść naprzód dzięki mocy podświadomości

Kiedy Johann Wolfgang Goethe napotykał trudności i przeszkody, robił mądry użytek ze swej wyobraźni. Jak twierdzą jego biografowie, miał on zwyczaj prowadzić w duchu wielogodzinne rozmowy z wyimaginowanymi postaciami. Wyobrażał sobie na przykład, że jeden z jego przyjaciół, wykonując typowe dla siebie gesty i przemawiając własnym głosem, siedzi naprzeciwko niego i udziela mu właściwych odpowiedzi na jego pytania. Całą scenkę wyobrażał sobie jak najdokładniej i ze szczegółami.

O metodzie Goethego dowiedziała się Geri P., młoda kobieta pracująca jako doradca finansowy. Zaczęła prowadzić w myśli rozmowy ze znajomym multimilionerem i inwestorem, który kiedyś pochwalił jej umiejętność oceny sytuacji na rynku inwestycyjnym. Jej wizja rozmów z tym człowiekiem stawała się coraz bardziej wyrazista, aż utrwaliła się w jej podświadomym umyśle, przybierając formę pewności.

Wewnętrzne rozmowy i kontrolowane wizje służyły celowi Geri, którym było umożliwianie klientom dobrych inwestycji, zarabianie dla nich pieniędzy i poprawa ich kondycji finansowej dzięki jej dobrym radom. Geri nadal korzysta z pracy swojego podświadomego umysłu i odnosi błyskotliwe sukcesy.

Podejmuj dobre decyzje

Prawdopodobnie najistotniejszymi cechami ludzi sukcesu są: zdolność do podejmowania szybkich i trafnych decyzji, umiejętność wcielania ich w życie oraz doprowadzanie spraw do końca. Ten ostatni krok pozwala im się upewnić, że podjęte decyzje w zadowalający sposób rozwiązują problemy.

Od wielu lat ludzie proszą mnie, abym pomógł im podnieść się po porażce. Przysłuchując się ich skargom, stwierdziłem, że mają oni jedną wspólną cechę: niezdecydowanie. Kiedy mają problem do rozwiązania, zwlekają i są przesadnie ostrożni, a kiedy już podejmują decyzję, nie idą za ciosem.

Jednym z ważniejszych darów Bożych jest możliwość dokonywania nieskrępowanych wyborów – moc analizowania problemów, podejmowania decyzji co do sposobu ich rozwiązania oraz ich realizacja.

Tommy F. stał przed ważną decyzją zawodową. Miał postanowić, czy szukać nowej pracy czy nie. Chociaż lubił swoją firmę, nie zarabiał dość pieniędzy ze względu na zastój w interesach i miał marne widoki na podwyżkę. Konkurencyjna firma zaproponowała mu posadę nieco lepiej płatną i dającą perspektywy rozwoju. Jej przedstawiciel domagał się od Tommy'ego natychmiastowej odpowiedzi, on jednak przekonał go, żeby poczekał na jego decyzję do następnego piątku. Była to dobra oferta, a Tommy potrzebował pieniędzy. Martwił się jednak, że przechodząc do konkurencji, postąpi nieuczciwie wobec swojego pracodawcy, który go wyszkolił i pomógł mu nabyć wiele umiejętności. Pomodlił się, a następnie przestał się zajmować tą sprawą, wiedząc, że jego podświadomy umysł podejmie słuszną decyzję.

I rzeczywiście, w środę zadzwonił do niego szef z wiadomością, że właśnie podpisał intratną umowę i że przekazuje Tommy'emu odpowiedzialność za tę pracę, przyznaje mu stanowisko kierownika i daje sporą podwyżkę.

Tommy był przeświadczony, że pozostanie w firmie było tym, czego pragnął dla niego Bóg, i że podświadomy umysł zapobiegł natychmiastowemu przyjęciu oferty i umożliwił awans w dotychczasowej pracy.

Bądź sprawiedliwy wobec siebie

Lisa F. czuła się gotowa do awansu i rozwoju zawodowego, jednak żywiła urazę do swojej przełożonej. Miała wrażenie, że ta kobieta stoi jej na drodze. Rozmawiała o tym ze starszą i mądrzejszą przyjaciółką, która wyjaśniła jej, że jest niesprawiedliwa dla siebie, ponieważ wynosi tę kobietę na piedestał i wywyższa ją ponad Nieskończoność obecną w jej własnym wnętrzu. Takie nastawienie nie miało sensu. Zakładając, że przełożona jest większa od Nieskończoności, Lisa nie uznawała wszechpotężnej mocy.

Wówczas zaczęła czynić następującą afirmację: „Dzięki mocy Nieskończoności awansuję, rozwijam się i osiągam rezultaty". Z czasem podświadomy umysł odrzucił koncepcję, że to kierowniczka uniemożliwia jej awans. Lisa zebrała siły, by poprawić jakość swej pracy i postawę, co w końcu doprowadziło ją do upragnionego awansu.

Stajesz się tym, co czujesz, co przyciągasz do siebie i co sobie wyobrażasz.

Możesz sobie wyobrażać, że jesteś włóczęgą, który wskakuje do przejeżdżających pociągów. Postępuj tak dalej, a zaczniesz się włóczyć po świecie. Możesz jednak wyobrażać sobie, że odnosisz wspaniałe sukcesy, że jesteś wielkim aktorem. Możesz ujrzeć w wyobraźni, jak stoisz przed widzami, wywołujesz uśmiechy na ich twarzach lub wyciskasz łzy z oczu, jak dzięki swej wewnętrznej mocy wzbogacasz ich życie pięknem słów Szekspira.

Niektórzy utrzymują, że nie mają szans na awans i rozwój zawodowy, ponieważ w instytucji, w której pracują, możliwości awansowania lub płace regulowane są przez sztywne przepisy. Nie jest to do końca prawdą. Aby awansować i pójść do przodu, możesz wykorzystać prawa umysłu. Tajemnica polega na tym, abyś kochał to, co teraz robisz, i robił jak najlepiej to, co potrafisz, tam, gdzie się znajdujesz. Bądź serdeczny, uprzejmy, przystępny i życzliwy. Myśl z rozmachem i rozpamiętuj bogactwo, a obecna praca stanie się po prostu stopniem na drodze do twojego triumfu. Bądź świadom swojej prawdziwej wartości i w myśli domagaj się dostatku dla siebie i każdego człowieka, z którym się codziennie spotykasz – czy będzie to twój szef, kolega z pracy, majster, klient czy przyjaciel. Poczujesz, jak promienie bogactwa i rozwoju rozprzestrzeniają się w twoim życiu i wkrótce otworzą dla ciebie nowe możliwości.

Ludzie ciągle pytają, jak pójść w życiu naprzód, poprawić swoją sytuację, otrzymać podwyżkę, kupić nowy samochód i nowy dom oraz zdobyć pieniądze na to, czego potrzebują i pragną.

Odpowiedź na wszystkie te pytania otrzymujemy dzięki nauce stosowania praw rządzących naszym umysłem: prawa przyczyny i skutku, prawa wzrostu i prawa przyciągania. Prawa umysłu działają z taką samą precyzją i dokładnością jak prawa fizyki, chemii i matematyki i równie niezachwianie jak prawo powszechnego ciążenia.

Stań się widoczny

Twój bezpośredni szef nie zapewni ci awansu. Josh K. był dobrym pracownikiem. Ken, jego szef, często go chwalił i wspominał, że poleci go do awansu na swoje stanowisko, kiedy przejdzie na emeryturę. Niestety, Ken nagle zmarł, a firma powierzyła kierownictwo działu osobie z zewnątrz. Kandydatura Josha nie została w ogóle wzięta pod uwagę. Dlaczego? Dlatego że na wyższych szczeblach organizacji nikt go nie znał. Był niedostrzegalny. Podobnie jak Josh, wielu wykwalifikowanych pracowników nigdy nie poczyni większych postępów, ponieważ nikt nie wie, kim są. Aby zrobić postępy w karierze, musisz być widoczny nie tylko dla swojego szefa, ale także dla innych menedżerów.

Pięć sposobów, jak dać się zauważyć

Aby dać znać innym ludziom, że jesteś kompetentny, twórczy i zdolny, nie musisz zatrudniać konsultanta do spraw wizerunku. Oto pięć prostych kroków, które możesz poczynić, aby dać się poznać innym ludziom z twojej organizacji:

1. *Zabieraj głos.* Zamiast siedzieć cicho, bierz czynny udział w zebraniach, w których uczestniczysz. Nie bój się przedstawiać swoich pomysłów i wysuwać propozycji. Uwaga: Przygotuj się do zebrania, analizując jego plan, i upewnij się, że dobrze znasz fakty i możliwe konsekwencje wszelkich przedstawianych przez siebie propozycji.

2. *Pomagaj innym, dostarczając im informacji przydatnych w ich dziedzinach.* Valerie P. miała zwyczaj wycinania artykułów z czasopism branżowych i wysyłania ich do współpracowników i menedżerów, którzy jej zdaniem powinni być zainteresowani tymi informacjami. Zyskała renomę osoby wrażliwej na zainteresowania innych, co było istotnym czynnikiem w jej awansie.

3. *Podejmuj pracę ochotniczą.* Podejmuj się zadań, których inni mogą unikać. Bill M. zgodził się przewodniczyć dorocznej akcji zbierania w firmie datków na fundację Wspólna Droga. W ramach przyjętych obowiązków odwiedził wszystkie działy organizacji i dał się poznać większości menedżerów. Kilka miesięcy później jeden z menedżerów, który poszerzał zakres działalności, zaoferował Billowi wymagające i dobrze płatne stanowisko w swoim zespole.

4. *Bądź aktywnym członkiem w organizacjach zawodowych.* Darlene A. pracowała w dziale marketingu jednej z czołowych firm handlujących produktami masowego użytku. W jej dziale było kilku innych młodych speców od marketingu, a wszyscy konkurowali ze sobą o awans. Byli inteligentni i kreatywni i, podobnie jak Darlene, ukończyli najlepsze uczelnie. Darlene musiała coś zrobić, aby się wyróżnić.

Jako członek miejscowego oddziału Amerykańskiego Towarzystwa Marketingu zgodziła się wziąć udział w pracach komisji programowej. Jej pierwszym zadaniem było znalezienie prelegenta na kwietniowe zebranie. Wybór Darlene padł na wiceprezesa ds. marketingu w jej firmie. Zaprosiła go, choć nigdy wcześniej z nim nie rozmawiała i była pewna, że jest mu zupełnie nieznana. Nie tylko się zgodził, ale powiedział, że czuje się zaszczycony. Dwukrotnie przed zebraniem spotkał się z Darlene, aby omówić szczegóły wystąpienia. Podczas zebrania Darlene siedziała obok niego na podium i przedstawiła go słuchaczom. Od tego czasu Darlene stała się widoczna dla wiceprezesa i zaczęła szybko wysuwać się przed swoich konkurentów.

5. *Napisz artykuł.* W większości czasopism fachowych mile widziane są artykuły napisane przez osoby z branży na temat różnych aspektów ich pracy. Autor opublikowanego artykułu staje się lepiej widoczny nie tylko dla osób ze swojej instytucji, ale i dla innych organizacji działających na danym polu. Ponieważ rozwój zawodowy często wymaga zmiany pracy, publikacja nie tylko świadczy o kwalifikacjach autora, ale zwraca na niego uwagę menedżerów innych firm i instytucji pośredniczących w rekrutacji kadry kierowniczej. Uwaga: zanim nadeślesz artykuł omawiający jakikolwiek aspekt twojej pracy, pamiętaj o uzyskaniu pozwolenia od odpowiedniego przedstawiciela twojej firmy, aby uniknąć naruszenia prywatności informacji lub komplikacji prawnych.

Zmieniaj kurs

W pracy nieraz się zdarza utkwić w martwym punkcie. Aby się wyrwać z marazmu, trzeba się przenieść na inne stanowisko w tej samej instytucji lub zmienić miejsce zatrudnienia. Aby pójść naprzód, czasami trzeba zrobić kilka kroków wstecz.

Niektórych liderów biznesu nie trzeba zmuszać do zmiany kursu. Intuicyjnie wiedzą, że warto od czasu do czasu to zrobić. Ellen Kullman, doskonały menedżer wyższego szczebla w firmie DuPont, zrezygnowała z pracy na eksponowanym i wpływowym stanowisku, by stworzyć nowy dział zajmujący się produktami z branży bezpieczeństwa i ochrony. Mogło się zdawać, że znacznie obniżyła loty, skoro zrezygnowała z ważnego stanowiska dla nowego przedsięwzięcia, które miała realizować bez żadnych zasobów, mając do pomocy tylko trzydziestu pracowników. Połowa jej współpracowników odniosła wrażenie, że zdegradowano ją za jakiś błąd, a druga połowa sądziła, że „po prostu zwariowała". Pomimo atmosfery zwątpienia i negatywizmu przekonała się jednak o słuszności obranej drogi, kiedy nowa inicjatywa dała początek branży o obrotach 5,5 miliarda dolarów. Oto rada Kullman dla tych, którzy napotykają opór: zamiast tkwić w jednym miejscu, podejmuj trudne decyzje – „Nie przestawaj wymyślać wszystkiego na nowo".

Na początku kariery Liz Smith, późniejsza prezes Avon Products, była odpowiedzialna za markę Jell-O promowaną przez giganta na rynku spożywczym Kraft Foods. Podjęła wtedy decyzję o przeniesieniu się do niewielkiej amerykańskiej organizacji zajmującej się importem, w związku z przejęciem nowej firmy w Europie. Smith wspomina, że choć wszyscy uznali ją za wariatkę, chciała zdobyć doświadczenie w sprzedaży i międzynarodowej dystrybucji, a wykonując nieoczekiwane posunięcie i nie uginając się pod krytyką, otrzymała to, co było jej potrzebne.

Sukces polega na wszechstronnym rozwijaniu zdolności i umiejętności w sposób, który pozwala wyzwolić wewnętrzne moce. Awanse, pieniądze i kontakty są materialnymi przejawami powstałymi na obraz i podobieństwo stanów umysłu, które doprowadziły do ich wytworzenia.

Życie polega na dodawaniu. Dodawaj sobie zdrowia, mocy, mądrości, wiedzy i wiary, studiując prawo swojego świadomego i podświadomego umysłu. Jeśli będziesz afirmować w następujący sposób: „Należne mi dobro płynie ku mnie nieprzerwanie, radośnie i w obfitości", Boże bogactwa napłyną do twojego chłonnego, otwartego umysłu.

Krótko mówiąc

- Aby postawić pierwszy, najistotniejszy krok na drodze do sukcesu, znajdź to, co uwielbiasz robić, a następnie to rób. Jeżeli nie kochasz swojej pracy, nie możesz w żadnej mierze uznać się za człowieka odnoszącego sukcesy zawodowe, choćby nawet cały świat uważał, że wiedzie ci się wspaniale.

- Ludzie, którzy obawiają się podejmować decyzje lub dokonywać wyborów, nie uznają własnej boskiej natury.

- Nie przestawaj się uczyć. Śledzenie najnowszych osiągnięć w swojej dyscyplinie jest jednym z czynników gwarantujących ci długotrwałą pomyślność na drodze kariery.

- Zacznij już teraz powtarzać sobie słowo „sukces" z wiarą i poczuciem pewności. Twój podświadomy umysł uzna je za prawdę o tobie, a wówczas będziesz czuł wewnętrzny przymus odnoszenia sukcesów.

- Rób jak najlepiej to, co potrafisz, tam, gdzie się znajdujesz. Bądź serdeczny, uprzejmy, przystępny i życzliwy. Bądź świadom swojej prawdziwej wartości i w myśli domagaj się dostatku dla siebie i każdego człowieka, z którym się codziennie spotykasz – czy będzie to twój szef, kolega z pracy, majster, klient czy przyjaciel. Poczujesz, jak promienie bogactwa i rozwoju rozprzestrzeniają się w twoim życiu i wkrótce otworzą dla ciebie nowe możliwości.

- Stań się widoczny. Upewnij się, że menedżerowie w twojej organizacji znają twoje umiejętności i postrzegają cię jako człowieka przystępnego. Zapoznaj się z pięcioma omówionymi w tym rozdziale sposobami na to, aby dać się zauważyć.

Indeks

284